岩　波　現　代　文　庫

方法としての史学史

歴史論集 1

成田龍一
Ryuichi Narita

学術 432

岩波書店

若し新事業を建立せんと欲するときは、一たび其思想を人々の脳髄中に入れて、過去の思想と為ざる可からず。何となれば事業は常に果を現在に結ぶも、思想は常に因を過去に取るが故なり。

中江兆民『三酔人経綸問答』

歴史論集1 まえがき

二〇二〇年になって、思いもかけぬ新型コロナウイルス(COVID-19)の感染拡大により、みなが苛酷な経験を強いられている。こうしたなか、人びとの歴史意識もゆっくりと変わってきている。当初は、ポスト・コロナといいその撲滅を意図していたが、やがてウィズ・コロナというようになる。人類が数万年にわたってウイルスと共存してきたこと、そして眼前の新型コロナもそのなかのひとこまとして対応しようという認識である。長い時間と広い空間に〈いま〉を位置づけており、グローバル・ヒストリーやビッグ・ヒストリーへの関心と共振していよう。

他方、ひとはこうした「大きな歴史」とともに、「私」の経験に基づく「小さな歴史」をあわせ積み重ねている。個人の生き方や、周りの家族、地域の歴史への関心もまた強い。

振り返ってみれば、「戦後」、とくに一九五〇年代後半から七〇年代にかけては、歴史がさまざまに参照されていた。歴史を知り、歴史を考察することで現在に対して深い洞察が可能となるという認識があった。アカデミズムの歴史学がさかんに発信をするとともに、在野でアカデミズムの歴史学に背を向けながらの歴史論も活発であった。

しかし、一九七〇年代後半あたりから、歴史をめぐる議論に変化がみられるようになる。言語論的転回といわれる潮流が人文学に及び、歴史学のありようと人びとの歴史への関心が変化する。さらに冷戦体制がおわりを告げるころには、その動きは加速された。歴史修正主義の動きもみられ、歴史に対する認識が大きく変わってきた。そしてその変化は、まだ現在進行形である。

こうしたなか、私は中学・高校の歴史教科書に携わったこともあり、歴史と歴史学の関係、歴史認識と歴史教育をめぐる様相などを考えることが多くなった。哲学や文学、社会学に携わる人びと、アメリカをはじめ世界で日本研究をおこなう人びとと議論をする機会にも恵まれながら、私なりに歴史学のかたちとその位置を考え、折に触れ発言をしていった。アカデミズム――歴史家たちの共同体に身を置いていたが、かつて自分が接していた六〇―七〇年代の「歴史批評」を念頭に置きながらの発言でもあった。

そうした文章がいくらか集まり、校倉書房の山田晃弘さん、洞圭一さんの編集のもとで、『歴史学のスタイル』として刊行した。二〇〇一年のことである。幸運なことに、そのあと『歴史学のポジショナリティ』(二〇〇六年)、『歴史学のナラティヴ』(二〇一二年)と、折々の機会に執筆した「歴史批評」を刊行することができた。二〇世紀末/冷戦体制崩壊後から、二一世紀の初頭にかけて、歴史学が「なにを」「いかに」論じてきたか――歴史学の問題意識、思考方法、論述の作法についての考察である。

　だが、二〇一一年三月一一日の東日本大震災と、それによる福島第一原子力発電所の事故、そのあとの言論空間のなかでいくつもの疑念が生じ、いったん上記の三部作で「歴史批評」集に区切りをつけることとした。一方的にシリーズを閉じてしまい、山田さん、洞さんには多大なご迷惑をおかけした。

　しかし、二〇一八年七月に、校倉書房が廃業したことをきっかけに、いまいちど「歴史批評」集について考えることとなった。とはいえ、そのまま再刊するわけにはいかず、発表の時期ごとにまとめるような作法も通用しない。そのため、元の三冊をいったん解体し、二〇一〇年以降に執筆した論稿を加え、テーマ別にまとめ、あらたな三冊本の「歴史論集」シリーズとして再編集することとした。

　この困難で繁雑な作業に携わってくださったのは、気鋭の歴史家・戸邉秀明さんであった。戸邉さんは多忙ななか、「歴史批評」集を、新稿を加えた主題別の「歴史論集」として編みなおしてくださった。深くお礼を申し上げる。また、編集を担当してくださった入江仰さんにもたいへんお世話になった。お二人のおかげで、かつてのシリーズが、あらたな「歴史論集」として甦ることになった。そしてこの「歴史論集」は、企画が始まったときには思いもしなかった、新型コロナウイルス禍のなかでの刊行となる。

＊

一冊目である『方法としての史学史――歴史論集1』は、歴史学のかたちと位置を、時間の推移のなかで考える、史学史という領域にかかわる論稿を軸としている。史学史とは、歴史学以外の人びとにとってはなじみが少ないであろうが、大づかみに言えば、歴史学の歴史を扱う領域である。私は一九九〇年ころから、史学史に、歴史学に向き合うときの足場を置き、史学史という方法により、歴史学の現在に接近しようと試みていた。

史学史という、歴史学内部での営みを、なぜ考えることになったのか、といえば、史学史こそは歴史学のアイデンティティの確認の方法であり、そのための領域であったことによる。

歴史学の考察は、必ずや個別の出来事や人物の分析に向かう。しかしその分析がたんなる個別の分析にとどまらず、歴史につらなる考察になっていることは、研究史と接合させることによって保証される仕組みとなっている。これは他の学知でも同様であり、研究の積み重ねの延長にみずからの分析を置くことによって、その分析が認知され評価の対象とされる。

このとき、その研究史の研究史――研究史を束ねあげ、歴史学の守備範囲を示し、歴史学の成果と課題を共有し、さらには歴史家のメンバーシップを提示し、歴史学の作法を確定していくのが史学史ということになる。現時の歴史学のアイデンティティを確かめ、その外延と内包を規定し、ここに至るまでの歴史学の推移をたどってみせるものとして史学史が存在する。そのため、史学史という領域に関与するかどうかは別として、歴史家たるものは史学史を踏まえている(はずだ)、ということとなる。したがって、これまで史学史は、個別の実証研究を積み重ねてきた円熟した歴史家たちが多く発言する領域でもあった。

こうした史学史の領域への介入―史学史の方法化について、三つの点を付言しておこう。第一は、この営みが、歴史学の自己点検となることである。個々の歴史家たちが共有し自明の前提としている歴史学のかたちと作法を解析することによって、歴史学の現在があきらかになり、その刷新に向かうことができる。

ことばを換えれば、歴史学の刷新と史学史の刷新とは両輪となっているということである。「方法としての史学史」は、あらたな歴史学原論に向かうこととなる。

第二には、史学史の叙述と歴史叙述との関連もまた探られることとなる。領域としての史学史からの離陸であり、さきに刊行した『近現代日本史と歴史学』(中央公論新社、二〇一二年)は、及ばずながらそうした試みの一環であった。

いまひとつ、第三に、史学史の方法化によって、歴史修正主義との対峙の論点がはっきりすることも付け加えておこう。それまで復古的歴史観などといわれていた歴史の潮流が、一九九〇年代以降、歴史修正主義と規定され、あらたな歴史認識の対抗をつくりだした。このとき注意を払っておきたいのは、歴史修正主義が歴史学の主流について回るということである。史学史によって歴史学のかたちが見え、歴史学が変わることによって、次々に立ち現れる歴史修正主義を、まるでモグラ叩きのように次々に叩くという徒労感が軽減されよう。

史学史への着目は、ひとり日本に限られた営みではない。はやくは、ゼバスティアン・コンラート*やクリストファー・ヒル**がアメリカやフランスの歴史学との比較のなかで日本の史学史を扱った。彼らはその後の仕事にも、史学史的な方法を織り込んでいる***。また、リン・ハント『グローバル時代の歴史学』(長谷川貴彦訳、岩波書店、二〇一六年。原著は二〇一四年)も、グローバル・ヒストリーをはじめとする現時の歴史学のありようを、史学史のなかで論じている。

そして恒木健太郎・左近幸村編『歴史学の縁取り方』(東京大学出版会、二〇二〇年)が副題を「フレームワークの史学史」とするなど、近年では歴史学を考察の対象とするとき、史学史的検討を織り込むことが定着してきている。同書は、現在の歴史学の課題を「価値相対主義」の昇華に見出すとともに、「素朴実在論的に歴史を煽」る動向を忌避する。そのために、「複数のフレームワークについての学史的な学びが欠かせない」という問題意識をもつ。そして、たとえば遅塚忠躬『史学概論』を読み解き、遅塚の「概論」を構成する議論や概念の定義も「過去の学説から紡ぎあげられた」とし、二宮宏之の議論との対抗で解釈するなど「学史的観点から」再考する(左近)。

また、与那覇潤『歴史がおわる前に』(亜紀書房、二〇一九年)、『荒れ野の六十年』(勉誠出版、二〇二〇年)は、網野善彦と山本七平を対に論ずるといういささか破格の議論もなされるが、現在の歴史意識/歴史の概念の再検討をするとき、史学史の知見を補助線としている。

このとき一方で、「実証としての史学史」が現れる。佐藤雄基編『明治が歴史となったとき』(『アジア遊学』二四八号、勉誠出版、二〇二〇年五月)などであるが、しかし、これとて、旧態依然とした史学史の作法ではなく、あらためて史学史に向き合う姿勢を検証していることに留意しておきたい。

かくして、史学史を問題化することにより、さまざまな歴史学にかかわる問題系が浮上する。歴史学のありようを考えるときの「方法としての史学史」がここに編まれることとなった。そしてここでの営みは、『〈戦後知〉を歴史化する——歴史論集2』『危機の時代の歴史学のために——歴史論集3』と対をなしていく。

＊　Sebastian Conrad, *The Quest for the Lost Nation: Writing History in Germany and Japan in the American Century*, California, World History Library, 2010. 原著のドイツ語版は、一九九九年。

＊＊　Christopher L. Hill, *National History and the World of Nations: Capital, State, and the Rhetoric of History in Japan, France, and the United States*, Duke UP, 2008.

＊＊＊　Sebastian Conrad, *What is Global History?*, Princeton UP, 2016.『グローバル・ヒストリー——批判的歴史叙述のために』小田原琳訳、岩波書店、二〇二〇年。

Christopher L. Hill, *Figures of the World :The Naturalist Novel and Transnational Form*, Northwestern UP, 2020.

目　次

歴史論集1　まえがき

問題の入口　「歴史の語り方」のメタヒストリー

第1章　〈正典〉なき時代……3
1　〈正典〉と歴史学……3
2　前田愛の作品をめぐって……6
第2章　二〇世紀歴史学の「古典」……11
1　近代歴史学の誕生と変化……11
2　実証主義の懐疑……16
第3章　歴史の「語り方」がなぜ問題となるのか……19

I 「歴史学」という近代の装置

第4章 「歴史学」という言説 …… 43
はじめに …… 43
1 三つの論争／三つの史学史 …… 50
2 一九三〇年代の歴史学の風景 …… 63
(1) 明治維新像・一九三五年前後 I 65
(2) 明治維新像・一九三五年前後 II 77
おわりに …… 105
第5章 ナショナル・ヒストリーへの「欲望」 …… 107
はじめに …… 107
1 ナショナル・ヒストリーの形成——一八九〇年前後 …… 109
2 焦点としての「歴史」とナショナル・ヒストリー——一九三〇年代後半以降 …… 119

第6章 文学史の饗宴と史学史の孤独 …… 139

Ⅱ 鏡あるいは座標軸としての「民衆史研究」

第7章 違和感をかざす歴史学 …… 161
はじめに …… 161
1 はじまりの違和感 …… 166
2 民衆思想史研究の成立——前期・民衆思想史研究 …… 174
3 民衆思想史研究の転回 …… 186
むすびにかえて——「社会史研究」との距離 …… 200

第8章 民衆史研究と社会史研究と文化史研究と——「近代」を対象とした …… 215
はじめに …… 215
1 民衆史研究/社会史研究/文化史研究にかかわるいくつかの前提 …… 219

2　民衆史研究を軸とした歴史学の光景 229
——社会史研究への親和と文化史研究への違和

第9章　三つの「鳥島」 255
はじめに——史学史という領域 255
1　『「鳥島」は入っているか』とその三つのヴァージョン 260
2　自己と他者 270
3　「六八年」の転換と「九〇年代」への対抗 278

III　歴史学の認識論的転回へ向かって

第10章　歴史意識の八〇年代と九〇年代 295
第11章　「評伝」の世界と「自伝」の領分 313
——史学史のなかの個人史研究
はじめに 313
1　民衆史研究のなかの個人史研究 315

2　自伝をめぐって……319
3　自伝と歴史叙述のあいだ……326
むすびにかえて……332
第12章　史学史のなかのピエール・ノラ『記憶の場』……339
1　「記憶の場」となった『記憶の場』……339
2　「記憶の場」の構成……344
3　一九七〇年代と一九九〇年代の歴史学……348
むすびにかえて……356
第13章　現代歴史学の「総括」の作法
――民衆史研究・社会運動史・社会史研究を対象として……359
はじめに――『成果と課題』の成果と課題……359
1　「総括」の現在とその作法……362
2　「民衆史研究」をめぐって……365

3 「社会運動史」グループの「総括」……372
4 「戦後歴史学」の姿勢……375
5 「第二世代」「第三世代」による総括……378
おわりに……387
初出一覧……391
解　説……戸邉秀明……395

問題の入口

「歴史の語り方」のメタヒストリー

第1章　〈正典〉なき時代

1　〈正典〉と歴史学

一九七〇年に、歴史科学協議会編、山口啓二・黒田俊雄監修で刊行された、『歴史の名著〈日本人篇〉』(校倉書房)という書物がある。「日本の著書」から、「歴史の研究にこころざそうとする人ならば、だれしもかならず一度は読んでおかなければならない最低限のもの」を二五冊(!)選び、解説してみせる入門書である。近代日本に話題を限定しつつ、同書に掲げられた書目をながめてみれば、野呂栄太郎、平野義太郎、山田盛太郎から羽仁五郎、服部之総の著作がならび、さらに、遠山茂樹『明治維新』(岩波書店、一九五一年)、井上清『日本現代史I　明治維新』(東京大学出版会、一九五一年)、あるいは丸山眞男『日本政治思想史研究』(東京大学出版会、一九五一年)などがつづく。

一九七〇年前後の日本における歴史学にとり、こうした書物が共有の財産とされ、〈正典〉(キャノン)とされており、これらを継承しようとするところに、この時点の歴史学の認識と問題意識があった。歴史学の論文を書くときには、これらの「名著」の問題意識と手法に学び、ここで展開された歴史像との関連を言及することが作法とされた。歴史学の論文はかならず個別の実証となるため、個別の分析が意味をもつには、それが「全体」へつうじていることを示さなければならないとされ、その「全体」として、さきの「名著」の近代日本像が与えられていたのである。

別の言い方をすれば、遠山・明治維新＝近代日本像や、井上・明治維新＝近代日本像を軸に、史学史や研究史がくみたてられており、この研究＝近代日本像を意識しつつ、それぞれの個別研究がなされるのであった。したがって、近代日本研究はここにいたる講座派と労農派の論争を学び、地主制の性格をめぐる認識の差異を知り、現時の日本を意識しつつ、その歴史的分析をおこなうことが主要な訓練のひとつとされていた。

近代日本研究は、一九七〇年前後からいわゆる民衆史研究・民衆思想史研究が提唱＝提起され、〈正典(キャノン)〉をふまえつつ、その再検証＝再検討と修正をおこなう。色川大吉をはじめ、安丸良夫、鹿野政直、ひろたまさき、あるいは中村政則らの著作はそれぞれの個性に特徴づけられてはいるが、社会構成体史を中軸におく〈正典〉に対し、「民衆」の観点＝立場をもちこみ、近代日本像を再構成してみせた。色川『明治精神史』(黄河書房、一九六四年)、鹿野『資本主義形成期の秩序意識』(筑摩書房、一九六九年)、安丸『日本の近代化と民衆思想』(青木書店、一九七四年)、ひろた『文明開化と民衆意識』(青木書店、一九八〇年)、中村『労働者と農民』(小学館、一九七六年)は、いまだに読みごたえのある「名著」であり、同時に、(一九七〇年前後に刊行された)〈正典〉の位置を占めるに足る作品ではある——もっとも、私は安丸『出口なお』(朝日新聞社、一九七七年)、鹿野『大正デモクラシーの底流』(日本放送出版協会、一九七三年)といった小さな世界を素材とした作品により親しみを感じているのではあるが。

だが、一九八〇年代に入り、日本の歴史学はこうした〈正典〉を失ったのではなかろうか。歴史学の「名著」は多く出されている。しかし、歴史に関心をよせる人たちが、「かならず一度は読む」という著作——誰もが共通して読み、共有しようとする作品が姿を消していったと思われる。近代日本を考察するうえでの、共通の認識＝方法がなくなったといってもよい。八〇年代以降の近代日本研究の史学史を構成する、〈正典〉が失われたのである。

しばしば指摘される、歴史学研究の分散化——細分化ではあるが、事態はいささか深刻で、失われたのは実は〈正典〉ではなく、〈正典〉という概念＝発想であったというのが正確なところであろう。「名著」は、「歴史の研究にこころざそうとする人」一般にとっての「名著」ではなく、個別の、ある人にとっての「名著」となった。安定した歴史学の枠組みが崩れ、史学史もゆらぎはじめた(この点については、拙稿「史学史のゆらぎ」『本郷』第二号、一九九六年、を参照されたい)。

日本における歴史学が、一九八〇年代にある変化を体験し、従来の方法＝認識ではどうにもたちゆかなくなった事態が、ここにはあるように思う。この時期に、フランスを中心とする「新しい歴史学」がさかんに紹介され、翻訳されていったのは、このことと無縁ではなかろう。社会史という「新しい歴史学」については、福井憲彦『「新しい歴史学」とは何か』(日本エディタースクール出版部、一九八七年)や、二宮宏之『全体を見る眼と歴史家たち』(木鐸社、一九八六年)が周到な紹介をおこなっているが、社会史の「導入」が求められる状況があった。そして、このことが八〇年代における日本の歴史学のゆらぎの原因であり結果であった。すくなくともその要因のひとつとなった。

2 前田愛の作品をめぐって

史学科に入学し、歴史の「名著」＝〈正典(キャノン)〉に親しんでいた私は、一九八〇年代のこの変化に遭遇し、福井や二宮の著作を導きの糸としつつ(多くは翻訳をつうじてではあったが)、社会史の領域に接するようになった。たとえば、アラン・コルバン『においの歴史』(Alain Corbin, *Le Miasme et la Jonquille*, 1982. 山田登世子・鹿島茂訳、新評論、一九八八年。現在は藤原書店)は、嗅覚という感性の歴史をあきらかにしようと試みる。コルバンは、身体(＝鼻)の規律・規範の形成される過程を、「社会的想像力」という方法にもとづき、公衆衛生をはじめ、「貧民街」やブルジョアジーの「私生活」にまで縦横にわけいり論じてみせる。また、ジャン＝ルイ・フランドラン『性と歴史』(Jean-Louis Flandrin, *Le Sexe et L'occident*, 1981. 宮原信訳、新評論、一九八七年。現在は藤原書店)は、のちになってフランドランの著作としてはやや大づかみであることを知ったが、セクシュアリティの「歴史」をさまざまに描き、身体やセクシュアリティの「歴史」という問題設定が可能であることを知るとともに、実際にそれらを考察しようとするときに大きな示唆をうけた。

だが、いまふりかえってみて、一九八〇年代にもっとも熱心に読んでいたのは、文学研究者の前田愛の作品であった。一九三一年にうまれた前田は、八七年に五六歳で急逝してしまうが、現在、『前田愛著作集』(筑摩書房、一九八九—九〇年)として六巻の著作集が残されているほか、主要著作のいくつかは、文庫やライブラリーに収められ簡単に手にとることができる。『著作集』は、「第一巻　幕末・維新期の文学／成島柳北」「第二巻　近代読者の成立」「第三巻　樋口一葉の世界」「第四巻　幻景の明治」「第五巻　都市空間のなかの文学」「第六巻　テクストのユートピア」という構成をもち、第六巻を除き、いずれも前田が刊行した論文集のタイトルを用い、あらためて関連論文を収集し、それぞれ再編集＝再構成してある。

近代日本の文学作品を素材としつつ、前田が対象とする時期は、「幕末・維新期」から「明治」「大正」をへて、「昭和」以降の現代＝現在にまで及び、一九世紀から二〇世紀にわたっている。滝沢馬琴『南総里見八犬伝』、式亭三馬『浮世床』から、二葉亭四迷『浮雲』、夏目漱石や森鷗外の数々の作品、あるいは、横光利一『上海』、川端康成『浅草紅団』から、大岡昇平『武蔵野夫人』、池田満寿夫『エーゲ海に捧ぐ』、田中康夫『なんとなく、クリスタル』へとおもむく。

とりあげる作品も小説にとどまらず、『日本外史』(頼山陽)などの史書、『江戸繁昌記』(寺門静軒)などの案内記をふくみ、吉田松陰、佐藤一斎、成島柳北、松原岩五郎ら狭義の文学者の範囲を超える人びとに言及する。このとき前田は、「作家」「作品」に焦点をあわせて論を展開するとともに、「読者」への関心をも示す。『近代読者の成立』(原著は、有精堂、一九七三年)は「読者」を軸に、書肆、活版と木版、出版機構、貸本屋、投書など「読書」をめぐる論点と歴史像を描き出している。

また、『明治大正図誌』(全一七巻、筑摩書房、一九七八―七九年)の編者の一人として図像にも強い関心をよせ、地域の歴史——歴史の地域性を図像を用いて再構成する。ここには、文学研究が、メディア研究や歴史研究へとつながる回路がひらかれていよう。

前田の「都市空間」への関心も見逃せない。文学作品のなかに都市空間がどのように描写＝認識されているかを考察し、他方、都市空間を描く作品をうみ出す都市空間そのものを俎上にのせる。『都市空間のなかの文学』(原著は、筑摩書房、一九八二年)が、おりからの都市論の代表的な著作であり、同時に、近代日本を対象とする都市史研究に大きな影響を与え、「生きられた都市空間」の領域を切りひらいていったことは記憶に新しい。

近代日本文学研究の枠組みを、対象とする時期や作品・作家をつうじて、いや、対象そのものから変え、他の領域に越境してみせる前田の作品は、「日本」「文学」をつくり出す近代への問いかけをもつが、ここには方法への強い関心がある。とくに『都市空間のなかの文学』は記号論の方法を駆使し、収録された一編一編の論文に、それぞれあらたな現代思想の方法が援用される。たとえば「獄舎のユートピア」は、ミシェル・フーコーの注目した「一望監視施設（パノプティコン）」をキーコンセプトとし、ピラネージからサド侯爵、吉田松陰から松原岩五郎にいたる言説を散りばめ、「都市的なるもの」の「祖型」のひとつとしての「獄舎」のイメージを解析する。多様な素材が方法によって、「獄舎」と「ユートピア」とがともに都市を「母胎」とし、通底していることが論じられる。

前田の方法への関心がいきついた地点が、遺著となった『文学テクスト入門』（筑摩書房、一九八八年）である。「身体論」「言語論」「読書論」などをふくみ、「テクスト」の意味生成論やプロット論が論じられるが、ヴラジミール・プロップ、ロラン・バルトやヴォルフガング・イーザーらの文学解読のための理論が総動員される。ジュリア・クリスティヴァ、フレドリック・ジェームソンらにも目くばりがされ、方法への探究がつづけられる。

近代日本文学研究を、前田は、「日本」や「文学」に固着させず、方法をつうじて開かれた地平へともち出そうとしており、「日本」「歴史」研究に示唆するところがすこぶる多い。「日本」という空間に自閉せず、「文学」という対象に密着することを避ける問題構成を前田は希求しつづけたのである。前田の試みは、近代日本文学研究における〈正典（キャノン）〉のあらたな読みと、〈正典〉の概念への問いを投げかけることによって、「近代日本文学」研究を脱構築しようとする試みであるといえよう。〈正典〉なき時代は、文学の領域にも及んでいようが、前田の著作はそのことを示すとともに、〈正典〉なき時代にいかに研究が可能であるかを模索する試みであった。〈正典〉なき時代の開始の時期——一九八〇年代に、前田愛の著作をあれこれと読む日々をおくっていたことを、あらためて思い出す。

第2章　二〇世紀歴史学の「古典」

1　近代歴史学の誕生と変化

アメリカで教鞭をとる歴史家のゲオルク・G・イッガースは「二〇世紀の歴史学」を論ずるにあたって、「歴史研究と歴史叙述が科学的な専門科目として一九世紀に成立して以降、一貫して立脚してきた前提のいくつかが、ここ二〇年の間に、次第に疑惑の目で見られるようになってきた」という(『二〇世紀の歴史学』早島瑛訳、晃洋書房、一九九六年)。ここでイッガースが述べていることは、(1)専門科学としての近代歴史学はドイツの歴史家ランケに代表され、厳密な史料批判と「歴史のありしがまま」を叙述する実証主義の歴史学として一九世紀に成立したこと。しかし、(2)実証主義の歴史学に対して、世紀転換期頃に論争がおこり、社会科学としての歴史学をめざそうとする主張があらわれ、「古典的歴史主義」が危機をむかえたこと。さらに、(3)一九七〇年代にはこの分析的な歴史社会科学にさえ「背を向ける」歴史学が登場してきたことである。二〇世紀の初頭と一九七〇年代と二度にわたって歴史学は大きな変化をみせたとイッガースはいい、「古典的な歴史主義」→「分析的な歴史社会科学」→「言語論的転回」を試みた歴史学という潮流を抽出するのである。

とくに第二の変化は大きな転換であるが、イッガース自身はこうした影響をうけた歴史学に対しては慎重な態度をとっている。もっと強くこの潮流を批判する歴史家たちもあらわれ、たとえばジェラール・ノワリエルは『歴史学の〈危機〉』(小田中直樹訳、木鐸社、一九九七年)を、リチャード・J・エヴァンスは『歴史学の擁護』(今関恒夫・林以知郎監訳、晃洋書房、一九九九年)を著す。いずれも「六八年世代」の歴史家として学界に新風を送りこんできた気鋭の歴史家であるが、言語論的転回に苛だち、このもとでの歴史学は実在論/唯名論という「答のない論争」におちいることが必定であり(ノワリエル)、あらゆるものをテクストと言説に「還元」してしまい、人びとの苦しみの経験の「事実」を忘れさせてしまう(エヴァンス)という。

こうしたなかでは当然にも歴史学における「古典」としての作品はゆらぎをみせ、「古典」の基準や選定も変化してくるが、いま、歴史の「事実」とは何かということ——「事実」の認識とその語り方が焦点と争点とを形づくっていることを念頭において、まずは一九五〇年代から六〇年代にかけて書かれた二冊の著作をひき出してみよう。冷戦体制のまっただなかであるが、二〇世紀の初頭と一九七〇年代のあいだにあって、この時期にも「古典的歴史主義」への問いかけがなされていたのである。はじめの著作は、E・H・カー『歴史とは何か』(E. H. Carr, *What is History?*, 1961. 清水幾太郎訳、岩波書店、一九六二年)である。

二〇世紀の半ばに歴史を考察するカーは、一九世紀を「事実尊重の時代」とし、「事実という堅い芯」と「それを包む疑わしい解釈という果肉」の認識をもつ実証主義の歴史学を批判していく。過去に生起するすべての事実(出来事)が「歴史的事実」ではなく、そもそも「事実」として書き記されたこと自体が記述者を介して屈折をみせており、「歴史的事実」なるものは歴史家がよびかけそれに呼応し選択されたものである、とカーは論ずる。カーは、「事実」や文書が自ら歴史を形づくるのではなく、歴史とは「解釈のこと」とし、ここから著名な定義を導き出していく――「歴史とは歴史家と事実との間の相互作用の不断の過程であり、現在と過去との間の尽きることを知らぬ対話なのであります」。

歴史を考察するときに、歴史家に焦点をあてるのだが、カーは歴史が相対主義となったり、「客観性」を欠いた懐疑主義におちいらないように留意する。歴史家は歴史や社会の「産物」であるとし、その主観にもとづくあらゆる解釈が可能とする言説を回避する。カーは、「事実」と価値の相互依存と相互作用を見抜くことを歴史家に要求するのである。これは歴史家に調和の姿勢を求めることにもつうじ、歴史における必然と偶然、特殊と一般、存在と当為、あるいは出来事の多様化と単純化に関しても一方の極に偏しないように論じていく。

また、カーは歴史の「進歩と進化」に全面的に楽観的な態度をみせる。未来への信頼にあふれた「方向感覚」をもち、過去の諸条件と未来の諸目的との「対話」に歴史の意味と客観性とを見出し、カーはそれを保障しようとする。歴史家の代表としてカーは自ら、事実と解釈、事実と価値のあいだに立ち、バランスのとれた、進歩を信頼する方向感覚をもつ歴史家によってこそ歴史が描かれると述べ、「歴史とは何か」についての見解を表明していくのである。「理性の拡大」とセットになった「解釈」としての歴史を、カーは提示した。冷戦下においてソヴィエト・ロシア史を研究する立場とあわせ、マルクス主義と反マルクス主義の歴史学への批判を内包した回答であるといえよう。

同じ二〇世紀の半ばに実証主義を批判しつつ「歴史とは何か」を論じた石母田正のばあいは、カーとは立場を異にしている。石母田は一九五二年に『歴史と民族の発見』(東京大学出版会)を上梓した。「歴史学の課題と方法」を副題とし一八編の論文が収められ、「歴史学のあり方」「歴史学の方法」「民衆と女性の歴史によせて」という構成をもつが、石母田は『歴史と民族の発見』において唯物史観の方法と立場から歴史を考察してみせ、実証主義歴史学への批判はイデオロギー批判として展開される。

石母田は、ヨーロッパの近代科学が「神学的学問の権威」からの解放となったのに対し、近代日本の歴史学は「専制主義的教化政策の一翼としての国粋的な歴史学」が支配的ななかで「たんに歴史的事実を事実としてたしかめること」に多くのエネルギーをさいてきたこと、実証主義の歴史学は「学問としての無思想、無性格」を示すにとどまらず、かんたんに「国粋的その他の俗悪な歴史観」と結合することを指摘する。石母田の真骨頂は、当面する政治的状況のなかでこうした歴史学の課題と方法を考察し、練りあげ提示していくことであった。実証主義歴史学への批判も、一九五〇年代の状況のなかでの課題としておこなわれていった。

石母田は、敗戦後に日本はそれまでの「帝国主義的な支配民族」から「従属国」「被圧迫民族」となったという状況認識を示し、「日本民族の帝国主義からの解放」を希求する。この「民族」の発見が「歴史」の発見につうずるとし、石母田は歴史の主体としての民族とその経験(＝歴史)の解明・叙述に歴史家と歴史学の目的を設定してみせた。『続　歴史と民族の発見』(東京大学出版会、一九五三年)においてはさらに「国民」への注目をおこない、「国民的歴史学」の創造と普及が熱っぽく語られる。

冷戦体制下の歴史学として過剰な政治主義ではあるが、『歴史と民族の発見』において石母田は政治の渦中から歴史学と歴史家の課題を模索し、「大衆」に届くことばを探る。「大衆」や女性から学ぶ姿勢をうち出し、それを歴史学の方法にまで昇華させようと厳しい自己鍛練をおこなう姿は、歴史家の実践のひとつの型といいうる。読者に緊張感を与え、思索の過程を報告する文体とあいまって、日本語で書かれた歴史学の原論として『歴史と民族の発見』は有数の作品となっている。

2　実証主義の懐疑

さてイッガースが指摘していたように、こののち一九七〇年代には歴史学の大きな転換がみられるが、「新しい歴史学」の紹介をおこないつつ、ここでの論点を提示しあらためて「歴史とは何か」という課題に接近したのが、二宮宏之『全体を見る眼と歴史家たち』(木鐸社、一九八六年)である。二宮は、二〇世紀初頭における分析的歴史社会科学―社会史の試みとしてのリュシアン・フェーヴル(およびそれ以降のアナール学派)の思索をあらためて解釈してみせる。いわゆるアナール学派の祖とされるフェーヴルは、実証主義批判の試みとして「全体史」を志向し(実証主義は「生きた人間たち」をバラバラにしてしまう)、人びとの多様な活動の諸要素を等価としそのあいだに「階層秩序」を設けず、もっぱら「相互関連性」を重視していたことを、二宮は伝える――フェーヴルの「全体に至る道はあくまで複眼的である」と。

またフェーヴルは(カーと同じく)歴史的過去を現在との対話において把握する、ともいう。結果としての過去ではなく、過去を「内在的」に理解しようとする姿勢であり、過去の読みなおしにもつうじ、二宮は「歴史家による不断の、しかも自覚された（過去への）問いかけ」といい、ここにも実証主義批判の試みを指摘した。カーの調和的、石母田の政治的な立場からとは異なる実証主義＝「古典的歴史主義」への批判が二〇世紀初頭におこなわれていたのである。

だがこのことを記すとき、一九七〇年代の言語論的転回以降の記述として、二宮の筆は慎重である。「全体史」というが、「歴史の全体像なるもの」がすでに「歴史家の恣意的な幻影にすぎない」のであり、全体史を安易に実証主義批判としてもち出しえなくなっている。そのため、二宮は「全体を見る眼」といい、歴史家の全体性の恢復への志向に焦点をあて、全体史・全体像それ自体の実在性についてはそれを否認している。二〇世紀初頭の試みを紹介するにあたって二宮は、その主張を現時の文脈で再解釈し、読みなおし、あらたな文脈で提示しているが、この姿勢こそが古典を読むことの実践であるといえよう。

「歴史とは何か」をめぐっての問いは「事実」への認識を焦点のひとつとし、実証主義への批判として展開されるが、「事実」を記述する歴史家論でもあった。ここにとりあげた三つの著作がいずれも史学史に言及し、史学史を読みかえようとしていることはけっして偶然ではない。歴史家の歴史（過去）をめぐる思索、歴史（過去）との対話の系譜の解釈が史学史であるのだから。

第3章　歴史の「語り方」がなぜ問題となるのか

一九九八年三月のこと。三人の歴史学を専攻する者が会し、「歴史学の現在」をめぐる話し合いをもった。

一九九〇年代に入って「歴史」がさまざまな形で焦点化されてきた。「慰安婦」をめぐる論争、自由主義史観の登場、加藤典洋『敗戦後論』(講談社、一九九七年)とそれを引き金とする「歴史主体論争」、あるいは司馬遼太郎への批判など、その論議は多岐にわたっている。

こうした論争は一見、歴史の「事実」をめぐる論争の様相を呈しているが、争点となっているのは歴史認識であり、歴史の方法である。歴史学をも包みこみ、ひろく「歴史」が問われる状況となっているといいうる。

このような状況で、四〇歳代半ばの三人の歴史家が集まり、歴史認識と歴史の方法をめぐる会合をもったが、それは当然にも白熱した議論となった。いずれも近現代日本研究――一九世紀の後半から二〇世紀にかけての「日本史」――を主たる研究領域としているが、それぞれに「歴史学の現在」についても危機意識と提言をもっている。

まずは歴史家C(と仮によんでおく)が、少し長めの問題提起を行い、それをめぐって三つ巴のやりとりがつづいた。予定調和的な結論などもとよりないが、私は私自身の責任でこの議論を「復元」してみたい。三人の歴史家が誰であるのかだけはこの際、放念していただくしかないが、歴史学において、歴史の認識と歴史の方法とがどのように議論されているかを紹介することができよう。

歴史家C　「歴史学の現在」をめぐる問題を整理するために、四〇年ほど前に展開された『昭和史』論争を補助線としてみましょう。

ご承知のように、『昭和史』論争とは、一九五五年に遠山茂樹・今井清一・藤原彰『昭和史』(岩波書店)が出されたとき、評論家の亀井勝一郎らが、この書物には「人間がいない」と批判したことに端を発する論争です。行論に必要なかぎりで述べますが、亀井は『昭和史』の著者たちが、(1)戦争を「強行した」軍部・政治家・実業家と、それに反対して弾圧された共産主義者・自由主義者のみを登場させていること、したがって、(2)両者の「中間にあって動揺した国民層」がみあたらないことをいいます。方法レベルでいえば亀井は、(3)歴史の叙述に「追体験」を求め、「その時代」を生きた人間の「運命」を直視するようにいいます。

『昭和史』の目次を掲げてみましょう。

Ⅰ「昭和の新政」　Ⅱ 恐慌から侵略へ
Ⅲ 非常時の名のもとに　Ⅳ はてしない戦争
Ⅴ 破局へ　Ⅵ 戦後の日本

「昭和」の時代が恐慌にはじまり、侵略—戦争にいたり、「はてしない戦争」の果て、ついに「破局」に及んだ筋道が、「昭和史」として描かれています。敗戦後、わずか一〇年で記された著作ですが、教科書に採択したいほど、密度濃く叙述されています。『昭和史』に登場するのは、「政府」「軍部」、「日本」「中国」、「資本家」「小作人」から「東條英機」「マッカーサー」までさまざまな主体であり、扱われる事象も政治の動き、経済の変動、戦争の過程、社会運動の動向と盛りだくさんです。いってみれば、「昭和史」の全体を、著者たちの観点から描こうとしているのです。教科書としたい、といったことは、教科書のようでもある、ということです。

『昭和史』の文末は、すべて「——であった」「——した」と、単純過去でむすばれています。叙述のレベルからいえば、「昭和」の出来事を、「外部」から、「事後」に記述する立場をもつといえます。「外部」とは、歴史＝出来事の「外部」から、ということで、すべての出来事をくまなく見渡し、位置づける立場から、著者たちは『昭和史』を綴っています。また、その出来事は過去として完結したものとして認識され、叙述されます。「事後」というのは、この意味においてです。

おそらく、亀井が苛立ったのは、同時代の体験を描くときに著者たちがとった、このような「外部」と「事後」の位置です。『昭和史』の「はしがき」には、「私たちの体験した国民生活の歩みを、政治・外交・経済の動きと関連させて、とらえようとした」とされていますが、著者たちが出来事を叙述する位置は、はたして「国民」の位置であるのか。「国民」であるならば、当事者として、「内部」の「渦中」の出来事を描くはずであるのに、『昭和史』は「外部」から「事後」からの叙述となっている、という批判だと思います。

歴史を叙述する＝語る位置が、ここでは問われています。現在、「慰安婦」をめぐる論争をはじめとして議論されていることば、同様に、どこから歴史を語るのか、ということでしょう。もちろん『昭和史』論争と、現在の論争とでは、四〇年以上のへだたりがあり、相違点もあります。(1)『昭和史』論争では「体験」の記述が問われたけれど、いまは「記憶」の表象が俎上にのせられている、(2)かつては「われわれ」＝「国民」にむかって語りかけたけれど、いまは「かれら」(たとえば、「慰安婦」とされた人びと)からの告発をうけ、それに応答している、(3)『昭和史』においては、被害者としての「われわれ」＝「国民」を確認しようとしたが、いまは逆に「われわれ」とは何であるかを問おうとしていること、などが異なっているでしょう。

この「歴史」に対しての問題構成、つまり問いかけの仕方が変わってきている点は見逃せません。この点についてはあとで議論するでしょうから、これぐらいにとどめておきますが、しかし、『昭和史』論争においても、現在においても、歴史学そのものが批判の対象となっていることは、確認しておく必要があるでしょう。

いいかえれば、歴史学の提供する歴史像や、それを描く方法が問われているということ。そのために、あらためて歴史学が――といっても私たちが専攻する近現代の日本史研究が中心になりますが――、どのような方法＝問題構成をとってきたかということを、次にみておきたいと思います。

歴史学の語りというとき、まず最初に誰もが接するのは、教科書における歴史像でしょう。おそらく、教科書における歴史像こそが「本当の歴史」という意識は、一般に強くあるでしょう。しかし、教科書に何を記述するかが論争となるように、教科書が「唯一」の「正しい」「確実」な歴史像を提供しているのではありません。教科書の近現代日本史像の大きな見出しだけを掲げると、こうなります（『新日本の歴史』山川出版社）。

「近現代国家の成立」
「大陸政策の展開と資本主義の発達」
「第一次世界大戦と日本」
「軍部の台頭と第二次世界大戦」

明治維新─自由民権運動─大日本帝国憲法と帝国議会─日清・日露戦争─大正デモクラシー─十五年戦争─戦後民主主義と占領─高度経済成長と経済大国、という筋道になっており、歴史学─戦後歴史学の成果がそれなりに反映されているといってよいと思います。

ここで戦後歴史学というのは、戦前に「天皇信仰と軍国主義の拠点」(遠山茂樹)であった皇国史観に対決して、学問の自律性と科学性とを理念として主唱された歴史学です。Aさんは、戦後歴史学の理念こそが歴史学の根本であると主張されていますが、当面、その方法的な特徴を、⑴世界史のひろがりのなかで、⑵法則認識にもとづいて、⑶社会構成体の矛盾と移行に焦点をすえた歴史像の提供にある、としておきます。進歩的であり、批判的な科学として自己認識しており、⑷マルクス主義の影響が強い、というか、マルクス主義をベースにして構想されている点も付け加えておきましょう。

この、いわば第一のウエーブに対し、一九六〇年代には民衆史・民衆思想史という第二のウエーブがあらわれてきます。「民衆」という立場からの歴史叙述ですが、「底辺の視座」(色川大吉)、「にとって」の視点(鹿野政直)から、近現代史像を再構成しようとします。人がもっている衝動やためらい、情念といったものにも注目し、民衆の経験の意味を歴史的に探求するのです。民衆史研究は、地域や差別に留意し、第一のウエーブが中央／政治／男性を軸に歴史像を描きがちであったことを指摘し、周縁／生活／差別された立場からの歴史像を追求しました。

「民衆」は、これまでの概念での資料を残しませんから、民衆史は、地域の史料を発掘したり、これまで史料として扱われてこなかったもの、とくに聞き取りを重視してきました。Bさんは、民衆史の方法で研究されているのですよね。大学の史学科では、いまは基本的には民衆史が講じられている、民衆史そのものでなくてもその影響をうけた授業が行われています。

しかし、一九九〇年代に入って第三のウエーブがあらわれてきます。社会史、あるいは新しい文化史というフランスやアメリカの歴史学の影響をうけていますが、近現代日本像に限定して議論を出しておけば、(1)第一と第二のウエーブの歴史学が日本の近代を、「特殊な」「遅れた」近代(しばしば用いられた用語でいえば「半封建的」)として描くのに対し、第三のウエーブは日本の近代を「近代」の共時性という文脈で把握します。それは別言すれば、(2)日本がかかえている矛盾は、近代の精神や制度の不十分、不徹底ではなく、近代そのものに要因があるという認識。したがって、(3)近代をひとつの時代として把握します。つまり、これまでの歴史学では、歴史の概念や叙述の方法が近代に制約されており、近代を対象化できていないといい、第一・第二のウエーブとは、さまざまに見解を異にしています。たとえば、第一・第二のウエーブが参照しているのは、「人権」

にせよ、「民主主義」にせよ、近代が創出した価値であり、それを参照して歴史像を描くことは、近代をなぞることになる、というわけです。近代をひとつの時代として把握するためには、近代がつくり出した観念や概念を相対化することが必要でしょう。

時間の概念も、同様です。時間が一方向に、単一的に流れ、それを「進歩」と考えたときには、すでに近代の時間意識と価値とが入りこんでいることになります。フランスのアナール派の歴史学者フェルナン・ブローデルが、長期・中期・短期の三つの時間＝波動を提起していることはよく知られています。第三のウエーブはまだまだ登場したばかりですが、私自身はこの方向を追求したいと思っています。

歴史家A　Cさんの報告は明快でしたが、Cさんからみれば、私は、たぶん、古々しい過去のものとなった歴史学の方法を、いまだに保持しているということになるのでしょう。

歴史家B　私も同様の位置づけをされていますね。でも、Aさんや私が歴史家として存在しているということ自体を、どのようにCさんは説明されますか。歴史学においては、Cさんが抽出した三つのウエーブ、つまり語りのタイプが重層的に併存していると考えたほうがよいのではないでしょうか。それぞれのウエーブは第一から第二、第二から第三へと移りかわり、時間的に「進歩」してくる変化ではなく、空間的に共存する歴史像だと思います。

つまり、「正しい」語りのタイプが一つだけ存在し、第一↓第二↓第三と変化するというのではなく、第一から第三までが同時に存在するのです。

しかも、私たちにしても、たえず問題設定を工夫して変化させてきているのですから、三つのウエーブのなかにおしこめられると、どうも居心地が悪いですね。

歴史家C　歴史学において、これまで、歴史像が複数存在することが可能であるという認識はあったでしょうか。あるとしても、それはごく最近のことでしょう。文化人類学でも社会学でも、他の分野であれば複数の方法と認識があるのは当然で、その複数の入り口のどれを選択するかが、研究者の主体性です。語り方は、ただ一つだけあるのではなく、複数あることが自然なのですね。

しかし歴史学は一つのパラダイムをめざし、実際に一つのパラダイムが大きな力をもってきたのではないでしょうか。

歴史家A　歴史を科学的に認識しようとすれば、パラダイムはどうしても一つになるでしょう。Cさんだって「自由主義史観」やそれにもとづく歴史像は認めることはできないでしょう。

歴史家C　もちろん私も、「自由主義史観」には反対です。しかし問題となってくるのは、どのような根拠で「自由主義史観」に反対するか、ということです。いいかえれば、歴史を描き評価をくだすときに何を参照系とするかということです。Aさんは、歴史の「真実」や「正しい」歴史観を考えているのでしょう。でも、そのときの「真実」や「正しさ」は何によって保証されるのですか。

歴史家B　私にとって「自由主義史観」が許せないのは、民衆を虐げ抑圧した歴史を、平気で肯定しているからです。民衆史を主導した一人である鹿野政直さんは、「される側」からの歴史像ということをいっています。「自由主義史観」の虚偽は、民衆への抑圧にもとづいているからです。

歴史家C　私は、報告で示唆したように、「自由主義史観」への批判を歴史の語りの次元で批判することを歴史家として考えています。歴史像をめぐって複数の語りが許されるということは、論理的には「自由主義史観」の語りも許されることになってしまいます。

歴史家A　だから、歴史は科学的に認識されれば一つになるのですよ。

歴史家C　ちょっと待ってください。たしかに「自由主義史観」も許容されるようにみえます。しかし、歴史をめぐってあらゆる語りが可能なのでしょうか。歴史像を提供するときには、第一に研究史を無視することはできませんし、第二に「記憶」を消し去ることはできません。そして第三に、「語り方」そのもののなかにすでに制限がつけられています。つまり、研究史を無視して歴史像を提出すれば、それはひとりよがりの歴史像となり、また誰もが記憶している体験や出来事を、なかったものとすることはできないでしょう。そして第三の点を補足しておけば、アメリカの思想史研究者のヘイドン・ホワイトは『メタヒストリー』のなかで、一九世紀の歴史の語りを四つのタイプに分けて説明しています。これは歴史の語り方がいくつかのタイプしか存在しえないということでもあり、あらゆる語り方が可能なのではないと解釈することができます。

歴史家B　その論点は、ドイツでもアウシュビッツがなかった、とする歴史修正主義者との論争でも出てきます。私は、Aさんがいわれる「真実」をリアリティと置きかえたうえで、Aさんのもつ視点を保持する必要があると思います。史料は問題意識によって史料となって発見されます。吉見義明さんは「真実」(私のことばでいえばリアリティ)を求めて「慰安婦」の史料を発見したのです。これは歴史家としては、すばらしい実践的な行為ですよ。

しかも、その史料によって日本政府は「強制連行」への関与を認めたことは記憶に新しいことですが、史料がつきつける「事実」はそれほど説得力があるのです。AさんとCさんは認識論の次元で対立していますが、「史料」と「事実」のもつ次元を無視できないと思います。

認識論の対立ということで示唆的なのは、最近翻訳されたジェラール・ノワリエル『歴史学の「危機」』(小田中直樹訳、木鐸社、一九九七年)です。一九五〇年うまれのフランスの歴史家であるノワリエルは、私たちよりもやや年長で「六八年世代」といえますが、(1)一八世紀以来の歴史学を「本質主義派」と「構成主義派」――すなわち、歴史の「実態」をあきらかにしようとする学派と、歴史は叙述によってたちあげられるとする学派の対抗のなかで説明し、そのうえで、(2)認識論のような結論の出ない論議からは、歴史家が手をひくようにいいます。そして、あらためて(3)歴史家の「職業的コミュニティ」の復権を主張します。

歴史は出来事を描くのか、描くことによって出来事＝歴史が成立するのか、という対立は常にみられました。これは哲学上の問いでもあって、認識論上の長い議論の過程をもっています。一九七〇年代以降の歴史学はこの点にあえてふみこむことによって、あらたな歴史認識を獲得しようとしてきました。しかしノワリエルは、歴史家はこうした議論にたちいらないように呼びかけます。認識論にふみこむことによって、コミットした歴史家とそうでない歴史家のあいだに分裂がもちこまれ、共通の言語が失われるといいます。こうした「歴史学の危機」はゆゆしい事柄であって、歴史家は歴史家としての共同性を回復するようにノワリエルは主張するのです。

二つのことをいいたいと思います。第一は、AさんとCさんの認識が対立をふくみつつ共存していることが、九〇年代の歴史学の状況であるということ。この双方の極のあいだで、歴史学はいま活動していると思います。第二はノワリエルのいうように、認識論的な議論に入りこんでいってしまえば、歴史学の危機に陥ること。実際、日本の歴史学もそうした危機に直面していると思います。

歴史家A　そうそう。私もBさんの観察と提言に賛成です。ノワリエル自身は言語論的転回を認め――つまり事実はそれ自体として存在するのではなく、記述することによってたちあらわれるとしており、その点については賛成できません。しかし、歴史家が共通の言語を回復することは必要だと思うのです。かつて民衆史のある先生は、論文のなかに「言説」ということばが五回も六回も出てくるものは読まないといっていました。Cさんの論文は「言説」だらけだから(笑)。

もちろん私は、多くの歴史家たちが示す行為――新規な構想や考え方が出てきたときに、それは歴史学ではないといって排除するやり方には与しません。歴史像をいかに描くかということであり、(Bさんのことばでいえば)いかにリアリティをもつ歴史像を提供できるかが課題となっています。このとき、歴史学の固有の課題と方法とがあり、それを探り実践していくことが、歴史家としての私たちの仕事であると思います。

私も二つのことを述べたいと思います。歴史家の行う作業は、(1)史料の解読・解釈→(2)事実の確定→(3)事実と事実のあいだの連関の考察、といった手順をとります。方法的には矢印は逆となり、仮説の構想→史料にもとづく実証ということになりますが。(2)の作業は史料批判とよばれていることで、「事実」を正しく把握することが要求されます。また、(3)は法則の発見ですね。法則を機械的に適用するのではもちろんありません。必然性と偶然性、普遍性と個別性との関連で歴史像を再構成するのです。

こうしたことによって、二つ目のことですが、科学的な歴史認識と歴史像が獲得できると思います。『昭和史』の「はしがき」のなかで「科学的現代史」といういい方がすでになされていますが、主観的な歴史認識――歴史像を拒絶するためには、法則認識――つまり歴史発展の法則の把握が必要です。

歴史家B　Aさんのいわれた第一の点は、そのとおりであると思います。歴史家の作業、歴史学の方法は端的にはこのとおりでしょう。歴史家の安丸良夫さんは歴史学原論ともいうべき著作『〈方法〉としての思想史』(校倉書房、一九九六年)で、「私たちは、歴史のなかで生きる人びとの経験についてできるだけ具体的に記述しその意味をあれこれ考えてみるという職人仕事をしているのだ」といっています。

ここで「職人仕事」という慎重ないい方で安丸さんが示唆しているのは(遠山茂樹さんも「職人的研究者」といういい方をしていました)、(1)の史料の「より適切な」解釈と理解こそが要となるということです。この点は(3)にも連動してきます。安丸さんは、人びとの生活や生活意識から発見される事実は、それ自体、何ものにも還元されえない「歴史的事実」であるといいます。人びとの主体的実践と体験を、歴史家としての安丸さんが理解・解釈するということ――「私なりの理解・解釈」といっています。いいかえれば歴史研究において「私」の次元を(対象の側も、記述者の側も)重視するのですね。

もうひとつ、史料の問題があります。歴史像の構成と史料の序列化は並行しています。史料は正典(キャノン)が選択され価値づけられ、それにもとづき歴史像が叙述されてきました。したがってAさんは史料の解読をいわれますが、まず何が史料であり、何を史料とするかが問われます。あらかじめ史料が与えられているのではありません。Cさんが報告で指摘されたように、民衆史は史料の概念を変えてきました。

歴史家A　史料の概念を変えていくことは必要ですね。現在では文字史料のほか、写真・絵画など図像史料、先に紹介された聞き取りなどずいぶん豊富になってきました。ただ、同時にそのことが歴史像を修正するという射程をもつことが大切であると思います。正典や文字史料の補足・補完ではなく、あらたな歴史認識を得るものとしての史料です。

歴史家C　同感です。このことは、歴史のなかにおける多様な「声」を聞くという姿勢に通じています。上野千鶴子さんが「慰安婦」の証言にふれて述べられているように、聞き書きの場合、「語られ方」とそれを「聞く耳」との双方の出会いが必要です(『ナショナリズムとジェンダー』青土社、一九九八年)。上野さんの議論の特徴は、「聞く耳」＝パラダイム・チェンジの先行性と、「語られ方」＝当事者の証言のもつ「現実」の重視にあります。

さて、史料をめぐる論点は事実についてもあてはまります。

安丸さんは、事実はテクストの表象を介してはじめて存在し、表象こそが歴史家のとりあげうる「唯一の歴史上の『事実』」といっています。安丸さんは、たとえば佐倉宗五郎の物語にふれて、この物語は佐倉宗五郎をめぐる「史実」の根拠にはならないが、百姓一揆にかかわるある「真実」を伝えてきたといいます。

テクストに記されたことは、真／偽という次元ではなく、テクストに記されたということそのこと自体の意味を追求し、考えるべきであるとするのです。「歴史」を問いなおし、「歴史」がこれまでと異なった相貌でみえてくるような転換の営みを安丸さんは試みるのですが、ここにその手がかりのひとつを求めています。Aさんのいう(2)の作業に関連しますが、歴史学は「真実」をあきらかにするという立場からみれば、まことに大胆な発言と映るでしょう。しかし同じ現象も立場によって異なった「事実」となることへの歴史学の側からの応答といえます。このときフランスの歴史家でアナール派の始祖とされているリュシアン・フェーブルは、「事実」は与えられているものではなく、「歴史家によって想像される」といっています(『歴史のための闘い』長谷川輝夫訳、平凡社、一九九五年)。仮説と推論の助けを借り、細心の注意を要し、興味深い作業をつうじてつくりあげる、と付け加えていますが。

ただ、こうした議論は認識論的な議論なのですね。私も歴史学の立場は歴史像の提供にあると思い、認識論的議論それ自体を行うつもりはありません。しかし、ノワリエルのような認識論的議論の放棄には同調できません。議論に疲れた歴史家たちへの、甘い誘惑のように聞こえます。

それはさておいて、ノワリエルは歴史学の焦点が、「歴史家の仕事」から「歴史のエクリチュール」へと推移したことを指摘します。Aさんは「歴史家の仕事」として三つの「手順」をいわれましたが、第四の手順つまり歴史の叙述をするといったことも見逃せないと思います。

歴史家A　ええ。どの歴史学の入門書をみても冒頭には必ず、「歴史」という二つの意味が記されています。「出来事」としての歴史と、「記述された」歴史です。ドイツ語でも英語でも、同じですよね。もう少しいえば、「歴」という「へてきたこと」と、「史」という「書き記すこと」という二つのことから「歴史」ということばはできあがっています。

「出来事」としての歴史をすべて認識することは不可能ですから、それに意味づけをするときに「記述された」歴史が浮上してきます。「出来事」としての歴史のなかに存在する人間が、「出来事」としての歴史を認識し意味を与え、したがって記述していく行為が歴史・学であると思います。

歴史家B　そのとおりですが、論点はもう少しさきにあると思います。色川大吉さんに『歴史の方法』(大和書房、一九七七年)という著作がありますが、当初『歴史叙述の方法』と書名を予定していたというように、歴史をいかに叙述するか、を主題にしています。叙述にかかわる次元の問題を見逃すことはできません。色川さんは、歴史叙述を歴史小説と比較しつつ論じ、想像力・表現、あるいは読者などにおいて双方の違いを指摘したうえで「目的の違い」について述べていきます――歴史小説(文学)は、「精神的な楽しみ」を与えるが、歴史家は「娯楽」は提供しないと。色川さんの司馬遼太郎批判についてもふれておきましょう。色川さんは、「日蔭にあった有名、無名の人が歴史を切り開き、英雄になっていくその過程の中に明治という時代の活力を見ていく」と、「司馬史観」を説明します。そして、あわせて、司馬は歴史を「上から俯瞰」し、「英雄」を好み、「底辺の民衆や棄民や一揆する民衆」は目に入らなかったようだ、と付け加えます(「「明」重視の英雄史観」『司馬遼太郎の世紀』朝日出版社、一九九六年、所収)。女性やマイノリティの視点がないということを私はさらに付け加えることができると思いますが。

『歴史の方法』をめぐっては、文学研究者の西川長夫さんとのあいだに論争がおこります。論点はいくつもありますが、西川さんは歴史学と文学における差異を価値観・認識から文体にいたるまで徹底的に検討し、その観点から色川さんの議論の不徹底性を突くのです。

歴史家C　西川さんの議論には、歴史学と文学の「本質的なちがい」が形成されたのは一九世紀になってからという前提があります。この前提は重要です。つまり、(1)文学との差異を強調するのは「近代」歴史学の特徴であり、(2)逆にいまは歴史学と歴史小説とを同じく言語によって描き出される歴史表象と考えることができると思うのです。歴史小説との競合のなかで歴史学の語りが成立したということに留意したいと思います。

しかし、歴史の叙述をめぐる論点はBさんがいわれたことのもう少しさきにあると思うのですね(笑)。『歴史の方法』を例にあげれば、色川さんは「歴史を鳥瞰する目」の必要性をいいます。ではこの「歴史の全体像」を描くとき、色川さんの位置はどこにあるのでしょうか。歴史の叙述というとき、記述者はどの位置から、誰にむかって語るのかということが焦点となっていると思います。Aさんがいわれるように、「出来事」としての歴史のなかに存在する人間が歴史を「記述」するのであり、そうであれば歴史家といえども歴史の「外部」に位置することはできません。司馬遼太郎を批判するならば、まさにこの点に焦点をあてる必要があると思うのです。成田龍一さんは「司馬遼太郎の歴史の語り」(小森陽一・高橋哲哉編『ナショナル・ヒストリーを超えて』東京大学出版会、一九九八年、所収)でこの点にふれていますね。「内部」にいながら「内部」をどのように描くかという方法が探られているのでしょう。

歴史家B　安丸さんは「全体性」を「方法的概念」といい、フランス史研究者の二宮宏之さんは「全体を見る眼」と述べますが、「全体」という概念を俎上にのせつつ、「全体」を手放さない方途を探ろうとしています。

歴史学研究は、たえず個別の事項や出来事を扱いますが、それをたんなる個別性の次元にとどめぬためには、ある「全体」(全体性)との関連を説明づけることが不可欠だと思うのです。ただCさんはこの点については批判的ですね。「全体」を物語るのではなく、「断片」を記述すると。同時にCさんは、物語ることが「全体」をつくり出しているとして、「物語ること」自体をも検討の対象とされていますね。「私」の体験を語っても、しばしばそれは、「民族」「国民」といった「われわれ」の物語に回収されていきます。「われわれ」はけっして一枚岩でなく、均一性・均質性をもたず、亀裂や分裂を孕んでいるのであるけれど、ともすれば、かけがえのない「私」の体験を「われわれ」の幻想の共同性にゆずりわたしてしまいます。そのためには、「物語る」という行為そのものを検討しなければいけない——「物語る」という行為が「われわれ」をつくり出している、というのが、Cさんの考え方であろうと思います。この点を議論すると長くなりますので、最後にそれぞれが課題としていることを一言ずつ述べ、会合を終えることにしましょう。私は、生活世界を基底にすえたオルタナティブな歴史を描きたいと思います。

歴史家A　私は批判の武器としての歴史学を鍛えていきたい。

歴史家C　私も同じです。しかし同時に、歴史学がもつ権力——過去をつくり出すということや、制度化された「知」の一環であることなどですが――を忘れてはならないと思います。

歴史家B　また論争がはじまりそうになってきた(笑)。

I

「歴史学」という近代の装置

第4章　「歴史学」という言説

はじめに

二〇世紀最後の年、二〇〇〇年に刊行された中塚明『歴史家の仕事』(高文研)は、日清戦争と近代の日本・朝鮮の関係史を軸に近代日本研究をおこなってきた著者が、自らの「半世紀近くの研究生活」の体験にそくして「歴史学とはどういう学問か」を論じた著作である。「歴史家の社会的責任」(第一章)を説き、「歴史家の基礎的な仕事」(第二章)としての「史料の読み方・探し方」を自らの体験を提供して具体的に語り、「歴史は足で書く」と、盧溝橋を訪れ、あるいは威海衛の戦跡をめぐり「歴史の現場に立つ」(第三章)ことを実践し報告する。歴史学的思考と叙述において「ミクロ(部分)とマクロ(全体)との往復」(第四章)を主張し、「部分」から「全体」をとらえることを、大阪府の大字四条の歴史＝叙述を例示しつつ展開してみせ、歴史学の方法と理念——中塚のことばでいえば「歴史学の本質」——を論じた一冊である。

中塚は、一九五〇年代前半に展開された「国民的歴史学運動」にたずさわり、そののちこの運動の「功罪」を考察しながら歴史研究をおこなっていくが、本書は、いわゆる戦後歴史学の実践者が、自らのめざしてきた歴史学の理念と方法を提示する著作となっている。「国民のための歴史学」をめざし、史料を発掘し、史料批判をおこない、たえず「個別」としてあらわれてくる事象を「全体とのかかわり」で考察=叙述することが、「歴史家の仕事」として描き出されるのである。中塚の著作は長年の研鑽にもとづいたもので、戦後歴史学の思考と方法とを論じたみごとな実践=著作となっているが、こうした歴史学の自己提示は、歴史学の領域においてはくりかえし語られてきた経験をもっている。

たとえば手近にある、東京歴史科学研究会編『歴史を学ぶ人々のために』(三省堂、一九七〇年)は巻頭に「歴史学を学ぶということ」(大江志乃夫)、「歴史学的なものの考え方」(田中正俊)をおき、「現代と歴史意識」「歴史学の社会的責任」「歴史学における世界史認識」「人民闘争史研究の方法」「新しい歴史学運動」という構成をもつ。あるいは斉藤孝『歴史と歴史学』(東京大学出版会、一九七五年)は序章を「歴史の意味と歴史学」とし、以下に「歴史学と史料」「歴史認識の特質」「世界史の構成と発展段階」「現代史の方法」とつづく。歴史学は、「入門」「概論」「叙説」といったかたちで自らを提示することに比較的に熱心であるが、ここでは「歴史意識」「歴史認識」「(歴史学の)方法」などを手がかりに「歴史学」自らを俎上にのせている。

歴史学の自己提示は、「成果と課題」あるいは研究史、史学史という形態でも実践されるが、歴史学研究会編『現代歴史学の成果と課題Ⅱ』(全三巻、青木書店、一九八二年)の第一巻は「歴史学と歴史意識」とされ、一九四五年以後のいわゆる「戦後歴史学」を扱った遠山茂樹による史学史も『戦後の歴史学と歴史意識』(岩波書店、一九六八年)というタイトルをもつ。歴史/歴史意識(歴史認識)との分節をおこない、歴史学は歴史意識の究明に自らの役割を見出しているようにみえる。とくに、状況との関連において、歴史学は自らを測定しているようである。編集者山田晃弘が送り出した歴史学の方法を探究した著書群(以下、本章では近代日本を対象とした作品を念頭におくこととしたい)——中村政則『日本近代と民衆』(校倉書房、以下同じ。一九八四年)、芝原拓自『日本近代史の方法』(一九八六年)、安丸良夫『〈方法〉としての思想史』(一九九六年)、鹿野政直『化生する歴史学』(一九九八年)など——は、この営みの報告集となっている。

『岩波講座　日本通史』(全二五巻、岩波書店、一九九三—九六年)の「別巻一　歴史意識の現在」は、こうした歴史学の問題意識によって編まれた一冊といいうる。ここでは、「歴史意識と方法」のもとに、「戦後歴史学のメタヒストリー」(C・グラック)、「比較史の方法」(小谷汪之)、「社会史の課題」(石井進)、「時代区分論」(朝尾直弘)、「日本の人類学と日本史学」(関本照夫)、「歴史学とフェミニズム」(上野千鶴子)。「歴史意識の反省」のもとに、

「日本文化論と歴史意識」(鹿野政直)、「日本社会像の現在」(J・ダワー)、「戦後歴史学のアジア観」(尹健次)、「戦後庶民の歴史像」(井出孫六)、「歴史教育の現状と課題」(鈴木良)、「現代社会のなかの歴史学」(林英夫)が収められている。

歴史意識が語られる場所、歴史意識が語られる形態、歴史意識を提示する主体、そして歴史意識の追求の方法がさまざまに示され、その考察をさらに歴史学へと反射させている。場所として、学校(教育)を軸に出版(ジャーナリズム)、学界(アカデミズム)、テレビや映画(マス・メディア)、あるいは博物館・文書館があり、さらには近年では裁判の場も加わる。形態は、教科書・参考書の類から事典や年表、(主としての学校・出版にかかわって)歴史小説や読みもの、図説やシリーズ(出版)から論文・専門書やそれを掲載する専門誌、報告書(学界)、展示や公演、上映、証言などとなり、提示する主体は、歴史学の専門家としての教員、研究者、学芸員から、作家、編集者、プロデューサー、あるいは出来事の当事者ということになろう。

歴史意識は「方法」によって検討・検証可能の対象となるが、歴史学の固有の方法を探るべく、『岩波講座　日本通史』の「別巻一」では、人類学、フェミニズムの問いかけをよびかけるとともに、「日本」外部の視点からの考察や、これまでの歴史学の「方法」的検討をおこなうことによって、「方法」への関心を示している。

こうした、いわば共時的なかたちで、歴史学がもつ歴史意識への接近をみることができるが、通時的な軸を導入してみると、歴史意識に関心をもつ歴史学にも、ある変容が存在していることがうかがえる。試みに、前回の『岩波講座 日本歴史』(全二六巻、岩波書店、一九七五―七七年)の別巻三冊をみると、それぞれ「戦後日本史学の展開」「日本史研究の方法」「日本史研究の現状」というタイトルをもち、「日本史研究」の自明性と自信にあふれている。

『岩波講座 日本歴史』は一九六二年から六四年にかけても刊行されているが(全二三巻、岩波書店)、その別巻二冊はさらに自信に満ち、一冊が歴史意識・史学史・歴史教育の考察にあてられ、他の一冊は神話、人類学や民俗学的見地からの考察をおこない、本体の補完の位置づけとなっている。こうした歴史学―日本史学の自信は、一九五〇年代にはいっそう著しく、一九五五年から五六年にかけて、「戦後十年間の歴史学の研究の成果と運動の総括」のうえにたって運動・研究の「一そうの前進をはかること」(「講座『歴史』刊行について」)をめざした、江口朴郎・石母田正・松本新八郎・藤間生大・遠山茂樹・鈴木正四・高橋磌一・林基を編集委員とした講座は、『講座 歴史』(全四冊、大月書店)とされている。歴史学に拠っており、しかも第二巻「科学としての歴史学」など日本歴史を中心としているにもかかわらず、「歴史」を銘うつ。歴史学が歴史を代表することは自明視され、少しの疑いもみせていない。

歴史意識に関してみれば、第四巻を「国民の歴史意識変革の運動」とし、「民族文化」、民話、考古学、宗教、世論などを扱っているが、ここでは「国民のもっている意識と歴史学との間にずれ」があること、そのために歴史学—歴史家の変化を必要とするということがさまざまに主張される（川崎新三郎「歴史の把握と叙述」）。むろん、これらの主張は、このとき主唱されていた「国民的歴史学」の運動と切り離して考えることはできない。しかし、歴史学が（あえて「国民」という語を使用するが）「国民」の「歴史意識」と接点をもち、またもつ必要があることは、一九五〇年代から一貫して説かれていたことがわかる。

さて、一九七〇年代の『岩波講座 日本歴史』と一九九〇年代の『岩波講座 日本通史』の双方に編集委員として関与した鹿野政直は、双方をていねいに比較し、『岩波講座 日本歴史』にあった「歴史学という神」は退場し、「歴史学」が「歴史意識」によって対象化されたことを主張している（「化生する歴史学」唯物論研究会編『唯物論研究年誌 創刊号 終末の時代を超える』青木書店、一九九六年。のち、前掲『化生する歴史学』所収）。鹿野の指摘は多岐にわたるが、一九八〇年代の「歴史ばなれ」と一九九〇年代のその第二段階の過程をへて、歴史学が大きく化けかわろうとするほど「変貌」したことをいう。歴史学が前提としてきた「枠組み」が検討の対象となっていると鹿野はいうが、事態はより一層深刻で、歴史学はおろか、歴史意識や歴史そのものの概念がゆらぎ、その再定義にむかって苦闘しているようにみえる。

これまで、歴史というとき、まず語られるのは、歴史が出来事であるとともに、記述されたものということであった。さきの斉藤孝は、「歴史は、過去の出来事であり、またそれについて記したもの」というが(前掲『歴史と歴史学』)、従来はこの点から歴史学は歴史哲学と親近性をもち、一九三〇年代から五〇年代にかけて活躍した歴史学者である羽仁五郎にせよ、服部之総にせよ、歴史哲学に精通し歴史哲学にかかわる議論をおこなっていた。しかし、二〇世紀末の現在、出来事／叙述という「古典的二分法」(野家啓一)がそのままでは維持されないとし、歴史哲学の関心が歴史叙述の再検討にむかっている(たとえば、野家啓一『物語の哲学』岩波書店、一九九六年。上村忠男「歴史叙述と語りえぬもの」『思想』一九九七年一一月から連載〔補註〕、など)。歴史の概念、歴史学の概念がともにゆらぎ、双方の関係もあわせて問われるといった事態が進行していよう。「学」が問いなおされるのは、対象としていた領域の自明性が喪失し、学／対象の関係が双方ともに変容していること、より正確にいえば、「対象」とみえたものは「学」が創出していたにすぎなかったことがあきらかになったことによっていよう。こうした状況であればこそ、「歴史学という言説」という問題構成が発見＝設定されたのであるが、そのゆえにこれに応答するにはたくさんの困難がある。ここでは、⑴歴史学の方法と目される作法にもとづいて、⑵現在に至る変貌が開始され、また、⑶同様の観察がなされていた一九三〇年代までを射程に入れ、考察をおこなってみたい。史学史の形式を借用しつつ、史学史をゆるがしていくことであり、「歴史学という言説」のためのいくつかの基礎的な作業のひとつとなることを目している。

一九七〇年代からはじめ、九〇年代にいたった「はじめに」の叙述をうけ、1節では一九五〇年代から七〇年代の三つの論争と一九七〇年代から九〇年代の三つの史学史に問題の所在を探り、2節では一九三〇年代の史学史の風景に「歴史学という言説」を考察してみる。

1　三つの論争／三つの史学史

論争は自らが前提としていた「枠組み」を自覚させるという効果をもつ。歴史学は、歴史学の「外部」とされる領域の人びとと論争をおこなってきたが、歴史学が体験してきた三つの論争をとりあげ、歴史学の「枠組み」に接近してみよう。まずは、一九五五年に刊行された、遠山茂樹・今井清一・藤原彰『昭和史』(岩波書店)をめぐる、「昭和史」論争。歴史家たちの叙述する「昭和史」に、「評論家」たちが批判を加え、歴史学／歴史学以外の構図を呈する論争となっていった。

『昭和史』は、「昭和の新政」「恐慌から侵略へ」「非常時の名のもとに」「はてしない戦争」「破局へ」「戦後の日本」という章立てをもち、たとえば「昭和の新政」は、「転換する時代」「金融恐慌下の政変」「中国革命への干渉」「満州某重大事件」と項目分けされ、出来事を時間経過的に記す。また、大正天皇の死から書きおこすが、「天皇個人の死は、近代国家にあっては、歴史の動きに本質的なかかわりをもたない偶然の事件にすぎず、時代を画する意味をもつものではない」と、文体も乾いている。こののちの近代史叙述の範型をつくるような章立てと文体をもつ著作ではあった。

『昭和史』は、同時代史叙述の実践でたちまちにベストセラーとなったが、亀井勝一郎「現代歴史家への疑問」（『文藝春秋』一九五六年三月）の批判をよびおこした。亀井は、(1)「歴史といふものが党派性によつていかに激しく左右されやすいか」と、歴史叙述をおこなう「歴史家」をターゲットとし、(2)歴史との「距離感」をなくしていき「（歴史―註）そのものの中へ飛びこ」むこと、すなわち「歴史がおのづから私たちに強ひる自己放棄」を要求するという自らの歴史観を表明する。(1)(2)は不可分であるが、(1)について亀井は歴史は史観にもとづくとし、唯物史観を念頭におき『昭和史』批判を展開、ここには「人間」が描かれておらず、「限界」をつねにとりあげ、「公平を粧ふ臆病者」があまりに多いという。すなわち、亀井は、歴史は、「表現力」をもち、「人間の研究家」「人生探究家」であり、「共感の苦悩に生きる」歴史家によって記述されるべきであると主張する。

『昭和史』を執筆した歴史家たちは、しかしいずれもそうではないから、「この歴史には人間がゐない」。「支配階級」と「階級闘争の戦士」は出てくるが、戦争を「支持した国民」や、支配／被支配の「中間にあつて動揺した国民層のすがた」がみあたらない、というのが亀井の主張であった。また、東條英機の名前は出てくるが、「「軍閥」といふ概念の統計」として表され、「平板無味」の描写に終わり、「死者の声」もまったく響いてこないと指摘し、「ソ連の参戦といふ重大事実」への言及の回避をもち出して、『昭和史』を批判する。

亀井の『昭和史』批判は、それを執筆した歴史家への批判であって、その実践として『昭和史』の叙述があれこれ論じられたといいうる――「要するに歴史家としての能力が、ほぼ完全と云つていゝほど無い人人によつて、歴史がどの程度に死ぬのか、無味乾燥なものになるか、一つの見本として「日本史」を考へてよい」。したがって、亀井は歴史叙述をおこなう主体としての歴史家とその文体を問い、そこから歴史叙述につうずる論点を提示していったのである。

これに対し、応答した遠山茂樹は「現代史研究の問題点」(『中央公論』一九五六年六月)として、歴史家批判ではなく、歴史学＝研究批判として受けとめた。遠山には「歴史の客観的批判的認識」への信念があり、「歴史を創造する立場から、歴史の発展法則を内在的につかむ」ことを歴史学の目的とする。遠山は、「全体的客観的歴史」と「個人的体験」とのあいだには「もともと大きな距離」があり、一方でこのズレを「至急正しい方法でうめ」ることを図り、他方で「客観的内在的」な歴史の批判をおこない、「歴史学の科学性」を実践しようとする。

前者は啓蒙の姿勢にいたる。「現代史では、何人も歴史家となることができる」というのが遠山の主張であるが、それはたえず、「歴史の真実」＝「科学的研究の結論」＝「全体的客観的歴史」を参照系としている。このとき、後者の試みは、「被支配者の立場に立つ批判」をおこなうこと、「歴史を変革するものの立場に歴史家の眼をすえ」ることとして「あるべき前衛の立場」に立つと提示された。

遠山の言の意図するところをよりはっきりと示したのは、同時に『中央公論』に掲載された和歌森太郎「歴史の見方と人生」である。和歌森は、「歴史そのものは人間の経験の累積だが、これを知るというのは、その客観的時代的意味を知ること」といい、「内なるものを内で説明するのではなく、外から説明すること」を主張する。ここでは歴史家の姿はみえかくれしながら、結局、「あるべき前衛の立場」(遠山)に回収されている。和歌森は、「主体としての人間を回復せよ」と(亀井を批判しつつ)述べるが、主体といったとき、遠山・和歌森は歴史の主体を想定し「被支配者」をいうが、亀井は歴史を叙述する主体を組上にのせているのである。亀井が、遠山・和歌森の反論をうけ、「歴史家の主体性について」(『中央公論』一九五六年七月)を執筆するのは当然といえよう。

ここでは亀井は、自らの「在りしまゝの姿に接しようといふ復原への意志」と、「時代を離れて」「直接対話からくる親密感」との「矛盾」を語り、歴史家も「かうした矛盾」をもたぬか、と問いかける——「歴史家は「断言」と「懐疑」とのあひだの迷ひや苦痛を味つてゐる筈だ。歴史といふ劇から強ひられる彼自身の内的葛藤こそ歴史家の主体性といふものではなからうか」。そして、「事実と思はれるもの」もそのなかで「選択」し叙述するが、「選択」は批判であり、強調である。人がもつ「愛憎の念」を、「なぜ「客観性」の名で蔽ひ隠さなければならないのか。或は「理論」の名で」と追求する。

歴史家の主体が問われたとき、歴史叙述はあらたな論点をかかえこむ。亀井は、「主体性とは永久の不満にみたされた永久の矛盾認知ではないか。歴史における「客観性」とはその一過程に対して行はれる虚構ではないか」という(同右)。主体をもち出すことによって「客観性」を忌避する亀井に対し、遠山・和歌森のさきの主張は主体の歴史叙述が「客観性」として保証される根拠を希求していよう。(1)「民衆が提出すべき、歴史的に可能なコースが何であったか」を探り(傍点は原文。以下、同様)、(2)「分割され支配されている」民衆の要求を、「本来の要求に高め統一」する立場を求め、さきの「あるべき前衛の立場」を設定＝選択し、(3)このことによって「一つの立場に確乎として立ち、しかもその批判が、いはゆる偏つたものとならない」ことを志向している、と読むことができよう。

(1)は、歴史的出来事を外部的・事後的に、評価＝叙述して超越的な記述をおこなうことをいさめ、叙述する主体の位置＝視点に関し「歴史的可能性を越えたところに、批判の立場をおくことが誤りである」(以上、前掲、遠山「現代史研究の問題点」)と断言する。そのうえで遠山はコミンテルンの作成した二七年テーゼ、三二年テーゼに「歴史批判の立場を求めたい」とするが、これは「当時」の対抗関係をあきらかにするものの、「歴史批判」ではなかろう。「歴史的可能性」と「批判の立場」とが、歴史家の主体性においていかに結びつきうるのか。「当時」の批判の立場ではない、歴史的な批判はいかにして可能であるのか——換言すれば、いまを絶対化することなく、いまをも射程に入れた批判的な歴史叙述がどのようになされうるのかという問いが出現してくる。

この点は(2)についても同様で、遠山は、「民衆」の要求は単純ではなく、利害も分裂しているからそれを「あるべき前衛の立場」で代表＝記述するという。だが、「あるべき前衛の立場」の設定により、歴史家が代表(＝なり代わる)すべき民衆が浮上してきており、ひとつの循環に陥っている。ここでは、歴史家の主体が歴史的に問われる回路は閉ざされている。換言すれば、「いま」の「歴史家」の主体が問いかえされる歴史叙述の可能性が、あらためて問われることになったのである。そしてこの問いは、遠山・和歌森だけではなく、亀井にもつきつけられている。

『昭和史』論争では、遠山茂樹が歴史学を代表して応答したが、一九六〇年代に入ると近代日本研究の領域では民衆史・民衆思想史研究とよばれる潮流があらわれる。色川大吉『明治精神史』(黄河書房、一九六四年)の出現をきっかけとしたこの潮流は、主体に関して敏感で、(同じく民衆思想史の潮流の一人である)安丸良夫は、『明治精神史』を「思想の主体性」について扱った作品と読み、さらに歴史学研究における「研究主体でもある〝私〟の次元への問い」の重要性を強調する(「思想史研究の立場」『東京歴史科学研究会11月講座』一九七二年。「前近代の民衆像」『歴史評論』第三六三号、一九八〇年。のち、ともに前掲、安丸『〈方法〉としての思想史』所収)。民衆思想史研究の歴史家たちもいくつかの論争をおこなっており、その様相をみてみよう。

政治学・政治史研究の金原左門は『現代と思想』第三〇号(一九七七年)に「現代と民衆」をよせ、民衆思想史研究に対し、「民主主義的変革の精神」をどれだけ身につけ、「日常生活の場から変革への陣地を築きあげていくという苦痛のともなった営み」があるかと批判的に問うた。金原はさらに、同誌第三三号(一九七八年)に「現代地方文化論」を書き、「地域主義」に徹しながら「現代を変革」する方法として「人間の生き方の琴線にじかにふれる文化の問題」をとりあげ、文化の検討を課題として提示した。

金原の批判は、まずは「苦痛のともなった営み」をもち出し、民衆思想史研究＝歴史家にむかい、次に民衆＝歴史の主体の「生き方」に言及し、歴史叙述と歴史の主体の双方を俎上にのせる。金原に応答したのは、ひろたまさき「日本の近代化と地域・民衆・

文化」(同誌、第三三号。のち、ひろた『文明開化と民衆意識』青木書店、一九八〇年、所収)であるが、ひろたは、社会構成体論の理論ではおおいきれない、「意識」や「実感」の領域を提起した点に民衆思想史研究の「特徴」を求め、金原とは異なる角度から「地域」「民衆」「文化」を論じた。

ひろたは、「民衆の主体形成を内在的に把握しようとした」といい、歴史の主体に関心をよせ、歴史家の主体については明示的に応答していない。だが、ここには『昭和史』論争での論点が再燃している。「人間」がもち出され、「苦痛」「琴線」といった歴史家の内面にかかわる語句が決定打のようにして用いられている。

ひろたは、フランス文学者の西川長夫「歴史研究の方法と文学」(『歴史学研究』第四五七号、一九七八年)に言及しているが、西川はさらに「歴史叙述と文学」をよせ(同誌、第四六三号、一九七八年)、色川大吉『近代国家の出発』(中央公論社、一九六六年)の歴史叙述を検討＝批判し、文学研究と歴史学のあいだでも論争がはじまる。西川は、民衆思想史研究が、民衆思想を「内在的」に理解しようとする姿勢と方法に共感しつつ、民衆思想史研究が「経験主義の段階」を超ええないことを指摘する。

焦点となるのは「人間」で、西川は、「人間」や「民衆」が「それ自体強力な時代的イデオロギー」であることに注意を促す。そして、歴史／文学において描かれる人間の、「選択の基準」の相違をいい、文学では、歴史学が価値を与えず「くず」「ごみ」としたなかに、「より高い価値」を見出すとする。すなわち、西川は、歴史学は「正統」を価値とし、人間の価値は社会的役割や社会の歴史的発展のなかで占める役割によって決定されるという「考え方」をもつと、色川の作品を例示しつつ、歴史学批判をおこなう。

論争そのものは、色川が「西川らは知らないだろう」「全く理解していない」と高飛車に出たため(「〝歴史叙述の理論〟をめぐって」『歴史学研究』第四七二号、一九七九年)、実りあるものとはならなかった(色川は、のち一九九二年に、色川『歴史の方法』が「同時代ライブラリー」岩波書店、に所収されたとき、「西川長夫氏の批判にこたえる」を副題とする「同時代ライブラリー版へのあとがき」を書き、ここではほぼ全面的に西川の批判をうけいれている)。

三たび、「人間」の記述を焦点として論争がおこなわれたのであるが、西川は『昭和史』論争にも言及し、この論争は「歴史における「人間不在」という固定観念」をかかえこんだといい、歴史学に批判の照準をあてた。そして、文学を対置することによって歴史学の「枠組み」をあきらかにしていくという論をたてたのである。

歴史叙述はひとつの地域やひとつの事件を扱い必ずや個別の事例の叙述となるが、西川は、個別事例の叙述が歴史学の作品として認知されるためには、「弁明と前がきを必要」とするとし、また、歴史学は見取図―全体像を要求し「既存の歴史的価値体系にたいして「底辺」をいかに位置づけるかという問題意識がつねに働いている」ともいう。色川が「底辺」を扱ったためこの事例があげられているが、歴史学では、自らの対象を

「既存の」「価値体系」に位置づけ、そのことによって歴史学の作品として了承されることが指摘されている。さきの「正統」を論拠とする人間観と同じ構造であるが、歴史学の「制度」を、文学と対照させあきらかにしてみせた。

だが、そのこととともに、ここでは、西川が歴史叙述に焦点をあて、「叙述こそが意識であり、文体こそが認識である」という見解を示したことが注目に価する。フランスの文学者G・メレを紹介しつつ、歴史は表象であり「叙述」によって担われているとし、歴史叙述をいくつかの類型に分けてみせ、歴史叙述が「国民の言語活動」の一部をなすことに歴史家たちの自覚を促した。西川にとっては、歴史叙述こそが「イデオロギー闘争の場」であり、歴史叙述における論点と見解が提示されたのである。西川の議論は歴史叙述を遂行する主体の考察であり、亀井とは異なる角度からの歴史家批判であり、論を歴史学そのものへの批判に及ぼしていく。あわせて、西川の論は亀井批判ともなっている。

論争は、歴史学の「枠組み」をあきらかにし、歴史学の認識と作法をあらためて提示することとなったが、同様の提示は歴史学の自己像である史学史のなかにもうかがいうる。三つの史学史をとりあげ論じてみよう。

これまで史学史は、歴史学の領域と思考実践の推移を自ら叙述し、自己＝歴史学の系譜を提示し、歴史学のアイデンティティを確認してきた。したがって歴史学の講座の類には、研究史という限られた領域と比較的短い射程で主題を整理する叙述とともに、史学史が必ず収められている。歴史学研究会・日本史研究会編『日本歴史講座』(全八巻、東京大学出版会、一九五六―五七年)では第八巻まるまる一冊が「日本史学史」にあてられ、同じ講座の第二次版『講座日本史』(全一〇巻、東京大学出版会、一九七〇―七一年)では第九巻を「日本史学論争」としている。前者は「文化史学」(奈良本辰也)、「津田史学の本質と課題」(上田正昭)、「唯物史観史学の成立」(遠山茂樹)のように史観をとりあげるオーソドックスな記述であり、後者は「寄生地主制論」(安孫子麟)、「近代天皇制論」(後藤靖)、「近代化論」(和田春樹)とトピックと論争を切り口とする。

もっとも、第三次版『講座 日本歴史』(全一三巻、東京大学出版会、一九八四―八五年)では、史学史の観点はすっぽりとおとされている。史学史においても、一九八〇年代中葉にある変化がうかがわれる。

「戦後歴史学」を対象とした史学史として、さきの遠山茂樹『戦後の歴史学と歴史意識』は、あらたな「研究と叙述」の自覚にもとづいた史学史として提供されている。遠山は、敗戦から一九六〇年前後までの歴史学の推移を、主として歴史学研究会という在野の研究団体を軸にすえて描くが、遠山はこの間その指導的位置にあり、同書は歴史学(=歴史学研究会)に焦点をあてながら、遠山の知的な同時代史の様相を呈している。遠山は、「戦前と戦後の歴史学と歴史教育」を序説におき、「歴史学と歴史教育の再出発」

「一九五〇年前後の問題意識の激動」「情勢の転換と歴史学の動向」「一九六〇年前後の歴史学」と章立て＝時期区分をおこない、時間経過的に叙述をすすめる。歴史学＝歴史学研究会の問題意識を、ときどきの政治・国際状勢と関連づけて説明し、議論されたことを方法と歴史像のレヴェルにおいて整理し、状況のなかで、状況との関連で歴史学の推移を描いてみせた。歴史学のオーソドックスな方法にもとづく史学史であるが、問題意識を内在的に読み解く手法を用い、一九七〇年前後の歴史学の関心＝動向と一致している。

だが、一九八〇年代末に出された、鹿野政直『「鳥島」は入っているか』(岩波書店、一九八八年)、『婦人・女性・おんな』(岩波書店、一九八九年)はまったく別の手法から描く史学史となっている。この点に関しては拙稿「史学史のゆらぎ」(『本郷』第三号、一九九五年)を参照されたいが、遠山の著作が「歴史学と歴史意識」とされているのに対し、鹿野が「歴史意識の現在と歴史学」(『「鳥島」は入っているか』の副題)の関係を問う点に対照性がみてとれる。遠山が、歴史家は「国民の歴史意識の形成」に責任を有する、というのに対し、鹿野は、歴史学を「国民の歴史意識」を「受けとめるがわ」におく。

ともに歴史学と歴史意識を、「国民」との関係で考察するのだが、遠山は、歴史学→国民というベクトルをもつが、鹿野は、国民→歴史学とする。遠山は歴史学の歴史意識に立脚し、鹿野は国民の歴史意識に身をよせようとしているかにみうけられる。鹿野は叙述においては、時間経過的なスタイルを放棄し(『「鳥島」は入っているか』のばあい)、「「戦後」意識」「人間論」「日本文化論」といった問題群を抽出し、これらを「歴史学の現在」を測定するものさしとし、また、測定の結果の報告とする。遠山よりもいっそう強く問題意識が前面におし出され、しばしば狭義の歴史学の作品からもはみ出していく。遠山と鹿野はこのように対照的であるが、しかし、ともに「国民」に語りかけようとする点では共通している。厳密にいえば、「国民」に/「国民」の、という方向性の差異はあるが、歴史意識が「国民」とともにあるという点は前提を同じくしている。

一九九〇年代に入ると、歴史学の「枠組み」により深く入りこんでの考察があらわれた。C・グラック「戦後歴史学のメタヒストリー」(前掲)で、グラックは「時代区分」「問題意識」「語り」「詩学」「比較」という系によって「戦後歴史学」を支えてきた「枠組み」を再整理してみせる。これまでの史学史が、具体的に、主張内容=問題意識に注目していたのに対し、グラックはメタヒストリーを方法とし、「問題意識」をもつこと自体を歴史学=戦後歴史学の「枠組み」のひとつとし、歴史学の方法とされてきたことそのもの(=時代区分や比較)をも考察の対象とした。グラックは、戦後歴史学の提供する「近代日本像」が、(日本は例外であるという)「例外主義の重荷」を背負っていることを指摘するが、これは戦後歴史学が「日本人のために日本人について書く」ためだと喝破する。

だが、このナショナル・ヒストリーは歴史学の形成＝「枠組み」そのものから発生していると分析する点にグラックの主張があり、戦後歴史学を対象として「近代」の歴史学の特徴が指摘されたのである。歴史学のメタヒストリーをつうじて、グラックは、歴史学の拘束性を描いたとはいえ、歴史学の形式——歴史学を歴史学たらしめているもの——のなかに、「近代」の制度を見出していった。近代が創出するナショナルなもののひとつとして歴史学があり、歴史学はまた、ナショナルなものをうみ出す装置であったということが、歴史学の「枠組み」のなかから分析された。

メタヒストリーにまでいきついた史学史は、歴史／歴史学の概念とその関係をあらためて問い、歴史意識の大きな変化をうかがわせるが、こうした事態は一九三〇年代にもみられた。時計の針をまきもどしてみよう。

2　一九三〇年代の歴史学の風景

歴史意識が変化する節目は、これまでにもいくつかあった。たとえば一九世紀初めに史蹟が見出され、名所図会や郷土史などの地誌が編纂され従来とは異なる歴史意識が出現したことを、羽賀祥二『史蹟論』(名古屋大学出版会、一九九八年)は伝えている。旧家＝地方名望家が、顕彰という行為をつうじて家や郷土に関心をよせ歴史像を提示する。これは一八三〇年代からの地域の変容と対応していようが、歴史学の制度的成立も歴史意識の変化を助長する。

一八八九年に帝国大学国史学科が成立した前後を分析した桂島宣弘は(「近代国史学の成立」『江戸の思想』第八号、一九九八年)、近代国史学が考証史学として出発し社会ダーヴィニズム=「自然科学主義」の学問観をもつ一方、「歴史=事実」という認識をつくっていったとする。ヨーロッパ学の受容と儒教観の変容とのうえにアカデミズム史学が成立したと桂島はいうのだが、このことは同時に在野における歴史学(歴史論)を形成していった。福沢諭吉・田口卯吉らの文明史学→竹越与三郎・山路愛山らの史論史学→津田左右吉・西田直二郎らの文化史→羽仁五郎・山田盛太郎らの唯物史観による歴史学という、史学史における整理は(たとえば、岩井忠熊「日本近代史学の形成」、北山茂夫「日本近代史学の発展」、ともに『岩波講座　日本歴史』別巻一、岩波書店、一九六三年)、このアカデミズム史学の成立との緊張関係において構想されている。

歴史意識は国民国家の動向と無縁ではなく、歴史学が国民国家の装置となるならば、いっそう「歴史学という言説」は国民国家との関連で考察されねばならないであろう。歴史意識の節目と歴史学の変容は国民国家の態様と連動している。これらのことを前提としつつ、本節では現在の歴史学/歴史意識の変容と直接に連動していると思われる一九三〇年代の歴史学と歴史学界の風景に接近してみたい。

明治維新像を手がかりに、歴史学をめぐる状況に、まずはスポットをあててみよう。

(1) 明治維新像・一九三五年前後 I

思想史や文学史において、しばしば一九三五年前後がひとつの転換期であることが指摘される。たとえば渡辺一民『林達夫とその時代』(岩波書店、一九八八年)は、「一九三五年前後」という一章をもち、一九三三・三四年から一九三六・三七年までを「大きな転換期」とした。そして一九三五年に完成された三つの記念碑的作品——島崎藤村『夜明け前』、和辻哲郎『風土』と西田幾多郎『哲学論文集 第一』をあげ、ここに「西洋」と「日本」をめぐる問題にいちおうの「決着」がつけられた年を見出している。

この一九三五年前後は国民国家の転換期であり、「日本」における「近代」の到達＝変容と認識されていたが、歴史とのかかわり方、歴史の概念や歴史の語り方においても変化がみられた時期とされたのである。歴史の叙述——歴史と表象の関係が俎上にのせられ、議論されたが、いますこし、渡辺の提出した論点にそっていうならば、当該期の「日本」を、起源の物語を創出することにより考察しようとする作品が多くみられるということとして考えうる。

『改造』一九三四年一月号は、「明治維新の再吟味」を特集し、山川均「維新史研究の非常時的意義」、白柳秀湖「諸侯、諸士の貧困と町人階級の繁栄」、長谷川如是閑「維新史の観念的背景」、土屋喬雄「維新史研究の中心論点」、服部之総「幕末変革期のイデオロギーについて」、徳富猪一郎(蘇峰)「明治維新と昭和維新」の論稿を掲げた。評論家、それも左派から中道派、右派までがならび、学者も加わり、さまざまに「明治維新」が論じられるが、ここでは、「明治維新」を論ずることによって、一九三四年の「日本」を論じようとする姿勢がみてとれる。

一九二八年は戊辰の年で、「明治」と改元された一八六八年から六〇年目にあたり、経験・体験としての「明治維新」が多く語られた。東京日日新聞社が編集した『戊辰物語』はその一例で、高村光雲、原胤昭らをはじめ、多くの古老に談話を聞き、体験＝回顧としての「明治維新」が描かれる。

とともに、六〇年の年月は、明治維新の言説化を促す。明治維新を論ずるにあたり、体験＝回顧とは異なる参照系を示し、明治維新という出来事を再構成しようとする立場が登場し、言説としての明治維新の追究というべき作品群が出現するのである。大づかみに、この言説としての明治維新をみるとき、歴史学をふくめ三つのジャンル＝方向があるように思われる。

第一は、藤村の『夜明け前』に代表される小説。関東大震災後の円本ブームをへて、「日本文学」という制度が定着するときに、文学―小説という制度を用いて、近代日本の起源の物語が紡ぎ出される。『維新歴史小説全集』(改造社、一九三四年)が出され、記者として『戊辰物語』にたずさわった子母澤寛は、新撰組に関し、三部作(『新撰組始末記』『新撰組遺聞』『新撰組物語』いずれも一九三五年)を著す。直木三十五の『南国太平記』をふくめ時代小説が多いが、幕末・維新に材をとった小説にみられる明治維新像である。

第二は、歴史学における明治維新研究。一九三二年から三三年にかけて刊行された『日本資本主義発達史講座』(全七巻、岩波書店)は、史学史上に大きな意味をもつとともに、一九三五年前後の、国民国家の転態とそれにともなう起源の物語のひとつに位置づけうる歴史像を提出した。これは、第三のジャンルとしての民俗学による叙述にも共通するところである。

まずは第一のジャンルからみれば、島崎藤村は、明治維新の歴史像を木曽馬籠宿から描き出す。「江戸から八十三里の余も隔たった木曽の山の中」、中仙道の宿だが、ここで本陣・問屋・庄屋をかねる青山半蔵を主要な人物とし、ペリー来航の一八五三年から半蔵が死ぬ一八八六年までを記す。半蔵が藤村の父、正樹をモデルとしていること、藤村は宿役人大脇信興の残した『大黒屋日記』を入手＝利用していることはよく知られ、『夜明け前』はさまざまに考証がつみ重ねられている(北小路健『「夜明け前」探究』明治書院、一九七四年、など)。一九三五年前後の解釈としての藤村の明治維新像＝解釈をめぐっていくつか論点を出してみよう。

第一に、「十六代も連なり続いて来た木曽谷での最も古い家族の一つ」である青山家を軸に、村の記憶＝共同の記憶を参照系として、次々におこる出来事が理解されている。伏見屋金兵衛の口ぐせが「前代未聞」であるのは、このことと表裏をなす。換言すれば、定着する者の視点から、幕末、維新の出来事が、桜田門外の変、和宮降嫁、大政奉還など政局のレヴェル、助郷制度の破綻、関所の廃止、あるいは、牛方争議、草山口論など地域レヴェル、さらには山林事件の嘆願など半蔵個人に直接かかわる事柄などのレヴェルで描かれる。青山家は、「村じゅうの百姓をほとんど自分の子のように考えている」というように地域に定着し、地域に根をはり、地域に影響力をもっており、その者の眼からみた維新解釈ではあった。

もっとも、馬籠は中仙道の宿として交通＝移動の拠点であり、「国境」でもある。したがって、祖先をたどれば、金兵衛にせよ、吉佐衛門にせよ、他者の「血が混じり合っているのだろう」とされ、移動＝交通という要素をくみこんだうえでの定着としている点は見逃せない。

この点は第二に、『夜明け前』を論ずるときに、しばしば、江馬修『山の民』がもち出されることと関連する。『夜明け前』を論じて大岡昇平は、『夜明け前』は小作人については書かれていないが、『山の民』は地方生活が記されているという。つづけて大岡は、『山の民』『夜明け前』はともに、「人民」の立場に立とうとして立てなかった人物を主人公とするが、江馬は、「人民」の側から描き、藤村は主人公と同次元に立つとする(『歴史小説について』文藝春秋、一九七四年)。また、『夜明け前』を「草叢の中」からの明治維新像と評価したうえで、『山の民』とは対比的に論ずることもなされる(芳賀登『「夜明け前」の実像と虚像』教育出版センター、一九八四年)。

これは、庄屋／小作人、いずれの視点から歴史を描くかという視座への問いである以上に、藤村が「当時」という語を、「当時」の説明＝合理化として用いていることへの考察となる。

当時この国には、紅毛という言葉があり、毛唐人という言葉があった。当時のそれは割合に軽い意味での毛色の変わった異国の人というほどにとどまる。(中略)黒船の載せた外国人があべこべにこの国の住民を想像して来たように、決してそれほど未開な野蛮人をば意味しなかった。(第一部第三章)

ここで、藤村は「当時」の「外国人」への呼び名＝名づけとしての「紅毛」「毛唐人」を合理的に説明してみせるがゆえに、「この国の住民」／「外国人」、すなわち「われわれ」と「かれら」を区分することそれ自体、および区分の根拠は問われないこととなる。藤村は「当時」の論理の再生産をおこない、「古来この国に住むものは、そう異邦から渡って来た人たちを毛ぎらいする民族でもなかった」(同右)と述べることとなる。一九三五年前後の現時における「異邦」の概念を遡及させ、「この国」／「異邦」という対抗をつくり出すが、そこにおける認識の枠組みそのものや、それをつくり出す認識＝行為そのものは問われない。

このとき、『夜明け前』に対し、いまひとつの作品として中里介山『大菩薩峠』を補助線としてみよう。介山の『大菩薩峠』は、一九一三年に『都新聞』に連載が開始されるが、一九二一年から二五年にかけての大きな中断のあと、一九三一年(「不破の関の巻」)、一九三九年(「京の夢 あふ坂の夢の巻」)に小画期が見出される(鹿野政直『大正デモクラシーの底流』日本放送出版協会、一九七三年。野崎六助『謎解き「大菩薩峠」』解放出版社、一九九七年)。

『大菩薩峠』が評判をよぶのは一九二五年以降で、『中央公論』一九二八年三月号は、「机龍(ママ)之助の人間的興味」を特集し、田中智学、大宅壮一、村松梢風、澤田正二郎、守田勘弥が執筆している。舞台で机竜之助を演じた二人の俳優が論ずるほかに、『大菩薩峠』が一般読者に与える効果は「反動的」で、差別をうみ出す根源の「資本主義擁護のメガホーンの一つになつてゐる」こと(大宅)などが指摘されている。

『大菩薩峠』の舞台となっているのは一八五八年から一八六七年ころまでで、江戸の打ちこわし、天誅組の乱、新撰組の活動などいくつかの幕末期の出来事がもりこまれている。中里介山による明治維新＝解釈であるが、(1)主人公の机竜之助をはじめ、登場人物はことごとく「移動」をおこない、せわしく動きまわる。移動の理由こそさまざまであるが、いずれも「故郷」を追われ、「故郷」を思慕するものの、「故郷」に帰還することは許されない。(2)かれらは、そのゆえ、単一のアイデンティティではなく、複数のアイデンティティをもつ。「故郷」を思いつつ、そこにアイデンティティを求めるとともに、現時の場所にもアイデンティティをもとうとする。

同時に、(3)移動するがゆえに、かれらは差別や排除の対象とされ、さまざまに刻印をもつ。主人公の机竜之助が、物語冒頭に失明してしまうほか、片足が不自由であったり、手を斬り落とされるなど身体に障害をもつ者とともに、登場人物には家族を形成しえず、「孤児」が多い。被差別の民も描かれる。この点から、『夜明け前』とは対照的に、差別され移動する民を軸にすえた明治維新解釈が、ここに提供されたといいうる(拙稿「「流謫」の人々」『大菩薩峠』第八巻、筑摩書房、一九九六年)。ここで注目しておきたいのは、『大菩薩峠』後半が、時間を喪失し、反歴史の物語となっていることである。『夜明け前』と対比して、(a)定住者から移動者へと軸線を動かすにとどまらず、(b)明治維新の物語をこわし、あわせて物語としての明治維新を拒否し、いわば解釈しない歴史の語りを提示してみせた。(a)の点からは、刻印を捺された人物が、刻印を唯唯諾諾と受容し、刻印には拘泥していないかのようにすらみうけられることを指摘しうる。定住者の眼からみるとき、かれらは刻印を背負った異形の者にうつるが、当事者にとっては、日常の生を生きており、刻印をそれとして背負っているのではない、と介山は主張していると思われる。刻印を無化する語り＝解釈は、定住者にとっての大きな出来事も意味を喪失させていく。政局にかかわる出来事は、『大菩薩峠』においてほとんど記されない。いや、それ以上に『大菩薩峠』においては「史実」の扱いは単純ではない。

野崎六助は、『大菩薩峠』「甲源一刀流の巻」に出てくる島田虎之助が、物語内の時間(一八六二年ごろ)には、すでに死亡していたことを指摘し、介山が描く、島田の雪の夜の斬闘シーンが「史実」の空間に、「史実」では物故した人物(島田)と「史実」の人物、さらに「虚構の人物」が交差する、「虚構の空間」を描き出していることを述べている。山室恭子『歴史小説の懐』(朝日新聞社、二〇〇〇年)でも「史実と齟齬」が指摘されているが、「史実」も史実らしきものも虚構にとりこんでしまう明治維新像を『大菩薩峠』は提供している。

ここには「史実」なるものが抑圧的にふるまい、権威的な歴史像＝勝者の解釈をつくり出していることへの苛立ちがあろう。介山は、「歴史は所詮、勝利者による史観だ」と述べている(「Ocean の巻」)。加えてあれほどあちこちせわしげに移動する人びとが、誰ひとり京都より南へ——雄藩の地へ足をふみ入れていないことにも、勝者としての明治維新像への介山の抵抗を読みとることができよう。

さて、(b)の点からは、介山は、小説という形式＝制度をこわすことを考えていたことが読みとれる。『大菩薩峠』では、登場人物の一人(神尾主膳)が勝小吉『夢酔独言』を読み出すシーンは、「真実を素裸に書いて、さうしてあらゆる小説稗史よりも面白い」として（「京の夢　あふ坂の夢の巻」）延々と『夢酔独言』が引用される。また、要所要所に作者が登場し、物語を中断し、うんちくを傾けるほか、物語内の時間には存在しないもの――『主婦之友』、飛行機、無政府主義、『アラビアン・ナイト』『デカメロン』などをもち出したり、「月の夜と言っても、この巻の初めの名に冒すところの「新月」の夜ではありません」（「新月の巻」）、「記憶をよみがえらせるために読者諸君は大菩薩峠の第十六巻「年魚市の巻」から「不破の関の巻」あたりをもう一度読み返していただきたい」（「農奴の巻」）、あるいは、「第二十三巻「恐山の巻」の二百八十五頁前後のところ」（「農奴の巻」）などという一句を入れ、『大菩薩峠』を自らテクスト化している。菊池寛（木口勘兵衛尉源丁馬）、子母澤寛（下っ澤の勘公）、吉川英治（古川の英次）を連想させる人物を登場させたり、南方熊楠の手紙を挿入するなど、自在に語りの逸脱をおこない、語りの統一性を拒否する。介山は安定した、ひとつの立場からの均一的な語りとその形式を組上にのせ、それを意図的にズラし、そこから歴史叙述＝解釈をおこなっていく。小説が近代の語りの形式＝制度であるならば、一九三五年前後に、介山はその形式＝制度に疑義をつきつけたといいうる。

これら二つの点をふまえた明治維新の解釈＝語りは、歴史の語り方の新たな可能性を示唆している。『夜明け前』と『山の民』は、歴史を外部から描き、統一した歴史解釈をつくり出そうとするが、『大菩薩峠』は、外部の語りの立場を拒否し、ひとつの物語を語る形式と解釈をこわしてみせた。多くの幕末・維新小説が、内容こそいくつもの解釈をみせるものの、語りの位相や形式は統一され、外部の位置をもつとすれば、『大菩薩峠』の試みは、歴史の均一的・統一的な語りおよび歴史を物語として語ることを拒絶している。『大菩薩峠』は「もうひとつの」歴史という発想と叙述を拒否し、複数の声、複数の解釈を記す歴史の記述の方法への試みであり、反・歴史の物語を記述する形式の試み=模索といいうる。

こうしたとき、第三のジャンルとしての柳田国男が紡ぎ出す物語=解釈はどのような位相をもつであろうか。藤村とともに新体詩人として出発した柳田は、農政学をへ、『後狩詞記』(一九〇九年)や『遠野物語』(一九一〇年)を刊行する。そして、一九二八年に刊行した『雪国の春』によって、稲・常民・祖霊信仰を三位一体とする「民俗学」へ旅立ち、一九三五年前後に、「民俗学」が「確立」したとは、赤坂憲雄の見解である(赤坂憲雄『柳田国男の読み方』筑摩書房、一九九四年)。

柳田における、主語を「われわれ」とする記述の開始ともいいうるが、一九三一年に書かれた『明治大正史 世相篇』は、歴史をめぐる問題に論点をなげかける。『明治大正史 世相篇』は、「故意に固有名詞を一つでも掲げまい」として叙述された著作として知られるが、柳田の歴史観がよく示されている。柳田は、「眼に映ずる世相」で、⑴歴史は「他人の家の事蹟」を説くものという観念をあらためるようにいい、⑵「国民としての我我の生き方」の変化を探るように主張する。

⑴は、「人は問題によって他人にもなれば、また仲間の一人にもなる」といい、「人」は均一的・単一的ではなく、ときどきの関係性や出来事の性質によって、集合性＝「われわれ」をつくりあげるという認識である。そのうえで柳田は、時代が近づくにつれ、「問題」の「共同」は広く濃厚になるとつづけ、その点から⑵の課題が設定される。

柳田は、「できるだけ多数の者が、一様にかつ容易に実験し得る」衣食住にかかわる出来事を、あらためて「歴史」として考察するという。ここでは、衣食住を共通にする「仲間」＝「われわれ」がたちあげられるが、あらかじめの限定による「仲間」があるのではなく、共通性によって「仲間」が形成され、歴史の主体として認定するのである。見田宗介は、この点に関し、「柳田の方法の核は、「国民としての」主体＝対象の限定そのものにあるのではなく、民衆の類の自己史としての歴史の主体＝対象の設定の仕方自体にある」と述べている（「解説」『新編　柳田国男集』第四巻、筑摩書房、一九七八年）。だが、「類の自己史」としての「設定」が、「国民として」語られることに、柳田の「方法の核」＝解釈の中心があるのではなかろうか。

これは、史料として新聞を使用しようとすることと関連する。柳田は、新聞の記録は

「時世」を映出するに純で精確であり、「一つのプレパラートを一つの鏡から、一時に覗くような共同の認識が得られる」という。

新聞は、コミュニケーションの手段であり、情報を共有し解釈する「われわれ」を形成する。新聞が伝える出来事が、「共通の認識」へとひらかれていく＝象徴性をもつという柳田の認識と通底している。そして柳田はすぐにつづけて、「現実の社会事相」は新聞の記事より「はるかに複雑」で、新聞はその一部しかカヴァーしていないとし、「変更の尖端的なもののみ」が採録されているといい、「尖端的なもの」から、「碌々としてこれと対峙する部分」＝「生活の最も尋常平凡なもの」を探ろうとする。したがって変化といいつつ、柳田は、(藤村と同様に)「当時」の合理化とそれにもとづく歴史＝解釈を試みることとなった。

いまひとつ、一九二四年に結成された明治文化研究会の動向も見逃せない。吉野作造を中心に、尾佐竹猛、小野秀雄、宮武外骨、石井研堂らが集まり『明治文化全集』(全二四巻、日本評論社、一九二七―三〇年)を刊行し、機関誌『新旧時代』(のち『明治文化研究』『明治文化』と改題)を発行する。『新旧時代』の誌名などあらたな感覚をうかがわせるが、明治文化研究会の関心は(広義のではあるが)モノにむかい、「断片」として意味をそぎおとす叙述をおこなっている。歴史学と正史の叙述に、モノの「断片」の記述で対抗しようとしている(この点に関しては、拙稿「『明治事物起原』をめぐっての「断片」」『明治事物起原』第八巻への解説、筑摩書房、一九九七年、を参照されたい)。

さきの子母澤寛も、『新撰組始末記』の冒頭に「歴史を書くつもりなどはない」と記し、新撰組三部作は聞き書きや抜き書き、体験談の掲載など「断片」の集積となっている。一九三〇年前後の歴史意識の転換の一端は、国家や歴史学のつくり出す明治維新の物語に対し、物語をもって対抗するのではなく、物語の拒絶＝「断片」の提示をもって応対した。かかる歴史意識のありように対して、第二のジャンルとしての歴史学の選択した方向は異なる。歴史学は、「断片」ではなく「語り」の実践を試み、そのときに、体験の語りではなく分析の語りを採用する。明治維新に即していえば、体験としての明治維新から、言説としての明治維新へと転換を図るということであり、そのときに歴史学は新しい世代として自らを位置づけ、分析の方法にも注意を払っていく。「歴史学という言説」が転回点にあるのだが、分析のさまざまな立場＝方法をうみ出すことでもあり、組織化をともないながら、歴史学界のあらたな動向と配置がみられることとなる。歴史学の様相をみることにしよう。

(2)　明治維新像・一九三五年前後 II

歴史家の羽仁五郎は一九二九年に『転形期の歴史学』(鉄塔書院)を刊行するが、そのタイトルはなかなかに象徴的である。羽仁は、「序」で「世界史的変革の前提としてのこの現在」において、「いわゆる近代歴史学に対してあえてもっぱら批判的いなむしろ破壊的な態度をとった」といい、「われわれの新しき歴史学が建設せられん」ことを訴える(以下、羽仁五郎の引用は、主として『羽仁五郎歴史論著作集』第一巻・第二巻、青木書店、一九六七年、によった)。羽仁は、歴史学の「形式と内容」の批判的検討を熱っぽく主張し、これまでの歴史学を「いわゆる近代歴史学」としてくくりあげ、それへの批判＝検討をおこない、歴史学の転換——再定義——を意図していく。歴史学の領域での動きも活発である。

たとえば、一九三〇年秋に庚午会という「社交的団体」を萌芽とした団体は、毎月一回の研究会をおこなうにいたり、一九三二年に歴史学研究会として組織される。一九三三年一一月には機関誌『歴史学研究』が創刊されるが、「吾等の雑誌「歴史学研究」は吾等若き時代の人々のものである。吾等は団結して、この唯一の城を守らうではないか」(「編輯後記」)と述べ、誌面の構成も巻頭に四頁のグラビア頁を設けるなど、専門雑誌にしては冒険を試みている。研究動向を掲げるときも、「回顧的であり勝ちな、史学史的な事項からは、無縁」といい、「維新経済史研究の躍進」と題し服部之総の提起した「厳マニュ時代論」をめぐる論争を整理・紹介する(満願寺一作、第一巻第二号、第二巻第一号、一九三三—三三年)。

『歴史学研究』創刊号に掲げられた「生誕のことば」で、「われらの会は、多くの小壮史家によつて結成され真に現実的・具体的・協同的な方法により、飽く迄も歴史の科学的研究に終始する」といい、「小壮」であること＝若さと科学性を盾にこれまでの歴史学を批判する。また、歴史学の民衆化の意志をもち、「歴史の知識は、一部の人々に独占せらるべきでなく、これを普く社会の全分野に浸透せしめられなければならない」こともいう。従来の歴史学が、(知識)独占的・閉鎖的であることへの対抗である。

このことは、「談話室」と名づけられた読者欄に寄せられた感想——「何んと元気潑溂とした青年向きのする雑誌でせう」(大島生「伸びよ健かに」)や「編輯振りの新しいのにビツクリ」(西岡虎之助「感じたまゝに」、いずれも第一巻第二号、一九三三年)という意見と呼応している。若いということで、これまでの歴史学を担ってきた人びとと年齢的・世代的に自らを切断し、自らの主張を科学的・民衆的と特徴づける動きが、ひとつの組織的形態をとってあらわれてきた。歴史学研究会の結成と機関誌『歴史学研究』の創刊は、歴史学の転換の一齣であり、転換期の歴史学の動向を象徴的に示している。

歴史学にかかわる雑誌が相次いで創刊されたことも、この時期が歴史学にとっての転換期であることの指標となろう。創刊された雑誌群は歴史学界での位置によって区分するとき、三つのタイプに分かれる。第一のタイプはアカデミズムの内部で発行された雑誌で、国学院大学国史学会機関誌『国史学』(一九二九年一一月)、立教大学史学会機関誌『史苑』(一九二八年一〇月)、あるいは早稲田大学日本学協会機関誌『日本研究』(一九三〇年六月)などが創刊される。『国史学』創刊号の「発刊に際して」で三上参次は、「今日の世の中」は学術など「各国共通」「万国普遍」となりゆくが、「列国競争の世の中」でもある。そのなかで日本は小国ながら「国威を発揚」しているが、それは「国家意識の旺盛」と「国民性を尊重」することによっており、「万国に比類なき国体を有する国史を尊重するに帰着」すると述べる。国際性の自覚と国家・国民性の尊重が国体と国史へとつらなり、「自国に関する知識を饒かにして、その本を固く」することに国史学会の目的を設定した。

『日本研究』第一冊の「提唱」も同様に、「欧化熱」と「自分を見直」すという要求との二つの「動因」が「祖国日本の文化を再吟味」する目的となっていると述べる。アカデミズムの歴史学の雑誌は一九三〇年前後に、モダニズムを契機とする変化を見出しているが、それを「国史」や「祖国」へと収斂させていく。

第二のタイプの雑誌は、アカデミズムの外部＝「在野」の雑誌である。マルクス主義の主張にもとづく『歴史科学』(一九三二年五月創刊)は、「旧来のブルジョア歴史学を反動化し、小ブルジョア的歴史家は俗学的折衷を事とし、いづれも新興階級の科学的要求を満足させ得ない。プロレタリアートはそれ自身の革命的、科学的な歴史学——マルクス主義歴史学をもたなければならないし又もち得るであらう」と書きつける(編輯者「「歴史科学」の創刊について」)。ここでも「ブルジョア歴史学は危機に瀕してゐる」と、歴史学の転換の認識が示され、グーコフスキー「歴史科学とは何ぞや」(第一号)など理論的な翻訳のほか、田村栄太郎「宝暦一一年信濃上田領農民一揆」(第二号、一九三二年六月)、服部之総「戦前帝国主義の成熟過程と支那の分割」、桜井武雄「地租論戦時代」(以上、第三号、一九三二年七月)など近代日本の歴史像にかかわる論稿も掲載されている。

さきの『歴史学研究』もここに位置づけられ、さらに郷土史としての信濃郷土研究会の『信濃』(一九三二年一月)も創刊された。いずれも「初期荘園制に於ける土地占有形態」(西岡虎之助。『歴史学研究』創刊号)など、専門性に富む論文が掲載されており、在野からアカデミズムへの対抗といった局面をもつ。

第三のタイプは、民衆化・大衆化を志向した雑誌で、一九三二年一一月に創刊された『歴史公論』がその代表となる。創刊号の「生誕言」では、「歴史学は単なる骨董学であつてはならぬ。過去の検討は直ちに現在又は未来への発展に帰納的任務を果さねばならぬ」といい、他方、「歴史研究はもはや一部の有閑インテリ、ブルジョアの手から開放されて、一般大衆のものとならなければならぬ。我等の目標は歴史意識の大衆化だ」と宣言する。創刊号では、巻頭に徳富蘇峰「歴史を書く者と読む者」がおかれ、論文調・学界動向的な文章も多いが、「諸名士」へのアンケート「歴史上で誰を最も好むか」をはじめ、「喫煙の歴史」(高木真太郎)、「江戸の火事と火消」(大澤忠雄)、「人物評論源義経」(桜木史郎)など読み物風の記事も多い。

『歴史公論』も歴史学の転換を意識しているが、第一巻第二号(一九三二年一二月)の「巻頭言」でも、しばしばいわれる「歴史は四つのWの学問」(Who, When, Where, What)ということは「然し過去の歴史学」といい、「我等は更に、何故にかくあり、而して又如何に成りゆくべきかといふ事を我等の認識の対象としなければならない」と述べる。

こうして、三つのタイプの雑誌はいずれも先行する歴史学とは一線を画し、それぞれの立場・目的・方法で「国民」の「歴史意識」にかかわろうとする。強弱や提示の方法は異なるが三つともに啓蒙的姿勢を共通にもち、自らの論＝認識の正当性を主張する。この様相は、一九三五年前後に相次いだ講座の発刊のなかにもうかがえる。

この時期には、『日本資本主義発達史講座』(全七巻、岩波書店、一九三二―三三年)、『岩波講座 日本歴史』(全一〇巻、岩波書店、一九三三―三五年)、あるいは、『日本精神講座』(全一二巻、新潮社、一九三三―三五年)、『郷土史研究講座』(全一五巻、雄山閣、一九三一―三三年)など歴史学にかかわる講座が多く刊行される。講座は大部にわたり、長期間の準備と刊行の時間・費用がかかるため資本力を擁した出版社とむすびつく。また、全体をつうじてある立場や理念を打ち出し、多人数にわたる執筆者を組織化する(あるいは、講座執筆者をひとつのグループとみなすような)力が働く場所として、講座は機能していく。

『日本精神講座』のばあい、「日本精神とは何か、日本文化とは何か、さうした大切なことを学問の上から、十分に明かにすること」をめざし、「学界の権威は挙つて執筆を快諾せられ、朝野の名士は種々の便宜を与へられた」という(「日本精神講座刊行の趣旨」)。ここでも、国民の歴史意識へ働きかけ、「日本精神に関する一切の学問を現代に結びつけて国民大衆に力づよくよびかける、学界にも出版界にも未曽有の講座を発表し得た」としている(同右)。

また、『日本資本主義発達史講座』は、内容見本によれば、日本における資本主義の歴史を「世界資本主義体系の一環」として把握し、その特質に制約された「根本的矛盾」を分析し「根本的解決の諸条件」を探ることを目的とする。これまでの明治維新史研究などを「訓詁考証的・部分専門的・観念論的方法」として斥け、経済・政治・文化の「全機構」を「科学的・体系的・弁証的」に認識する「科学的史観」に立つことを標榜している。『日本資本主義発達史講座』は全七巻で一九三二年から翌年にかけて刊行され、山田盛太郎、羽仁五郎、服部之総、大塚金之助、風早八十二らが執筆し、「その発行部数からみても、当時の反響からみても、大きな成功を収め、日本資本主義の歴史と現状の分析において一大画期を画することになった」と評される(大石嘉一郎「『日本資本主義発達史講座』の刊行」『日本資本主義史論』東京大学出版会、一九九九年)。史学史においても多くの頁が割かれているが、マルクス主義の方法にもとづいて、日本資本主義の歴史分析と現状分析を提示した。「第一部　明治維新史」「第二部　資本主義発達史」「第三部　帝国主義日本の現状」「第四部　日本資本主義発達史資料解説」と構成されるものの、予定された執筆者が(弾圧などによって)交代し、伏字を入れてはいるが発売禁止となることもあり、刊行は困難をきわめた。

国史研究会編輯『岩波講座 日本歴史』はとくに刊行のねらいを記した文章を掲げていないが、第一巻「総括」として、今井登志喜「歴史学研究法」、津田左右吉「上代史の研究法について」をおき、第一〇巻は「参考編」として「国史の編著」(黒板勝美)、「古文書」(相田二郎)、「記録」(田山信郎)、「歴史地理」(藤田元春)など一一編がおかれる。また、別巻として、黒板勝美編『更訂 国史研究年表』が附されている。

これら講座は、それぞれにイデオロギー色を強くもつ。『日本精神講座』は「日本精神に還れ!!」といい、「最も古くして最も新しき日本、東西思想文化の一大貯水池たる日本、愛と平和と正義に荘厳されつゝある日本、かゝる祖国を探求することは我等のみ有する幸だ」(第一巻)と、日本ナショナリズムを強調する。『日本資本主義発達史講座』はマルクス主義にもとづき、『岩波講座 日本歴史』はアカデミズムの立場にたつ。さきの雑誌群も、『国史学』『史苑』はアカデミズムに、『歴史科学』はマルクス主義に分類することができよう。

ナショナリズム、アカデミズム、マルクス主義、この三つのイデオロギーをもつ歴史学の鼎立―三派の鼎立が、一九三〇年前後の歴史学の風景である。『歴史学研究』が一九三五年一一月に「歴史学年報」として刊行した「特輯号」がある。年間の「文献目録」「学界動向」を記したものだが、そのなかで三島一は、「わが国現在の歴史学界に於いて、約そ三つの潮流が認められよう」と述べている。三島があげるのは、第一に「アカデミツクな史学の正統性を守らうとするもの」、第二に「歴史の有する法則性の把握の上に、将来への歴史の途を開拓し、指導せんとするもの」、そして第三として「史料史実を無視し、法則をも顧みず、史学を精神・信念・信仰の裏に没入せしめんとするもの」である。第一がアカデミズム、第二はマルクス主義、そして第三がナショナリズムを強調する「潮流」といえよう。

三島は、この三派鼎立を指摘し、「第三に就いては史家の中に入れることは当然否定せられねばならぬ」ないとつづけ、「第一・第二の史家が共力して、わが「歴史学」を守らねばなるまい」という(「国史学界・一般」)。三派鼎立は三派対抗でもあることを示すが、この対抗関係はさほど単純ではない。

アカデミズム史学は、三島が「明治以来西欧の科学によつて発展させられた」と述べるように(同右)、モダニズムを前提としており、マルクス主義史学も同様である。このとき、「日本精神講座刊行の趣旨」は、「欧米中毒の結果」、すなわち「欧米的なもの」を摂取したがゆえの「赤毛思想その他、不健全な考へ、病的な精神」への「感染」を指摘し、ナショナリズムを強調する「潮流」もモダニズムの日本を議論の出発点とし、三派はモダニズムを共有している。また、『日本資本主義発達史講座』には「植民地政策史」(秋笹政之輔)、「最近の植民地政策・民族運動」(鈴木小兵衛)が収められているものの、講座の中核をなす山田盛太郎論文でさえ「帝国主義のもとで資本主義諸国は植民地所有の枠内で再生産構造を構成している」ことにどれほど自覚的であったか、と批判が提出されている(杉山光信「日本社会科学の世界認識」『岩波講座 社会科学の方法』第三巻、岩波書店、一九九三年)。マルクス主義の史学でも植民地主義には無自覚であったというとき、三派は植民地主義をも共有していたという疑念がある。

三派鼎立―対抗の状況のなかで、モダニズムやコロニアリズムを共有し、したがってそれぞれが互に入りこみ重なりをみせ、しかし反発しあうという複雑な様相を呈している。この様相を、アカデミズム史学を黒板勝美、マルクス主義史学を羽仁五郎、そしてナショナリズムの強調を平泉澄に代表させ、あらためてその様相を観察してみよう。焦点になるのは、一九三一・三二年。黒板『更訂 国史の研究』(岩波書店、一九三一年)が出され、羽仁は『歴史学批判序説』(鉄塔書院、一九三二年)、平泉は『国史学の骨髄』(至文堂、一九三二年)を出版している。三派鼎立―対抗がここに集約している。

羽仁五郎は、『日本資本主義発達史講座』に長文の「幕末における社会経済状態・階級関係および階級闘争」をよせる。江戸幕府の崩壊=明治維新の過程を、農業生産力の発展・「商業資本」「高利貸資本」の発達によって封建社会の根幹がくずれ、農民・都市民たちの「闘争」である百姓一揆・打ちこわしが展開され、一方で封建的支配を動揺させ、他方で資本主義が形成されていく過程として描く。その冒頭の部分は次のように記されている。

明治維新は、ただちにブルジョア革命——有産者団の政権掌握——を意味しえはせなかった。だが、それはその本質において旧封建的生産関係に対して、資本家的生産関係の支配的展開への、したがってまた、旧封建的支配者に対して、資本家および「資本家的」地主の支配権確立への端緒を形成したところの、画期的社会変革であった。

晦渋な文章である。取り締りを意識していたとはいえ、読者への配慮を欠き、一方的な啓蒙の姿勢を示す文体で、羽仁の歴史意識＝歴史認識をそのまま伝達するものとなっている。歴史叙述としては「生産関係」を基礎に、出来事の意味を社会とその変革を基準に測り、具体的叙述に論理的認識が先行している。論は、「第一章　封建的生産関係の分解過程」「第二章　封建的身分制度の弛廃、封建的諸対立闘争の尖鋭化」「第三章　有産者的生産様式採用の強制」となっており、社会構成（封建的生産関係）が農業生産力の発展で変化→矛盾の顕在化・搾取の強化→階級関係の動揺→階級対立・闘争→支配階級の内部分裂解体の進行（→世界資本主義との接触）→階級の闘争—「革命的昂揚」→あらたな段階へという筋道が描かれる。旧制度の「分解過程」の様相をあらたな生産関係の登場の原因であり結果であるとし、「解体」／「形成」、「破壊」／「発達」、「衰退」／「発展」との対比のもとに記す一方、そこに「矛盾」を見出し、「対立」「闘争」と「変革」の主体を抽出して叙述する。構造→矛盾→対立の構図と、構造／運動（主体）という把握および、国内的内在的矛盾と世界的資本主義的段階という認識とが、羽仁によって歴史過程的に叙述された。

唯物史観の手本ともいうべき「枠組み」であるが、注目すべきは羽仁が、こうした歴史叙述を歴史のひとつの解釈と自覚して提出していることである。羽仁は自らの明治維新像を提出するに先立って、「清算明治維新史研究」（『新興科学の旗の下に』一九二八年一〇月）、「明治維新史解釈の変遷」（史学会編『明治維新史研究』冨山房、一九二九年）を著わしている。

明治維新史研究の研究史といいうるが、前者では羽仁は、たとえば藤井甚太郎『明治維新史講話』（雄山閣、一九二六年）をとりあげ、「史実は羅列されたる史実」となり、「認識は静止」し、明治維新像が「索引化」しているという。また七〇〇頁に及ぶ井野辺茂雄『幕末史概説』（紀元社、一九二七年）も明治維新について「原因」を探究し説明を加えるが、「経済的社会的発展とこれに連絡する外国刺激」がもつ意味について言及していないとする。土屋喬雄や高橋亀吉、あるいは野呂栄太郎・服部之総の著作にもふれた羽仁は、この稿と対をなす「明治維新史解釈の変遷」では、明治維新史研究を六つの「解釈」に分類・整理してみせる。

羽仁があげている明治維新「解釈」は、(a)明治維新を「王政復古」と解釈するもの、(b)「諸雄藩」とくに「薩長」による政治的改革、(c)下級士族内の優秀な人材の運動、(d)外交上の視点による、「外力」に対抗する「国民的」勃興運動、(e)「財政上」の観点から封建制度の財政窮乏の行き詰まりの打開、(f)「ブルジョア革命または資本家的生産関係の支配に向っての社会変革」とするものの六つである。

六つの明治維新像=歴史像はそれぞれに可能な解釈であるが、「時代と社会との現実の地盤」の上にたったとき、それは「唯一の必然的な解釈」となると羽仁はいう。すなわち、(a)から(e)までと(f)とのあいだに一線を画し、さきの五つは明治維新の「単にその一面」を語るにとどまるが、(f)は「もっとも進歩した理論」によってこれまでの歴史研究にさらに立入った分析をおこなうとした。(a)から(e)までの解釈は「明治維新当時およびその延長」の解釈にとどまり、いまや、明治維新の時代の「限界」を超え、それをひとつの「歴史時代」として「客観的に認識しうる段階」にいたることが必要だという。羽仁は、一九三〇年代は、明治維新の時代から現代への転換期であるという認識のもとに「プロレタリア的現実構造」を指摘し、この立場にたつ(f)の解釈を「必然的たり、かつ実に客観的たる明治維新史解釈」とするのである。

羽仁は(f)を「正しく科学的客観的なる解釈」として提供するが、(1)さまざまな解釈を検討しており、⑵明治維新／現在のあいだにある断絶を認識した解釈を選択したときの根拠をあわせて提示している。はじめから「正しく科学的客観的な」ものがあるのではなく、ある解釈を「正しく科学的客観的な」ものとして選び取っていくのである。羽仁の「幕末における社会経済状態・階級関係および階級闘争」は多分に図式的ではあるが、かかる方法にもとづいて叙述されている。ただこの選択は歴史家の主体にもとづくよりは、構造が規定し要請しているとするようではある。

平泉澄は『日本精神講座』第一巻の巻頭に「武士道の神髄」をよせ、「桜の花こそ日本精神の象徴」と論じ、ナショナリズムを強調する歴史学――国史学を講じていく。論集『国史学の骨髄』を一九三二年に刊行するが、同題の論文(初出は一九二七年)を探ってみよう。平泉は歴史は「変化発展」であるとし、「時代の変遷推移」――「時代区画」を重要な柱とする。同時に、「歴史は即ち復活なり」と記憶され想起されなければ「歴史はその影を失ふ」といい、「歴史が成立つためには、現代人による認識理解共鳴同感を必要する」と強調し、「現代人の認識の力」にもとづき歴史があるという。この点について平泉はさらに積極的に次のようにも述べている。

歴史は、その本質に於いて、決して事実そのまゝの摸写ではない。単に事実を事実として、全然自己の判断を拒否し、一箇無関心の傍観者として対するならば、この世相は複雑混沌極りなく、変転生滅遂に把捉し難い。我等が之を把捉し得るは、我等の力によって之を組織するによる。

歴史はあらかじめ実在するのではなく、「我等」が「組織する」ことによって歴史となるといい、「科学として純粋客観」の立場をいう歴史学は「僻見」と斥ける。外部に立つ歴史は、事実を事実として「傍観」することになり、「変転」が把握できないとするのである。平泉は、歴史を構成的なものとし、選択的に組織するものとして考え、主体による構成を主張する。

一方、平泉にとっては、歴史を組織するのは「自らの意志により、信仰」により、したがって歴史は「知的所産」ではなく、「情意の活動」となる。また、「祖国の歴史」こそ「真の歴史」とされ、「祖国の歴史にして始めて古人と今人との連鎖、統一は完全」となるという。このとき、「日本の歴史は、我等日本の歴史より生れ出で、日本の歴史を相嗣する日本人によって初めて成立する」ともされる。「日本人」と「日本の歴史」の関係は、互に相手を前提としており同義反復となっているが、「日本人」が「情意の活動」によって「歴史」を組織することが「日本の歴史」であり、「日本人」がここからうみ出される、と平泉は説く。

この平泉の主張は、「日本」を至上とし、「史学の原理、歴史の研究方法そのものにすら、日本独特のもの」がある、と歴史学を「日本化」してもいく。「近代西洋史学」の巨大さを平泉は承知し、「日本」はその「採用追随」に忙しいが、それにもかかわらず、

「独特の歴史」と独特の研究法はある――「国史学は国史学として、あざやかに一面独特の旗幟を翻す」というわけである。

「日本」という場所が、歴史とその主体、歴史学とその方法などあらゆるものをうみ出す源泉であり、ここに平泉は根拠をすえる。場所を主体におく構成主義であり、場所にかかわる一切が場所(=日本)を主語としてくりあげられ、したがってそれを記述する主体(歴史家)は消去される。

歴史の構成主義は、主体による歴史の組織化であり一見多元的で多様な歴史がうみ出されるように思われるが、平泉は逆に、「我が日本の歴史こそ、最も典型的なるもの」と自文化中心主義の独善的な歴史像をつくり出した。「日本」を主語とするゆえに「日本の歴史」と「日本人」とが循環し、「独特」の研究法がもち出されるが、このことは、当事者であることにひらきなおり、恣意性に無自覚となり、しかもそれを叙述している自ら(平泉=歴史家)の主体を消去することとなる。歴史家による構成でありながらそのことを認めず、「歴史」に責任をゆだね、しかも、「日本」の自文化中心主義を自明のごとくに語っていく。

こうした平泉の歴史学は、イデオロギー的には羽仁五郎と真正面から対立することとなる。そのため羽仁は、『史学雑誌』一九二八年六月に「反歴史主義批判」を書き、平泉批判をおこなった。羽仁は、「精神主義的歴史」(平泉を念頭においている)は、「歴史の骨髄または本質または原理」を求め、これが「人格、祖先、御国を愛する心」となり、「他に類なき個別的のものを貴重する心を中心」とすることを指摘＝批判する。「人格」「祖先」や「個別性」は「絶対的普遍」とならず、「排他的個別」であり、これらを追求する歴史学は「人間中心的」な神学、と羽仁はいう。

羽仁にとってみれば、平泉の国史学は、「一切の歴史法則を無視する神秘」にほかならず、「感情的評価」をくだすもの以外のなにものでもない。羽仁は、平泉に対し、歴史学に「人格的法則性」をもちこむことは「一つの反動」であり、「反歴史主義的」と批判を加えたのである。法則性と普遍性を歴史学の必要条件とし、平泉を歴史学から追放している。

だが、羽仁の批判にもかかわらず、羽仁と平泉は共通性をも擁している。しばしば指摘される、イタリアの歴史家ベネディット・クローチェへの共通の関心はそのひとつである(斉藤孝『昭和史学史ノート』小学館、一九八四年)。歴史家の「生の関心」からの歴史叙述を提起するクローチェへの関心は、「文献学的歴史」(羽仁)への批判として、平泉・羽仁に共有されている。羽仁は「文献学的歴史」の人間「解釈」「任務」「存在」のしかたは終焉し「文献学的歴史はその時を生きおわった」(羽仁「反歴史主義批判」)といい、歴史学の転換＝「現実的存在構造」の転換と関連づけた「文献学的歴史(アカデミズム)」批判をおこなうが、これは歴史の本質主義に対する批判でもあった。平泉に対する批判においても、歴史に「本質または原理」を求めることを批判していた。羽仁は、歴史を解釈として解するのであり、あらかじめの実態や歴史の本質は斥け、この点において「現在人の認識の力」によって歴史が「組織」されるという平泉とは共通の歴史の把握＝歴史観をもつ。

平泉について分析をおこなった苅部直「歴史家の夢」(『年報 近代日本研究』第一八号、山川出版社、一九九六年)は、平泉を一九二〇年代の「無時間な空想郷」に対し、「人格」を歴史のなかに定位させようとした試みの歴史家とし、羽仁五郎にも同じ志向が貫いているとする。羽仁と平泉は人格主義・教養主義のコスモポリタン性を批判し「歴史」をもち出し、歴史学内部においては本質主義的な歴史観に対し構成主義的な歴史観をいう。

羽仁はドイツに留学してリッケルトに歴史哲学を学んでおり、新カント学派の影響のもとに「選択」の歴史学を展開している。羽仁がクローチェ『歴史叙述の理解及歴史』(岩波書店、一九二六年)を翻訳したとき、いちはやく反応したのは平泉であり(『史学雑誌』第三七編第一二号、一九二六年)、クローチェにはやくから親しんでいた平泉は、新カント学派の歴史哲学にも関心をよせていたと思われる。

羽仁と平泉の関係は、クローチェとジョヴァンニ・ジェンティーレとの関係を類推させる。クローチェとジェンティーレは共同して実証主義を批判するが、クローチェが批判的立場からの現実主義をいうのに対し、ジェンティーレは主観主義を展開し、「ファシズム知識人宣言」(一九二五年)を草するにいたった。

となると、羽仁による平泉批判は、「選択」の歴史学による主観主義の歴史学への批判であり、構成的な歴史学による構成的な歴史学の批判という文脈をもつことになる。羽仁は『転形期の歴史学』に「反歴史主義批判」を収めるとともに、「事実の選択と解釈」(初出は一九二七年)、「個別特殊性の幻想」(一九二九年)、「歴史学の方向および方向転換」(一九二九年)で、この想念する議論を展開している。

「事実の選択と解釈」で羽仁は、「人間にとっての事実はつねに選択せられたる事実である。選択せられたる事実は全体における事実を志向する。しかし人間にとって全体的事実は選択せられたる事実を通してのみ現実的に達成せられる」という。全体／部分にかかわる議論を羽仁は提出し、相互に他を前提とし循環的関係にあるこの命題を歴史の「矛盾」として指摘＝抽出する。だが、羽仁はこの「矛盾」を不可避とはせずに、「近代的プロレタリアトの理論的意識においてのみ」「矛盾の統一」が可能と、論証をせずに解決を図る。これだけでは平泉の「信仰」と差異は見出せない。

他方、羽仁は、構造と解釈にかかわる論点も提出する。「事実の集量」は解釈によって選択されるのであるが、同時に、「客観的に構造」をもっている――「事実の集量の構造」を決定するのは歴史性であり、「事実はつねに現代的構造をもつ」という。このとき、羽仁は、事実と構造の対応関係を認じ、まるで本質主義の論者のようにふるまっている。「存在の現代的構造が新しき事実の選択となってあらわれ、新たなる解釈を要求する」といういい方は、「現代的構造」をいかに認知するかという問いをはなれてはありえない。ここでも羽仁の手札は「プロレタリアトに属することによってのみ」可能というものであり、論証は回避されている。

構造―事実／選択―解釈の関連を羽仁は論ずるが、「解釈」という行為によって歴史家の主体を認定し、この主体は「事実」の「選択」の困難を、「構造」を認知することによって解消するとされている。主体は構造と解釈のあいだにあり、「事実」は主体に選択されるのだが、同様に構造と解釈の両極間に位置することとなる。

羽仁が直面していたのは、実証主義史学を批判し、「解釈」としての歴史学をいうとき、あらゆる解釈が可能ではなく、また、自らの解釈が恣意的なものでないことをどのように論ずるかという問題である。この問題は一九三〇年前後にはひろく世界的に考察されており、一九二九年に『社会経済年報』を創刊し新しい歴史学を開拓していった、フランスのアナール学派の人びとも同様の課題を抽出する。ランケ流の実証主義に対抗して、アナール学派の創始のひとりであるリュシアン・フェーブルは、一九三三年のコレージュ・ド・フランスの開講講演で次のように述べている――「事実は決して与えられているものではなく、通常、歴史家によって創造されるもの、いいかえれば仮説と推論の助けを借り、細心の注意を要するそして興味津々たる作業を通じて作り上げられるものなのです」。そしてフェーブルは、歴史は作業仮説にもとづく「選択」といい、「対象そのもの」を創造し、そののちそれを「読む」ことを歴史家の作業とした(『歴史のための闘い』長谷川輝夫訳、創文社、一九七七年。Lucien Febure, *Combats pour l'histoire*, 1953)。

フェーブルの主体＝歴史家は、「事実」を「創造」し、それを「読む」(＝「解釈」する)。「事実」は主体と構造の中間にあり、創造によって現出してくるという把握自体は、羽仁の認識と近似している。だが、フェーブルが主体を歴史家から移動させないのに対し、羽仁は「プロレタリアト」という主体に仮託してしまう。あるべき他者になりかわり、他者を代表して解釈するのが羽仁の歴史学となる。私の主体ではなく、ありうべき他者の主体になりかわって事実を「選択」＝「解釈」するというとき、ありうべき他者としての「日本人」と「プロレタリアト」の差異が論拠づけられねばならぬであろう。それがなされないとき、平泉と羽仁との距離は予想以上に近く、同じ「歴史家の夢」(苅部直)をみることとなる。

さて、この間平泉・羽仁からともに標的とされたアカデミズムの歴史学はどのような主張をおこなっていたのであろうか。黒板勝美は、一九〇八年に初版を出し、一九一三年に改訂再版(総説・各説)を出した『国史の研究』の第三版となる、『更訂　国史の研究』を一九三一年に岩波書店から刊行している。総説と各説(上下)の三冊で分量が一挙に増え「寧ろ全部書き改めたといつてよい程内容が異つてしまつた」(「小引」)と述べ、黒板なりの転換期の歴史学への対応が示されているといいうる。アカデミズムも動きをみせていたが、同書は「国史を研究しやうとするには、一ト通り史学研究法の如何なるものかを知り、また少くとも世界史の大体や関係の深い東西洋諸国の歴史にも通じて居なければならない」という立場からの概論――案内書である。古文書学、言語学、考古学など「極端にいはゞ人類と交渉あるすべての学科はみな史学の補助学といつてよい」との自信と自恃にもとづき歴史学の構成・領域・方法を自己提示していく。

「総説」は五〇〇頁を超えるが、「叙説」で過去／現在／未来の関係に「深い理解」をもたなければ現在において「断固たる所信」「決然たる態度」をもつことができないと、歴史を学ぶ目的を記したあと、「補助学」「国史の編纂著述」「時代史と特別史」「国史の範囲」「国号と民族」「余説」とつづく。「すべての過去の永い歳月の間に於いて社会的に、若しくは国家的に、人類が活動したり又は考へたりした事象を研究するのが史学」とし、黒板は「分子」としての国民の働きによって成長する「活物」である国家・社会の変化の把握のためにおこなう「時代区分」をその根幹におく。「神代」を「国史の発端」とし、「新武家時代」としての江戸時代のあとは「憲政時代」とし、「攘夷開港時代」「明治時代」「大正時代」「昭和時代」と小区分をする「私案」を提示している。

黒板は時期区分に関し、次のように述べている。

総合的に史的事象の移り変りを考察し、殊に国家と人民との関係が規定せられる制度史、もしくは政治史を基調とし、同じ性質を有する期間を以て一の時代となし、政治的の顕著なる史的事象によつて、一の時代と次の時代との分界に擬することが妥当であらう。

政治・制度を軸に、国家と人民の「関係」＝調和を基準とした均一的な空間と時間がつくりあげられ、黒板はこれを「一の時代」とする。「一の時代」におけるさまざまな対抗や亀裂はみごとにぬぐい去られ整然とした秩序の時空間が設定される。むろんこの「時期区分」が歴史家（＝黒板）によるひとつの創造であるとの意識はみられない。

黒板は、このとき、あわせて「歴史」として扱うのは五〇年を超えてからという。五〇年以内では当事者が生存し、外交・軍事に支障が出るおそれがあり、「表面」の事項にとどまり、「真相を捉へて公平なる批判を下すことは甚だ困難」とする。ここでは国家の利害を「暴露」するより、「国民として」よく忍ぶことが主張され、歴史家が国家に従属し、よき国民であることが自明視されている。だがここでも「時代区分」をおこなう歴史家の主体は想定されていない。黒板は、「史料」にもとづく「真相」の究明と「公平」な批判＝判断、そして国家と「人民」との関係＝調和の表現としての政治・制度の変遷を描くことに、歴史学の課題を設定している。

だが、制度の変化・変革といっても「我が国は固より元首たる天皇の大権が万世変ることなき国体を有してゐる」。この点から黒板は、あらためて一章をあてて「国史」を論じていく。

「肇国以来最近に至るまで精神的に物質的に我が国民が活動し変はる変遷の迹を研究する」――これが黒板の国史学の定義である。時代により広狭はみられるが、「大八州」を「国史の舞台」とし、「歴史としての証拠物件」がみられる「神代」を「国史の出発点」とし、時空間を定める。とともに国史を「「皇室と国土と国民」の歴史である」と、「皇室」と「国民」を二つの要素としてとり出す。「皇室」をもち出すことにより、「時期区分」も天皇在位によって示され、皇国史観的な様相を強める。だがそれ以上に論点を孕むのは、「国民」に関し、「国史がはじめ如何なる民族によつて演ぜられたか」と設問し、「天孫民族の外に、熊襲隼人、越人、韓人、蝦夷の四大民族ありし」ことや、「一般の日本人としては取扱はれなかつたものに土蜘蛛、国栖、熊襲、蝦夷勢がある」ことを論じた文献を紹介して、「先住民族」の存在に注意を促す。黒板にとり「国史」は「国民そのものの歴史」であり、いかなる民族が「日本国民」を形成したかが探られる。黒板は慎重に古代にのみ叙述を限定しているが、「国民」が「民族」を包含するという国民主義的帝国主義の主張と踵を接している。アカデミズムの歴史学も拡張的なナショナリズムとは無縁ではなかった。

黒板の歴史学は二つの要素からなっている。ひとつは、「古代の事を現在の常識で批判することは、歴史的批判として全然誤謬に陥つて居る」といい、過去を過去として過去の文脈で描く方法である。「時代の常識」を想定し、「それ〴〵の時代の人となつた心持で」出来事に判断を下すともいっている。実証史学の基本的な認識がここには示されている。しかし、黒板は、つづけて「時代々々にその常識があるとしても、更に溯つて根本的に国民心理又は民族心理なるものゝ存在して居る事を忘れてはならない」ともいう。「国民」「民族」の実在と時代を超えて通貫するものの存在を主張する。

前者は歴史の相対主義であり、後者は歴史を通貫する本質を想定する本質主義であり、歴史の絶対主義といいうる。前者においては過去は過去であることが、現在との差異によって論じられ、後者は、歴史を貫くものは、現在にまでいたることによって貫通をまっとうする。ともに「現在」の優位性が示されており、そのことによって相反する二つの要素が黒板の論にそれぞれの場所を見出している。これは別言すれば、相反する二つの要素の併置が「現在」の優位性を創出することであり、黒板はことごとに二つの要素の双方に目をくばり、「場所」の統一性を(結果的に)主張する。

いまひとつの例をあげておけば、黒板は衣食住という物質的なことと、「民族心理」や各時代の「常識」という精神的なこととの双方の研究の必要をいう。しかし、この二つの要素によって「国体の尊厳」が唱えられることとなる——「今日まで万世一系の皇室を戴く国民として、世界に比類ない国体を有することに於いて我々に大なる誇があるのであるが、国史はこの日本の国体を説明するものといふ事が出来る」。

相反する二つの要素を抽出し、その双方に言及するのはモダニズムの姿勢とはいえ、黒板のアカデミズムの歴史学は(さきの三島の言にもあったように)モダニズムの歴史学であった。だがモダニズムに立脚することが、「国史」と「国体」の場所をつくりあげナショナリズムの主張をもつこととなる。黒板は、一方で羽仁五郎が治安維持法の容疑に問われたとき釈放のために力を尽くし、エスペラント語に関心をもつなどの姿勢を示すかたわら、他方では紀元二千六百年祝典奉祝会準備委員会委員に名前をつらねていく。こののち第二次世界大戦中には「国史館」(あるいは「国史院」)計画にも関与していたという(松島栄一「黒板勝美」、永原慶二・鹿野政直編『日本の歴史家』日本評論社、一九七六年)、アカデミズムの歴史学はナショナリズムの風潮とほとんど一体化していた。

平泉が歴史の構成主義をいうのに対し、黒板は実証主義として本質主義的認識を示すが、歴史の主張の内容においては近似している。しかし主張の根拠からみれば、平泉は羽仁に近く、アカデミズム／マルクス主義／ナショナリズムの歴史学は、鼎立＝対抗しながら、重なりあい、もたれあい、一筋縄ではいかぬ論点を形成していっている。

さて、こうした一九三五年前後における歴史学界の三派鼎立の風景は、さきにみた『歴史公論』誌上にも反映している。創刊号の巻頭に徳富蘇峰「歴史を書く者と読む者」が掲げられるのは、ナショナリズムの要素が出されている。徳富は、議論はそれぞれの意見により「千種万様」であっても、「同一の事実は、同一の事実として、取扱ふだけの公平厳正」さが必要といい、その理想として『神皇正統記』の作者、北畠親房卿」をあげた。また、陸軍少尉の竹内栄喜が「国家非常の際に於ける大和民族潜勢力」を述べてもいる(「日本史上より観たる承認問題」)。

アカデミズム歴史学の執筆者としては、辻善之助(「歴史に於ける時代相の類似」)や藤井甚太郎(「時局の推移を眺めつゝ明治維新を語る」)らがおり、マルクス主義の歴史学者として、堀勇雄は「国史学」ではなく、「科学としての「日本史学」」を唱え、私有財産の起源・搾取の発生・階級の分裂などを古代史の研究課題とするように述べた(「日本古代史前進の為に」)。また伊豆公夫「「アジア的生産様式」と我等の課題」も掲げられる。

そのため、同誌第一巻第二号(一九三二年二月)の「編輯後記」では、「創刊号には多少進歩的の論文が入つたので、赤くならないやうになどと心配して下さつた方がありますが、歴史公論は決していづれにも偏しない中道を歩むつもりです」とわざわざ記し、徳富の論文に言及しバランスをとる。「右があれば左あり、教育的のものもあれば、又多少のエロもある」。

だが、この鼎立＝対抗のバランスは、時局のなかで一挙に崩れる。『歴史公論』は、第二巻第一号(一九三三年一月)は新年号として力を入れ「文武抗争史」の特集を計画し、創刊号から予告をおこなう。近代にかかわる「文武抗争」としては、軍部と政党、議会制度と独裁制、ファシズムとコミュニズムなどをテーマとして掲げ、軍部大臣文官制や五・一五事件なども「すべて文武抗争の概念から観察することが出来る」と意欲満々であった。この企画も文／武のバランスを意図していると思われるが、通常は九六頁のところ、一月号は三〇八頁とボリュームも大幅に増えた。

しかし、予告された目次のうち、羽仁五郎「議会政治と独裁制」、服部之総「軍部の政治的進出」の二編は掲載されなかった。いま一編、掲載されなかった藤木邦彦「摂関政治と将軍政治」については、「御多忙で執筆出来なかつた由」との説明がつけられている(「編輯後記」)。羽仁・服部については、「最近のファッシズムや聯盟問題など」の論文掲載も予定していたが、ここに「深くふれる事は非常に危険であり、禁止事項なども多く他にも事情があつて、羽仁氏、服部氏等の予告の原稿が欠けた事は残念であつた」と歯切れの悪いことばがならぶ。

こうして『歴史公論』誌内の三派鼎立はマルクス主義の歴史学の一角が欠け、それにともなうようにして誌面からの緊張が一気に失せていく。伊東多三郎が「国体思想が、厳密な意味では、科学的なものであるよりも、むしろ主観に属する」(「国体思想の史的考察」第二巻第二号、一九三三年二月)といい、第二巻第三号(一九三三年三月)のグラビアに「左と右——稀代の社会変革運動」をとりあげ、「血盟団暗殺団」関係者の写真(五葉)とならべ、「第三次——新生共産党」関係者六名の写真を掲げたりすることがせいぜいであった。『歴史公論』内の三派鼎立の崩壊は、学界の三派鼎立の崩壊の予兆であり、このあと、歴史学の外部の力が加わって歴史学界の風景は大きく変容していく。

おわりに

一九三〇年代に、それ以前の歴史学との断絶の意識をもってあらたな歴史学の潮流が登場し、三派の歴史学が鼎立＝対抗することとなったが、この対抗は形を変えつつ一九九〇年代末葉の現在まで継続している対抗の基本型となっている。ここでは歴史学の潮流がイデオロギーとして表現されるという認識が主軸となり、歴史家は歴史認識を優位においた歴史叙述を試みる。むろん、歴史認識は歴史叙述によって表象されるのであるが、それを切断したうえで認識に焦点をあてたのである。叙述と叙述の形式には関心がよせられず、誰にむかって歴史を語るかということも、叙述に内在する形で検討されることはなかった。

三派がマルクス主義の主導によって再編されるのが、「戦後」における歴史学の風景であるが、ここでも歴史叙述への関心に歴史認識が切り離されて先行し、事態はさほど変わらなかった。歴史家の「私」の次元＝主体は、イデオロギーに代位されその背後におかれた。歴史意識も、歴史学の歴史意識を一方向的に提示し、啓蒙としての歴史学の様相をもった。

一九九〇年代末の現在において「歴史学という言説」を考察することは、「戦後」歴史学/「近代」歴史学の歴史的位相を問うことである。「近代」歴史学は「戦後歴史学」の歴史認識で分析・考察されることがもっぱらであったが、「戦後歴史学」の歴史認識を相対化しつつ、戦前・戦後の歴史学の過程が考察されねばなるまい。本章では一九三〇年代後半から四〇年代にかけての歴史学の大きな動きは叙述=検討しえなかったが、一九三〇年前後から五〇年代中葉をへて、一九七〇年代・八〇年代にかけての「歴史学という言説」をめぐる焦点と状況とを概観しつつ、ボーリングし、問題点を提示するという試みの一端を提示してみた。

〔補註〕 のち、上村忠男『歴史的理性批判のために』(岩波書店、二〇〇二年)に収録された。

第5章　ナショナル・ヒストリーへの「欲望」

はじめに

二一世紀最初の夏である二〇〇一年、『新しい歴史教科書』(扶桑社、二〇〇一年)の採択をめぐって多くの議論がなされた。中学校の歴史教科書は、その「学習指導要領」(二〇〇二年度版)に「我が国の歴史に対する愛情を深め、国民としての自覚を育てる」ことを「目標」とするように定められており、ナショナル・ヒストリーとしての枠組みが要求されている。したがって、といってよいであろう、二〇〇一年七月から八月にかけての教科書をめぐっての議論は、「我が国」の時間的・空間的な範囲、「国民」の定義、そしてそれらを「歴史」として叙述する際に、どのような出来事をとりあげ、どのような人物に言及し、いかなる理論で記述するかが、焦点となった。このとき、『新しい歴史教科書』のグループも、それに反対する人びとも、「我が国」の歴史の記述のあり方をめぐって議論をすることとなった。ナショナル・ヒストリーの呪縛はそれほどに強い。

ナショナル・ヒストリーといったときには、その形式／内容、認識／叙述という局面、主体や目的、結果などにかかわる点など、多様な議論が存在する。ここでは、ナショナル・ヒストリーをその歴史的文脈において考察するという方法をとり、二つの時期をとりあげ、論点を提出してみたい。「日本」におけるナショナル・ヒストリーの創出期である一八九〇年前後と、ナショナル・ヒストリーの概念が問われるいくつかの時期の一つとしての一九三〇年前後以降の時期である。二つの時期はともに、国民国家の形成期／転換期にあたり、国民国家の存在が、ナショナル・ヒストリーを考察するときの鍵概念となる。一八九〇年前後は、ナショナル・ヒストリーが誕生する時期。史料の正典が指定され、叙法が確定され、修辞が選定されるが、その担い手はアカデミズムの歴史学者たちであった。専門家による、ナショナル・ヒストリーの記述である。

これに対し、ナショナル・ヒストリーへの疑義の提出は、国民国家の危機や転態の時期に、アカデミズム外の人びと——歴史家である場合もない場合もある——によって提起される。今回紹介する一九三〇年前後をはじめ、「国民的歴史学運動」が実践される一九五〇年前後[1]、また民衆史研究が登場し「民衆」を主語とする書き換えが提起される一九七〇年前後、あるいは「自由主義史観」が登場し、歴史主体論争が展開される一九九〇年前後などがこうした時期となる。一九三〇年前後には、皇国史観の暴走といった事態が起こり、修正主義の歴史学が横行するが、このなかでナショナル・ヒストリーの状況を探ってみる。

1　ナショナル・ヒストリーの形成――一八九〇年前後

「日本」という意識の形成と、ナショナル・ヒストリーの誕生とは密接不可分だが、一八七〇年代から一八九〇年代にかけて、その胎動がある。(2) 従来の史学史では、文明史学(田口卯吉、福沢諭吉ら)から説き起こされ、考証史学(久米邦武、重野安繹、星野恒ら)と民間史学(山路愛山、竹越与三郎ら)の対抗として説明されてきた過程である。文明史学が文明史としての歴史意識を啓蒙し、考証史学がアカデミズムとしての歴史学を誕生させ、民間史学がその考証史学を批判したと、これまで解釈され叙述されてきた。それぞれは、「近代」「国民」「臣民」としての時間・空間の意識にもとづく歴史意識と歴史叙述の必要を訴えており、この三者が重なるところにナショナル・ヒストリーとしての歴史学＝国史＝日本史が誕生したということができよう。また、この過程は、年代記から、国民＝国家の物語としてのナショナル・ヒストリーがつくり出される過程でもある。国民＝国家の物語としての「歴史」(概念と記述)がつくり出される様相を追おう。

文明史学が、近代歴史学としての時間・空間認識を提示したあと、史学史研究が指し示すのは、儒教的歴史観のなかでの考証学派の台頭、国学・国文学派の存在、そして西洋史学の導入といった事柄である。日本における近代史学は、漢学派、国学派、および西洋＝ヨーロッパ史学という三派の存在、その対抗と緊張のなかから形成されるとされる。近代史家の大久保利謙は、維新直後に編纂された『復古記』を「歴史書」ではなく「記録」と強調しているが、年代記に対する物語の開拓である。一八八九年六月に帝国大学に国史科が出来、同年一一月に史学会が設立され、機関誌『史学会雑誌』が一二月に発刊し、アカデミズムの学としての歴史学が形成されるが、まずはここを手がかりとしよう。この『史学会雑誌』は、その目的に、「史学ヲ攷究シ、国史編纂ノ方法ヲ講明スル」(「例言」『史学会雑誌』第一号)ことを掲げ、さまざまな論者が歴史学の方法と目的について述べている。

たとえば、重野安繹は漢学者として歴史学に携わるが、史学会創立の講演「史学ニ従事スル者ハ其心至公至平ナラザルベカラズ」(『史学会雑誌』第一巻第一号、一八八九年)において歴史学の方法と目的を次のように言う。

史局ニ於テ採集セシ材料ニ依リ、西洋歴史攷究ノ法ヲ参用シテ、我カ国史ノ事蹟ヲ考証シ、或ハ之ヲ編成シテ、国益ヲ裨益セント欲スル

ここで重野は、まずは、(1)「材料」すなわち史料の厳密さを言い、(2)「歴史」の方法に言及し、(3)歴史叙述の形態にふれ、それらをふまえて(4)歴史叙述の目的を言うが、

『史学会雑誌』では、歴史叙述の際の史料に最も多く言及する。重野は、この講演の補足とも言うべき一文「利国新誌ニ載スル草莽生ノ説ニ答フ」(同右)で、従来の「歴史」が稗史、小説、戦記を用いており、そのために、「謬妄」「疎脱」となっていることを批判する。これは史料の正典化とそれにもとづく「事実」の確定への欲望にほかならず、「歴史」には「事実」があり、その「事実」を伝えている史料と、「真偽混交」しもっぱら「人目ヲ悦ハシム」史料とがあるという認識、とくに、史料といったときに文書への信頼は厚い。とともに、重野はその史料によって史実＝事実が確定できるという、歴史のいわば本質主義の立場に立っている。

従来の史学史は、重野や星野が漢学者であり、幕末の考証学に関心を示したことを強調し、考証史学と把握する。この考証史学＝漢学派が近代史学の核となるが、このことは西洋＝ヨーロッパにおける歴史学の手続きとしての実証を受け入れやすくしている。すなわち、「歴史」には「編修」とともに、「攷究」という形態があり、その際には、西洋の方法を参照すべきという主張がなされる。西洋は「方法ニ精密」(重野「利国新誌ニ載スル草莽生ノ説ニ答フ」)であるためだが、「事実」を追求するためには、方法しかも西洋＝近代の方法の採用が自覚されている。

しかし、重野らにとり、歴史において明らかにすべきことは「我カ国史ノ事蹟」である。重野は、「史学ハ国家古今ノ現象ニ就テ、其起因終結ヲ攷究スルモノ」(同右)とするが、国家とは日本であることは自明で、自ら愛国者であることを標榜している。近代の歴史学が、国史と重ねられ、国史が近代歴史学として誕生させられるのである。

　こうした叙述の作法ということでは、国学派も差異はない。国学派の中心的存在である小中村清矩は「史学ノ話」(『史学会雑誌』第一巻第一号、一八八九年)で、「本ヲ我カ国ノ史学ニ取リ、参考スルニ他国ノ史ヲ以テスヘキ」と考証学は＝漢学派をにらみながらも、「他国ノ史」を排除することはしない。そして歴史の叙法は、「身ヲ其世ノ時代ノ人ニ為シテ考ヘ」るという方法――過去のことは過去に聞くという態度をとるとする。歴史学は、漢学派と国学派との対抗を内包しつつ、近代歴史学としての方法を自覚し、国民＝国家の歴史を担ったと言いうる。

　『史学会雑誌』の「論説」でこうしたことが主張されるのみでなく、誕生した近代＝歴史学(中核は、考証史学派であるが)は、同誌の「解題」でさまざまな史料を論じ、実際に「考証」をおこなってみせる。重野が史学会でおこなった講演である「児島高徳考」(『日本大家論集』第二巻第六号、一八九〇年)は、『太平記』に見られる児島の事績九件をひとつひとつ検討し、それが「誤り」であり「疑ハシキ事実」であるとし、「高徳ガ太平記ニ顔出シテカラ総テ行キ違ヒノミ」(傍点は原文。以下同様)であることを明らかにして、「高徳ハ消滅スベキモノニテアリシ」という議論＝考証を展開していく。(『太平記』の作者とされる)小島法師が児島高徳という人物をこしらえ面白く書いた、と言うのだが、

「史学ノ発達」「正確ナル歴史」の編成にはこうした態度が排除されるとする。重野が主張するのは手続きとしての考証であるが、ここでは歴史の出来事の正確さを図り、そのためにその根拠すなわち史料の正典化がおこなわれる。「事実」の「客観的」実在を確信する立場の表明であり、存在している「事実」を考証によって復元＝確定する作業である。本質主義者の面目躍如、といったところで、本来的な意味における実証主義の誕生である。

このとき考証は、考証のための考証であったのではない。「考証」欄に掲載された、久米邦武「太平記は史学に益なし」(『史学会雑誌』第一七・一八・二〇・二一・二二号、一八九一年)は、後醍醐天皇があたかも北条高時のために即位したかのように『太平記』に書かれていることを論難し、「失礼なる言様なり、其上事実を失へり」「史学の研究はかゝる所に力を用ゐるべき節なるに、太平記の文段は其甲斐もなき」とする。そして『太平記』は「下賤の人」が書き綴り、「政事又は朝廷公方向きの事ハ、所謂下人の天下扱ひと謂べき、浅墓なる考へ」と口を極めて批判をおこなった。久米は朝廷を軸とした歴史象を追求し、そのために『太平記』を排するが、そのことが同時に、「学者の研究」「史学研究」を特化し、「是までの軍談小説」を拒絶するのである。朝廷を軸とする国体史観とアカデミズムが結合した歴史意識がここにある。久米は、『平家物語』や『太平記』によって歴史を論ずることが「已に終期となれる」とし、「拵へ話」「嘘談」の名でそれらを斥け、かわって『増鏡』『吾妻鏡』『梅松論』などを正典として確認するが、これは国史を実証する考証にほかならないであろう。

こうして考証史学には、これまでの歴史意識—時間意識を否定しようとする強い姿勢がうかがえ、あらたな歴史の創出が図られているが、その歴史は国体の〈いま〉を基準とする歴史なのである。

しかしながら、過去の時間の物語創出の過程は、決して単純ではない。アカデミズムとして誕生した歴史学、とくにその中核をなす考証史学に対して批判的な歴史学も登場する。山路愛山は、「歴史の話」(『国民新聞』一八九四年四月二九日、五月一日)で、考証を「下等なる考証」と「高等なる考証」の二種に分け、「国民の生活は如何。人情風俗の変遷は如何などゝと云ふ大なる問題についての詮索」を「高等なる考証」とし、このときには小説、戯曲、詩、紀行文、経書などすべてが史料となるという。『太平記』『平家物語』などを論じて、山路は、「成る程出来事の記述としてはウソ許りだ。しかし日本国民の生活、感情、政治、社交等の有様を記載したものとして見れば「マコト」のことを記したもの」と言い、さらには、「小説類は正史よりも、もつと真実な歴史」であるという。

ここには、アカデミズムの歴史学＝考証史学への強い反発がある。しかし、それは考証史学がもつ歴史の本質主義的な把握への批判であって、近代的な歴史記述への批判ではない。近代的な歴史の記述を考察するゆえに、山路はアカデミズムへの批判をおこなう。これは、山路が、「日本国民の変遷来歴」に関心をもつこと――「事実の穿索」とともに、「国民が如何に成長し、如何に発達したるか」の観察を「歴史の目的」としてあげていることにうかがえる。山路の主張は、歴史叙述の観点から見れば、〈いま〉の観点からの歴史像の再構成を明示し自覚することであり、「歴史は最早古しの話ではなくなります。生きた現在の話になります」ということとなる。〈いま〉を明示し、その観点から過去の時間を再構成する構成主義の意識を自覚する観点からの、考証主義＝歴史の本質主義への批判である。

山路は民間史学の一員とされるが、民間史学にはいまひとつ、竹越与三郎に代表される型もあった。竹越はその著作『新日本史』(民友社、一八九三年)のなかで、「勤皇の精神」を言う『大日本史』『日本外史』などの史書に疑念を投げかけ、(「勤皇の精神」によって明治維新が達成されたのではなく)明治維新(＝革命)によってこそ「勤皇」の意識が強化されたという論点を提出する。勤皇論はそもそも、社会の片隅の存在にすぎず、高山彦九郎ら慷慨家が維新に力与ったということではできないとするのである。外国と幕府とに対抗・対応し乱世的革命を醸成するために、皇室を核とする「国体」の思想が生じ、乱世的革命のすべての要素が「国体」となりゆき、活力をもって「国体」に集まる――すなわち、「勤皇は大革命の原因にあらず、却つて国民の活力たる大革命より流出せる結果なる也」という解釈を竹越はおこなってみせる。

また、竹越は歴史叙述の方法にも言及し、歴史の記述のための「五個の標準」をあげる――「人物」「人物の心理的解剖」「国民特有の気質」「時代」。「人物」については、「今日社会に生存する人物と談論握手するが如く」描くことを言い、ここにリアリティを求めている。また、「時代」では「歴史は、猶ほ地層の如し」と、歴史=地層の比喩が用いられ、地層の変化と同様に人類の歴史も、構造―変化―大爆発―発育の順序をもつとされる。竹越は日本の歴史を特殊化せず、歴史は地層と同様に、「東西一貫、古今同趣」であり、歴史叙述は変化に伴って出現する「一時代」の特色をとりあげるようにと言う。

こうして、考証史学と民間史学が対となり互いに補完しあって歴史的時間を誕生させるが、手続きとしての「考証」と、物語の目的としての「国体」(考証史学)あるいは「国民」(民間史学)が結合し、ナショナル・ヒストリーが相貌を現していくのである。

こうして歴史学の場所に過去の時間が形づくられるとき、同様の発想を示すのは文学史の記述である。『江戸時代史』を著した歴史家の三上参次はそうしたひとりで、高津鍬三郎との共著『日本文学史』(上下、金港堂、一八九〇年)は、「文学史は、歴史の一種にして、文学の起源、発達、変遷を、しるすものなり」と書き出されている。彼らはともに国学・国文派であり、先の重野・星野・久米らの漢学派とは対抗の関係にある。

『日本文学史』は、「本邦には未だ彼が如き文学書」（＝文学史）がない、という認識のもとで書き上げた著作――「本邦文学史の嚆矢」である。「叙述評論の体裁」「時代分割の方法」に留意するが（とくに体裁は苦労したという）、「西洋各国にある文学史と、文学書との体裁を参考して、之を折衷斟酌したるもの」とされている。三上・高津は、西洋の文学史は「文学の大体を網羅」し「順序の整然」があるとしたうえで、自らの著作で「我国文学全体の実質」と「変遷」を知らしめようとし、「国文学全体の、起源発達及び変遷」を論述したという。

『日本文学史』は「文学全体」への志向を示すものとなっているが、歴史と文学史を並行して把握する三上・高津は、歴史が世界史／各国史とあるように、文学史も世界文学史／各国文学史の「二種」があるとする。あらかじめ世界と日本が切り分けられているが、前項は「普く各国を綜合して、陣地の発達進歩」を記し、後項は「一国内」の「現像（ママ）」を歴史的に記述したものとし、普遍／個別の関係で記されている。また、三上・高津によれば歴史はより広い概念であるのに比し、文学史は「思想、感情、想像」の領域であり、歴史の「部分」を形成すると言う。「総論」で文学を定義して「邦国人民の盛衰興亡に繋がることの至大」であると言い、文学史は「文学の起源発達を叙すると共に、つとめて、其中に潜伏せる元気の活動せし跡を示すべし」とする。すなわち、文学／文学史の関係を、(1)「文学」を軸にした一貫性＝連続性の記述とし、(2)その故に

（決して論証されていないが）、文学の「起源発達」を論ずる「文学史こそ、即ち真の歴史なれ」という見解さえあることが記される。文学史という領域を確立しようとし、三上・高津は文学史に可能性を込める——「文学史を以て、古来、人の知徳の進歩せし蹤跡を探り、時代によりて、人間の思想、感情、想像に高下あるを知り、さて、之に応じて、其時代の人情、風俗、嗜好の類の如くなりしかを、察す」。

さて、ここでは、三上・高津が、世界文学との関係で「国文学」を定義していく過程が、歴史学における「国史」と重なり合う点に注目したい。すなわち、三上・高津は、「邦国によりて、其固有の特質を具ふる文学」を「国文学」とし、その三つの「個条」として、「国民固有の特性」「身外の現像(ママ)」「時運」をあげる。「国民固有の特性」とは、それぞれの国民のもつ「気象品格」であり、「身外の現象」とは地形、気候、天象、景色や動植物の有様。また、「時運」は「朝廷の政略、宗教の勢力」であるとする。そしてこの「現象を蹤跡する」のが文学史と規定し叙述をおこなっていく。すなわち、「国文学」の記述が文学史であり、「国民の心」を描くものとして文学史が定義される。「国語」を用い、「その特有の思想、感情、想像」を現した「国文学」の系譜学が、文学史とされるのである。

こうして、文学史の誕生は、歴史学の誕生——「国史学」の誕生と相通じており、文学史は(1)「国民をして、自国を愛慕する観念を深からしむる」、(2)現時の「文章の体裁の千差万別なるを憂ふる者」が「既往」を顧みるとされる。物静かな口調ではあるが、『日本文学史』の叙述は、一八九〇年頃の「文学」状況と「国民」状況への苛立ちを、「文学史」によって昇華しようとしているように見受けられる。

そしてかかる文学史は、これまた歴史学と同様に本質主義的な時間意識にもとづくものであり、過去からの直線的時間を想念しているものであった。

2　焦点としての「歴史」とナショナル・ヒストリー
――一九三〇年代後半以降

一九三〇年代のはじめ、「歴史」と「戦争」の領域と記述が焦点化し、「出来事」の記述の作法が確定するなか、その領域と作法とを通じて「国民の物語」ナショナル・ヒストリー「われわれ」の物語が進行していった。(3) 歴史学においては、イデオロギー／歴史認識／歴史叙述における要素が絡みあい、歴史認識と歴史叙述、その叙述形式の対抗が見られた。マルクス主義史学／実証史学／皇国史観という三派鼎立の状況である。しかし、一九三六年七月のコム・アカデミー事件で講座派の学者たちが検挙され、一九三七年一二月と一九三八年二月の二度にわたる人民戦線事件、さらには、一九四〇年三月に津田左右吉の著作が発売禁止になるなどの事件によって、歴史学の三派鼎立の構造が壊れる。

こうしたなかで「歴史」はますます焦点化し、あらたに「歴史」の領域が統合と抵抗―すなわち対抗の領域となる。「歴史」が重要な領域となり、一九三〇年代後半から四〇年代前半までの近代日本の思想史を考察した政治学者の橋川文三は、「この歴史ほど、この時代において暴威をふるったものはないであろう」とまで述べている(「解説」『近代日本思想大系　昭和思想集Ⅱ』筑摩書房、一九七八年)。一九四〇年代に入っては、「国史関係の出版」が多くなったことは歴史学関係者自身も認識するところで、たとえば『国史新著解題　昭和十八年版』(春秋社松柏館、一九四三年)の編者の高木真太郎は、「国民の祖国に対する信仰と忠誠とが一入深まり強まつた結果、過去の祖国を知らうといふ熱情」がそれを活性化していると述べ、明治維新史に関する「労作」が多いと付け加えている。高木は、これは「時局下明治維新への回顧と感激とがひろく人々の心に甦つて来た結果であらう」という。高木がここであげているのは、文部省維新史料編纂事務局編『維新史』(明治書院)や尾佐竹猛『明治維新』(白楊社)、あるいは足立勇『物語維新史　黒船来航』(大日本出版社峯文荘)、井野辺茂雄『新訂　維新前史の研究』(中文館)などである。

ここでの「歴史」とは、人のもつ歴史意識から、歴史文学や歴史学までを含む広義の意味合いにおけるもので、文学の領域では歴史文学も盛んになっており、そのほかにも久保栄『火山灰地』、木下順二『風浪』などがこの時期に書かれている。だが、こうした「歴史」は、以下に見るようにナショナル・ヒストリーの範疇に含まれ、ナショナル・ヒストリーとしての「歴史」が蔓延し、ナショナル・ヒストリーをめぐる議論が横行している。[4]

すでに指摘したように、一九三〇年代後半からマルクス主義の歴史学が社会の表面から消し去られるが、他方、平泉澄に代表される皇国史観の歴史家たちは活気づく、皇国史観の一端を、紀平正美『皇国史観』（皇国青年教育協会、一九四三年）によって見れば、紀平は、「生命の本の本、更に元の元なるものへのつながりに於てこそ、皇国史は始めて了悟し得られるのである」と言い、皇国が「古い歴史」をもつことを強調する。「日本の歴史は御代〳〵の発展すなはち天皇を中心としてのものであつて、支那や欧州に於ける史書とは相違する」と言う。そして個人主義を「奪道」とし、「日本本来の立場」としての「護道」ではないと批判し、「私」を去って対象に「稽首」することを主張して、そこに「日本」を見出す。日本における「和」を言い、そこに「日本」を見出す論となっている。すなわち、紀平の皇国史観は、(1)「日本」の立場を特権化し、(2)「支那思想」（徳目論）、「欧州思想」（物質論）を排除して「日本」に没入するように言い、(3)そのことが「日本」を遂行しているとするものである。対象と主体がともに「日本」であり「日本人」である点において紀平の議論は、同義反復となっている。また、紀平の言う「日本人」は血統主義的であり、「たとひ日本人ならざる人が、日本精神や国体に就て悟り得ても、真の日本人になるには三千年の歴史人にならなければならない」とされている。

紀平が説明する皇国史観は、「日本」や「日本人」への価値の一元化であり、原理主義的な立場に立つナショナル・ヒストリーになっている。歴史の局面を論じても「日本精神」が出てくるという論法で(子安宣邦『方法としての〈江戸〉』ぺりかん社、二〇〇〇年)、「歴史」を「日本」と「日本人」が独占し、かつそのことを基準として西洋・近代とは異なるとするのである。(5)

日本は最も古き国で個人の自覚といふことは問題にならなかつたが、時の久しきに亘りて、氏族的「私」が出てきたのである。即ちその「私」を去つて国家といふ自覚のもとに、その自覚内容が定められなくてはならぬ時に、神話がそれによりて組織し統一せられ、その神話が直ちに歴史へとつづけられたのである。然もその内容たるものは永遠の「今」即ち「中今」である。斯くして国古くして、歴史最も新しく、然もその歴史の内容を作るものは、「只今」としての大生命の充足であるといふことが判明せらるであらう。

こう述べる紀平の皇国史観は、また、構成主義的な歴史観でもある——「要は新しき歴史の建設は、単なる古の回顧ではない、今現実の力である」とし、「只今」と「中今」とを貫く「今」を設定していく。構成主義の歴史学として登場してきた皇国史観ではあるが、紀平の言は構成主義の暴走という事態にほかならず、神話との関連で歴史が問われる構造を主張することであった。「今日我等が行動し居るところのもの、何事にしても、その根本義に於ては神話に語られある以外に一歩も出ていないのである」。そしてまた、自ら「知に属せず不知に属せず、当たり前のこととし、皇運扶翼者といふ運命を負はされて居」り、他国のごとく、「強いて」知と行とを理論的に結合させる必要もない、とするのである。

近代知への批判が、日本の絶対化＝「日本人としての当り前、平常の生活は天皇に因る拠り外にない」という主張をもたらし、「日本」と〈いま〉(いまの日本)の絶対的な肯定を主張する。歴史観という観点から見れば原理主義的で、「日本」「日本人」を基軸とし、それを主語とする極端なナショナル・ヒストリーということとなる。

一九三〇年代後半から四〇年代にかけては、こうした皇国史観の圧倒とともに(この史観とも提携しつつ)、「上から」の歴史像(ナショナル・ヒストリー)の提供といった事態も出現する。歴史像の内容とともに、歴史像の提供の方法としても国家(ネーション)が介在するということであり、政府が「歴史」と歴史認識に介入してくる。文部省編集によって一九三七年五月に『国体の本義』、一九四一年三月に『臣民の道』が刊行され、公定＝国制の歴史観が盛り込まれた著作が出される。一九四三年には上下二巻の『国史概説』が刊行された(これらの著作の執筆者や職制など詳しくは、久保義三『昭和教育史 上』三一書房、一九九四年、が論じている)。

『国史概説』について見れば、一九四一年に文部省教学局に臨時国史概説編纂部が設置され、平泉澄、紀平正美といった皇国史観の論者、藤井甚太郎や辻善之助といった実証主義の学者たち(＝国史派の学者たち)が調査嘱託に名を連ねている。『国史概説』は、「大日本帝国は万世一系の天皇が皇祖天照大神の神勅のまにまに、永遠にこれを統治あらせられる」と書き出され、「国史は各時代に於いて常に推移変遷の諸相を呈するものにも拘らず、それらを一貫して、肇国の精神を顕現してゐる　国史の真髄はこの精神によつて貫かれたる大なる生命であり、国史の成跡は、国体を核心とする国家発展の姿である」と、皇国史観を標榜する通史＝歴史叙述となっている。

全体の構成は、「緒論」(一五頁)のあとに、「第一編　上代」「第二編　中世」(上巻)、「第三編　近世」「第四編　最近世」とされ、「年表」が付されている(下巻)。「第一編　上代」(一二三二頁。「概観」五頁を含む)は、「第一章　肇国」(一二頁)、「第二章　皇威の発展」(四二頁)、「第三章　飛鳥時代と大化改新」(五一頁)、「第四章　奈良時代」(三九頁)、「第五章　平安時代」(八三頁)、「第二編　中世」(二三三頁。「概観」六頁を含む)は、「第一章　鎌倉時代」(一〇五頁)、「第二章　建武中興と吉野時代」(三五頁)、「第三章　室町時代」(八七頁)、「第三編　近世」(三〇〇頁。「概観」六頁を含む)は、「第一章　安土桃山時代」(五四頁)、「第二章　江戸時代(上)」(一五四頁)、「第三章　江戸時代(下)」(八六頁)、「第四編　最近世」(二五三頁。「概観」五頁を含む)は、「第一章　明治時代」(一七六頁)、「第二章　大正時代」(三七頁)、「第三

章　現代の情勢」(三三頁)となっている。

章立て＝構成は、いくつかの箇所を除けば(第一編第一章・第二章、第二編第二章など)、政治の中心の所在地による時代区分をおこなっており、現在の学校教科書も採用する時代区分ではあり、それぞれの分量もバランスがとれている。しかし、(1)「緒論」に記されている皇国史観の記述は、あらゆるところに入り込んでおり、(2)「室町時代」や「安土桃山時代」の記述に「皇室と国民」にかかわる節や項があり(第二編第三章第六節、第三編第一章第一節)、「皇位の相承と列聖の御仁慈」や「国民の忠誠」が説かれる。「江戸時代」も江戸幕府の成立に先立って、「朝廷の御事跡」が記され、「朝廷と幕府」の関係についても述べられる(第三編第二章第一節・第二節)。こうして、天皇や朝廷の記述が軸とされる歴史叙述となっている。また、天皇には、「後醍醐天皇は文保二年(一三一八)賓算三十一を以て御位に即かせられた。既に十分なる御年をめされ、且つ天稟英邁にして、進取的な御気性にましました」(第二編第二章第一節)などのように、必ず敬語が使用されている。

『国史概説』は、日本が「不易の国体を中心」とし、そのことが「独り我が国」のみであるという認識＝皇国史観にもとづいている。この一貫性＝連続性＝永遠性と独自性＝唯一性＝絶対性は、さらに、「神皇一体・君民一致」という一体性＝調和と有機性の強調とともに三位一体の論理を形成している。三点は互いに絡み合い、「日本」は

「不動の国体」をもち「革命」はありえず、復古が維新となり、「乱臣賊子」はつねに「大義」によって克服されるという論理となる。「他の国」とは異なるという論理によって、「日本」が実態的な実存として描き出される。さらに、「国土」「国民」「国民性」を「国史」を考察する際の要素としてもち出し(これも、三位一体を形成している)、それぞれに、独自性／調和性／連続性を指摘してみせる。たとえば、「国土」については、「我が国土」は四面が海に囲まれており、「陸地を以つて境する国々とは異なつて」政治的・軍事的衝突が少なく、古くから「独自の文化圏」を構成しながら世界各国の文化を「摂取」し、「国民の協同和合」をもたらしてきたとする。「神及び国土・人民の一体融合」が言われ、自然との一体性が言われるとともに、「皇威は既に古代より大陸の一部及び四囲の島々に輝き、それらの民も皇化に浴していた」と、植民地主義をも含んだ主張となっていた。

この点にふれあう「国民」については、「皇別・神別の民」としての「固有の日本人」のほか、「蝦夷」「諸蕃の民」が「皇化」のもとにおり、「帰化人」もきたが、いずれも同化し「渾然たる日本国民」となったとし、『国史概説』では、「天皇に帰一し奉る精神、万民の神話融合の思想」としている。そして国民生活はこの「帰一融合」の精神を基礎とし、「国史」を通貫し「我が国固有の家」において実践されている――この家は、西洋のように、夫婦という「横の関係」ではなく、「実に祖先と子孫との無限の連鎖に続くところの生命」にほかならないとする。親子の「縦の関係」を軸とし、家長のもとに「渾然融合」し、祖先を祭り「不断に連続」するとし、個人の生命を超える家督の連続をいうのである。

こうした「国体」にもとづく「歴史的伝統」が、『国史概説』において時代順に歴史叙述として展開＝提示されていく。したがって、今日の時期区分と重なりつつ、『国史概説』には「一貫せる国体の顕現」を言い、諸外国のような国家の興亡による時代区分ではないことが明言されることとなった。

さて、『国史概説』の叙述の特徴の一つが第一編にあることは、言うまでもなかろう。「国史は宏遠なる肇国の大精神に基づいて展開する」（「概観」）と書き出され、神話に言及し、「他の国々の神話」が古代人の自然観などを反映する物語にすぎないのに対し、「我が神話」はその本質を異にし、「神代の伝承は、国体の真義を示し、且つ永遠に国史を貫いて生成発展する国家生命の源泉である」とする（「肇国」）。「天地開闢」から天照大神、そして「皇孫降臨」の神話がここに記されていく。

また、近代＝「最近世」の叙述は、「維新の偉績は国体の本義を顕揚し、皇威の更張と国運の隆昌とを齎して現代に至り、以て赫々たる大御代を現出するに至つた」との認識のもとに叙述がなされる。「尊厳なる国体」と「旺盛なる国民精神」によって「国史の成跡」が遺憾なく「精華」を発揮していると、手放しでの歴史と現状の肯定をおこなっている。版籍奉還などの大事業も「平穏」に遂行され、「維新の実は着々として挙がつた」と矛盾なく、一体的調和のもとに実践されていったとされている。「多少の摩擦紛争を誘発することもあつた」との一文もあることはあるが、「かくて内治は大いに進み外交も次第に整ひ、国力は年と共に充実した」とこれまた、手放しである。欧米諸国の「東亜侵略」のなかで、「我が国」は「隠忍」を重ね、「朝鮮を保有し、清国を啓導し露国の野心を挫」き、「東亜諸国」が「蚕食」されるのを「防衛」したとの認識を示す。その後の歴史についても、「国威」を発揚し「国勢」を伸張したこと、しかし、「欧米諸国」がそれを妨げ「東亜分割」の策略をめぐらし、国内にも「欧米思想」が入り込み、「伝統の国民道徳」の自覚を欠くものが現れて「内外の難局」が醸成されたこと、そして、「いまや我が国は御稜威の下」に「大東亜並びに世界新秩序建設に邁進」しているとする(「概観」)。

ここには、「歴史」における構成主義／本質主義、日本の歴史の特殊性／普遍性、あるいは、歴史の記述の一般／アカデミズムの関係、歴史叙述における歴史観やイデオロギーの対抗と補完と癒着などの複雑な関係が、表面上の一元化と、人の歴史意識における二元化＝「対立」の関係に単純化されている。そしてこの歴史像が、(1)皇国史観と実証主義の双方の学者の合作により、(2)文部省＝国家(ネーション)の名のもとに「上から」与えられ、ナショナル・ヒストリーとして提供され制度化されていったのである。皇国史観は、単なるアカデミズム内部の現象であったり、一部の跳ね上がりの現象として留め置けぬ理由がここにある。

しかも、この時期には「歴史」をめぐる議論はさらなる複雑さを抱え込んでいた。いわゆる「世界史の哲学」の議論の登場である。一九四一年一二月には、著名な座談会「世界史的立場と日本」(『中央公論』)が掲載され、「世界史」が提起される。鈴木成高(歴史学)、高坂正顕、西谷啓治、高山岩男(哲学)ら西田幾多郎や田辺元の影響を強く受けた、いわゆる京都学派の面々による座談会は三回に及ぶ(あと二回は、「東亜共栄圏の倫理性と歴史性」および「総力戦の哲学」。それぞれ『中央公論』一九四二年四月、一九四三年一月)。ヨーロッパでは「危機といふ観念」と結びついて「世界史」が言われるのに対し、日本ではそれとは異なる意識で「世界史の立場」が言われることが指摘された――「ヨーロッパでは危機意識で、日本では世界新秩序といふことになる」(西谷)。あるいは、鈴木は、「東亜の世界史的事態といふものを、ヨーロッパはどうも脅威といふ形で受け取つてゐる、そこにヨーロッパ人の世界史観があるのではないか」と言う。ヨーロッパの「歴史」概念を、現時の「世界史」の登場と重ね合わせることによって転換させようとする問題意識が、「世界史の哲学」の面々の立場である。

彼らは、ヨーロッパがひとつの「地方世界」であり、「ヨーロッパ外世界」の台頭を当のヨーロッパが危機意識によって対応していると解釈する。座談会では、「世界史の哲学」と世界史学との関連、実証的精神と合理的精神などをはじめ多くの論点が出されているが、「歴史」に焦点をあわせるとき、高山が、日本は「明治維新前の近代」と「明治維新後の近代」と二つの近代をもつと述べていることが注目される。日本の近世はヨーロッパの近世と並行的に開始されるが、「鎖国」をおこなうことによって、江戸時代の近代精神はヨーロッパのそれとはずいぶん異なったものとなる、と高山はいう。「家族的なもの」が中心となり「封建的な性格を帯びた近代精神」が形成され、この「近代精神」が維新後に、ヨーロッパの近代精神と「連続」して明治以後の日本をつくり上げたとするのである。高山は、国民国家形成以前に日本の近代があるとし、江戸時代を「中世的な野蛮」とするのは、「近代日本から出た近代的な見方」と言い切る。世界史の立場からの日本歴史の書き換えであるが、座談会では論点はさらに展開され、「発展進歩といふ概念はヨーロッパ近代の特有なもの」(高山)、歴史主義も「ヨーロッパの近世の産物」(高坂)とされる。そして、ヨーロッパのように相対主義・懐疑主義とはならぬ、東洋の新しい歴史主義が主張される——「東洋には歴史を理解する上に、西洋とは別個な原理がある」(高坂)。

こうした面々は、また「近頃日本歴史といふことをやかましくいふ。それは非常に結構だが、どうもまだそこに問題がありはしないか」(西谷)、「国史偏重も結構だが」(鈴木)と言い、国史偏重の現状を批判もする。このとき、高坂は、「歴史といふものはもともと一人の個人の魂だけでは成り立たない。歴史は種的なもの、民族的なものの歴史だ」とも言っている。「モラリッシュ・エネルギー」がキーワードとされ、その主体として「国民」(高山)、「国家的民族」(高坂)が言われる(「世界史的立場と日本」)。世界史を生成し、帝国主義を支えていく主体として、血統主義的に「日本人」を抽出するのではなく、「国民」を担い手とするのである。ここには、「主体性をもたず、自己限定性をもたない民族、つまり「国民」にならぬ民族は無力だ」(高坂)というすさまじい現実主義的な力学があるが、これは国民国家の論理の追認でもある。「国民」を歴史の主体とし、民族＝国家の論理を打ち出し、この点からは「日本人」による一元化を図る皇国史観とは異なる歴史観をもつ。「世界史の哲学」においては、「世界性」とナショナリティとを結びつけることが課題となっているのである。

皇国史観と「世界史の哲学」は、ともに西洋・近代を批判し、「日本」の特殊性を言い、(西洋・近代の概念であり、それに翻弄された)「歴史」を批判し、あらたな概念にもとづく「歴史」の復権を図るが、その担い手と目指す方向、すなわち双方が説く文脈は大きく異なっている。「日本人」の立場からの批判か(皇国史観)、「国民」からの批判か(「世界史の哲学」)、という相違であり、臣民として植民地の人びとを扱うか(皇国史観)、帝国として植民地を包含するか(「世界史の哲学」)という差異である。

しかし、両者の関係は対立を見せながらも「日本」の〈いま〉を絶対化し肯定し、戦時体制を支える点では一致しており、双方は相補的に総力戦を支えるイデオロギーとなっている。こうしたなかで皇国史観、「世界史の哲学」の双方に対抗する姿勢と史観をもつ、批判的歴史学はいかなる論理を展開していたのであろうか。津田左右吉の著作の発禁に抗議をおこない、一九三九年一一月には、「巨大な現実の動きに意識的あるいは無意識的に便乗しようとするものも少なくない」と言い、「我々はかゝる状勢にまきこまれることなく、学問的なものと然らざるものと識別し、更に自己の学究的態度について真剣に考慮せねばならぬ」(「編集後記」。署名は旗田)と批判的な立場を堅持する『歴史学研究』の頁を繰ってみよう。

『歴史学研究』が双方を批判する根拠としたのは「正しい歴史認識」で、『歴史学研究』(一九四〇年一月)の「編集後記」(署名は風間)は、「今日程、科学的歴史知識、歴史認識が重要な意味を以て要請される時はないのだ。歴史学は新たなる覚悟と責任を持つて自己を高く且正しく主張せねばならぬ」とした。「唯一の真理は歴史的事実のみであり、歴史のみが唯一至厳なる審判者であるてふ信念」(『歴史学研究』一九四〇年五月、「編集後記」。署名は風間)を言い、「誇張や虚構を排除し、歴史は常に真理のみを目指して前進する」と、「歴史」(の進歩)と「真理」「(歴史的)事実」を抵抗の根拠としていく。批判・対抗する歴史(学)を構成主義と認じ、構成主義の暴走を理性＝科学＝近代からの逸脱とし、自らの位置をその対極すなわち「歴史」の本質主義の立場に置き、「真理」「事実」をもち出す。『歴史学研究』の誌上(＝「編集後記」)では、「歴史の科学性」や「科学的歴史認識」を強調し、「真理のみしか目指さない」と「理性」を言い、「進歩と発展の方向を見失ふことなき歴史の正しき認識の必要」を強調する議論が盛んに出されている。(6)

構成主義に対抗し本質主義をもち出し、西洋近代への批判に対し近代の擁護をもち出す『歴史学研究』の批判の論理は、「最近「近代の超克」など言ふ事が一部で言はれ、近代は日本歴史上最も誤謬に充ちた時であるかに言ふものがあるのは特にこの文化思想史の方面である」「明治以来教育学問は欧米文化の輸入が目的とされ従つて独創的でなく追随的に、創造的でなく静的博識的になり、其の他すべて間違つて来た様に言ふもの少しとしないが果たしてさうであらうか、近代史家は之を検討する任務があらう」(井上清「近代史」『歴史学研究』第一一一号、一九四三年六・七月合併号。この号は、「昭和一七年　歴史学年報」となっている)という批判的言辞となる。また「近世　思想・文化」(遠山茂樹)は、日本精神論の流行を指摘し、国学や神道の「現代的意義や復活」が説かれ、「勤皇文学論」すら言われるが、こうした「表面的な賑やかさにも拘らず」「真に学会の進歩となるべき学問的成果」は数が多くないと言い切った(『歴史学研究』第九七号、一九四二年五月号。この号は、「昭和一六年　歴史学年報」となっている)。

こうした関心は、史学史への関心を促す。『歴史学研究』第一〇五号(一九四二年一二月号)は、「創立一〇周年　記念特集」で「近世歴史学」の特集を組み、大久保利謙「明治史学成立の過程」、中村吉治「明治史学の大成期」、野原四郎「一人の近代支那史家」など八本を掲載している。『歴史学研究』(一九四三年二月)の「編集後記」(署名は松島)は、史学史と史学理論への関心の高まりを言い、「その背後には、時代の大きな転換の意義を歴史的に理会する為に、歴史観の根底を確立しやうとする努力があると考へられ」るとしている。「近代」の歴史学を史学史的に確認しようという作業と考えられる。(7)

こうした『歴史学研究』では「科学」にかける「国民」が前提にされ、よい「国民」へのよい「ナショナル・ヒストリー」の提供が、皇国史観や「世界史の哲学」への対抗軸とされていた。『歴史学研究』第一〇巻第四号(一九四〇年四月)は、「歴史のない情熱史観の横溢や、歴史主義への逃避」を憂え、「ひとびとが現在史家に要求するものは単なる史料集でもなし、事実の羅列でもない。行動実践の指針として創造と建設への道標として、真実な歴史的現実的認識こそ一般より切実に要請」せられていることをいう——「われわれ歴史家は、現在における国家及び国民へ対する任務を瞬時も忘れてはならない」。そして、「大陸のかなたに描き出される現実への深遠な意識と西欧の歴史によつて与へられる史的省察とを、祖国の正しい歪曲されない史的認識によつて統一し総合せねばならない」(三島一「巻頭言」。この号は「特集 昨年度史学会 回顧と展望」とする。

ナショナル・ヒストリーへの、ナショナル・ヒストリーによる対抗であり、そのゆえに「日本人」主義と「国民」主義との双方を貫いていたナショナリズムに、その批判の射程は届きえないこととなる。たしかに、『歴史学研究』の主張は、主語と論理、統辞法の点において皇国史観と「世界史の哲学」とは異なる歴史像ではあるが、ナショナル・ヒストリーの引力圏内にある。ナショナル・ヒストリーの磁場はかくも強力、引力はかくも巨大であり、ナショナル・ヒストリーが抵抗の根拠のように見えてしまうのである。(8)

こうして一九四〇年代には、「国民」の歴史をめぐる複雑な対抗関係が形づくられている。皇国史観と「世界史の哲学」というナショナル・ヒストリーへの対抗、政府から＝上からの歴史像の提供というナショナルな歴史の制定の仕方に対抗して、実証主義を根拠とし、いまひとつの「国民」の歴史学(ナショナル・ヒストリー)が位置するのである。この「国民」の歴史学が、総力戦を遂行する体制に対応する歴史学への対抗となっていることは疑いない。しかし、その対抗的・批判的歴史学でさえ、「国民」を根拠としナショナル・ヒストリーとして提供されたことは「戦後歴史学」の歴史的位相を考える際に見逃せないことであろう。(9) このあと、一九四五年の敗戦は、抵抗の歴史学を公然化させ、その観点から戦時を描き出すこととなる。このとき、(1)一九四五年の「切断」が、強く印象づけられ、(2)一九五〇年前後にあらたに「切断」が形成される。しかし、これはあらたに、「戦後の歴史学と歴史意識」といったテーマとなり、他日を期することにしたい。

(1) 一九五〇年前後の状況の一端については、「当事者性と歴史叙述」(二宮宏之ほか編『歴史への問い4 歴史はいかに書かれるか』岩波書店、二〇〇四年)でふれておいた。また全体にわたって、拙著『歴史学のスタイル』(校倉書房、二〇〇一年)を参照されたい。

(2) この点については、拙著『歴史学のスタイル』および「時間の近代」(『岩波講座 近代日本の文化史3 近代知の成立』岩波書店、二〇〇二年)でふれておいた。なお、本章にはこれらと重なる部分がある。

(3) この様相については、拙著『〈歴史〉はいかに語られるか』(日本放送出版協会、二〇〇一年、増補版 筑摩書房、二〇一〇年)で記しておいた。また、「戦争」をめぐっての議論も一九四〇年前後には、ある変化が指摘される——文芸評論家の板垣直子は、「文芸会」の「殆ど無軌道的といへるやうな好況」が終焉し、「民族の大きな理由に向かつてすすんでゆく」ことを指摘した(『現代日本の戦争文学』六興商会出版部、一九四三年)。戦争をめぐっての報告の整理と定義を示すように、一九三九年から、一五巻の『戦争文学全集』(潮文閣)が刊行され、さらに『戦争文学傑作集』(潮文閣、一九四〇年)も刊行された。

(4) この時期の「歴史」の考察の重要性に比し、これまで斉藤孝『昭和史学史ノート』(小学館、一九八四年)などを除いては十分な鍬入れさえなされておらず、いまだに「空白の「史学史」」(阿部猛『太平洋戦争と歴史学』吉川弘文館、一九九九年)といった状況にある。本章でも全面的な考察は果たしえなかった。

(5) 紀平によれば、現時の歴史の概念はヘーゲルによっているが、(1)歴史の概念は、中国に見られるように、「幾多の歴史」があり、多くの史書の「歴訪」となる、(2)しかし、日本の歴史は一貫しており、「大生命」の発展＝継続であり、天皇を歴訪することが「歴」の内容となる。その日本の歴史こそを、紀平は「典型的歴史」と言う。日本の歴史こそが「真の弁証法」であって、ヘーゲルの弁証法は「擬弁証法」とするのである。

(6) しかし、そのゆえ、風間は、近衛文麿の新体制運動に期待をかける。近衛を「新日本の指導者としてはまことにふさはしい」と言い、「われわれは、新鮮味を感じ、特異性をもつこの内閣に多大の期待をかけるものである」と言う(「編集後記」一九四〇年八月)。

(7) もとより、ここにも複雑な対抗が見られる。国学の立場を自認していた清原貞雄も、史学史の再検討をおこなうのである。清原は、「初めての試み」と自負していた『日本史学史』(中文館書店、一九二八年)の「増訂」版を出し、明治期の史学史を一五〇頁以上に分かってあらたに論じ、ほぼ二倍近い増頁をおこなった(一九四四年)。近代の擁護派だけではなく、近代の超克派からも、「歴史」の再定義が図られるのである。またこれに呼応するように、文学の概念も(文学自身によって)再定義され、文芸学が云々され、歴史学との関連が再考されていく。

(8) 歴史学に「原理主義」として蓑田胸喜が登場したとき、いっそうそのことは明らかとなる。

(9) こうしたなかで、武田泰淳『司馬遷』の歴史認識や、「物語」を拒否する歴史叙述(「断片」の集積というスタイルの歴史の記述)が試みられたことは注目に値するが、この考察は別稿にゆずろう。

第6章　文学史の饗宴と史学史の孤独

（1）

ともに「昭和」と呼ばれた時期を対象とし、しかし手触りの異なる、二つの浩瀚な文学史が刊行された。どちらも一九二三年九月の関東大震災を契機とする「短い二〇世紀」の文学――八〇年ほどの時期の文学を扱っている。関東大震災が地震を引き金とする人災であり、東京・横浜といった大都市が壊滅し、従来の街並みを大きく変えたことはよく知られている。崩壊感覚とでもいう感覚をもたらし、あらたな感性や表現を生み出すとともに、国際的なつながりと前衛が登場し、震災を契機にモダニズムが一挙に花開くのである。震災は、歴史と歴史学の画期とされてきたが、文学と文学史においても大きな節目とされている。

二つの文学史とは、ひとつは、一九九七年から雑誌『すばる』に連載された『座談会昭和文学史』（全六巻、集英社、二〇〇三―〇四年。以下、すばる版とする）であり、いまひとつは同じく一九九七年から刊行が開始されたシリーズ『文学史を読みかえる』(七巻まで刊行。あと一冊の刊行が予定されていると聞く。インパクト出版会、一九九七年―。以下、インパクト版)。どちらも、読み応えはたっぷりある。〔補註〕

この「短い二〇世紀」には、モダニズムの爛熟があり、戦争と占領を挟み、高度成長やバブルが出現し、そうした環境のなかでの文学の営為があった。近代化の達成感があるとともに、植民地を抱え、アジアとの緊張感、ならびにアメリカとの戦争とその後の従属的な関係をもち、社会問題や民衆運動などもあり、それらが意識される文学であった。

すでに、いくつもの「昭和文学史」が書かれ、この時期の文学史といったときには、芥川龍之介から横光利一、大江健三郎や武田泰淳らの作家たち、『レイテ戦記』や『旅愁』『金閣寺』など正典(キャノン)となった作品が思い浮かぶ。批評家で近代文学研究者の小森陽一が指摘するように、円本や文学全集が家庭にいきわたっていたことが、こうした文学作品と作家をキャノンに仕立てあげ、そのリアリティをつくり出している。

すばる版は、劇作家で小説家の井上ひさしと小森陽一の二人がゲストを迎える形式をとって(その数は四〇人を超えている。私も末席に連なった)、一九二〇年代から二〇〇〇年までの「文学」を論じ、註や年表、写真をも豊富に加えてある。実作者と批判家の二人のナビゲーターが、実作者や研究者、あるいは(論ずる作家の)弟子であったりするゲストを交えて語り合い、知られざるエピソードが披露され、はっとさせる解釈が随所で論議される。

これに対し、インパクト版は、文芸評論家の栗原幸夫や川村湊、文学研究者の木村一信、長谷川啓、池田浩士、女性史研究者の加納実紀代たちがそれぞれの巻を責任編集している。問題の所在を示す座談会のほか、文献ガイド、視点、特集テーマに即した論文や書評、コラムと、これまた盛りだくさんである。ここでもそれぞれ一巻には、二〇人くらいの論稿が寄せられているから、シリーズ全体では多くの人びとによる共同の作業となっている。

二つの新しい文学史の特徴は、一九六〇年初頭に出された『座談会　明治文学史』(一九六一年)、『座談会　大正文学史』(一九六五年。ともに、岩波書店)を補助線とするとき、よく見えてくる。『座談会　明治文学史』や『座談会　大正文学史』では作家が軸であり、作家の人間関係がつくり出す文壇を対象とした「文学史」となり、言及される作家は、森鷗外や夏目漱石をはじめ、北村透谷、国木田独歩、島崎藤村から、志賀直哉、武者小路実篤、菊池寛や佐藤春夫といった名前が並ぶ。「明治の社会文学」「明治の大衆文学」や「大正期の社会主義文学」「大正期の思想と社会」などと「文学」の枠を超えた領域に言及しようとした点に特徴をもつ二冊の「座談会　文学史」は、大きな柱と主要な流れを作家——したがって文学の流派やサークル、作家たちによる雑誌が中心となる——

によって見取り図をつくるものであった。

現在の眼でこの座談会を読むとき、(『座談会 明治文学史』の)冒頭でいきなり、「文学史」とほかの思想史や政治史、経済史との「ずれ」が議論され、「文学史」そのものは確固たる実在として認じられており、他の領域の歴史との境界もはっきりと意識されていることに気づく。したがってこの座談会では、キャノン(正典)の存在は自明であり、キャノンへの細かな言及がおこなわれ、碩学たちが互いに蘊蓄を傾けあっている。

私がこの著作にふれたのは一九七〇年代の半ばであるが、格好の近代文学案内であり、同時に名作案内として読んだものだった。二一世紀の初頭に出された先の「昭和文学史」と比較するとき、同じ座談会という形式をとっての検討ではあるが、問題関心は大きく移行しているようである。

『座談会 明治文学史』は「現代の日本文学が、大きな転換期にきている」(猪野謙二)という認識から出発している。たしかに一九六〇年前後は歴史と歴史意識の大きな転換期であった。日本社会が変化しあらたな社会編成が進行するなかで、「日本文学」が再考され、「日本文学史」が書きあらためようとされていた。「文学史」は、「文学」が変化する時期に関心をもたれるとともに、「歴史」の転換期にも着目されることが示唆されている。三〇年を経て「文学史」が書き直されようとすることは、〈いま〉もまたその転換期にほかならないことを思わせる。

二つの文学史――すばる版とインパクト版とで手触りが異なる、と述べたのは、双方の「文学史」への接近の仕方の相違である。すばる版は全部で二六章を有するが、それらはそれぞれ、文学史上の出来事(コト)、作家(ヒト)と作品(モノ)を主題としている。作家を軸に、「谷崎潤一郎と芥川龍之介」「横光利一と川端康成」「永井荷風と坂口安吾」などといった組み合わせでの目次が並ぶ。同時に、「柳田国男と折口信夫」に目を配り、「宮沢賢治」や「石川淳」らに一章を当てるところに、井上や小森の工夫(あるいは、たくらみ)がうかがわれる。とともに、すばる版では、大衆文学や演劇と戯曲、詩などに目配りし、さらに「原爆文学」「沖縄文学」「在日朝鮮人文学」、あるいは「翻訳文学」や「女性作家」とテーマや書き手、カテゴリーを前面に出して文学をくり上げていることを特徴としている。キャノンを抑えながら、キャノンを再解釈し、キャノンをあらたな編成で見直そうとしているのが、すばる版の特徴と言えよう。

これに対し、インパクト版は時代(トキ)とそのなかでの出来事(広義のコト)を前面に出している。まずは対象とする一九二〇―三〇年代を、微妙な重なりを見せつつ三巻に当て、「廃墟」「大衆」「転向」(第一巻から第三巻)を主題として特徴づけ時代の輪郭を提示する。一九三〇年代後半の戦時期(第四巻)、一九四五年以降の戦後(第五巻)は「戦争」と「占領」によって規定されるが、一九六〇年代は『大転換期』(第六巻)として、一九七〇年前後は「近代の闇」を鍵に読み解く(第七巻)とされている。『廃墟の可能性』(第一巻)、うに時代(トキ)を切り取ってみせ、その特徴づけで文学作品を考察する。

ここでは、したがってキャノンはなかなか登場しにくい。『廃墟の可能性』で扱われるのは、福田正夫であり、添田唖蟬坊や村山知義である。社会と直接に接点をもちやすい大衆小説や社会派の文学が多くとりあげられる。言ってみれば、キャノンの周辺やキャノンからは零れ落ちた(零れ落とされた)作家や作品をとりあげ、時代を再解釈し、「文学史」を「読みかえる」という方法である。

キャノンへの挑戦とキャノンから零れたものの救い上げ。文学史を書き換える二つの方法――キャノンの読み替えと、周縁からのキャノンの書き換えが、同じ一九九〇年代の後半から「文学史」として実践されている。作品と作品のあいだ、作者と作品の関係、時代と作者―作品の関係のどこに力点を置くか。こうした点において、すばる版とインパクト版の二つの文学史の試みには、差異がある。編者をはじめ、ゲストや執筆者はみごとに重ならない。すばる版がキャノンにまつわる再検討を促し、キャノンの固着した読みからの解放の感覚を味わわせてくれるのに対し、インパクト版はキャノンによって視野が遮られ、これまで見えてこなかった文学の作品とその流れを見せてくれる。一九九〇年代後半の文学史のあらたな光景が、異なった方向から提示されているのである。

だが今回の文学史は、その手触りは異なるものの、従来の正統的な文学史を書き換えるという点では共通性をもつ。一九九〇年代の半ばに「文学」を支える根幹が問われ、「文学」が問いかけられる状況が現れ、そのなかで「文学史」が集団的に書き直されようというのである。言ってみれば、文学史の中身の書き換えにとどまらず、器としての文学史の概念自体も問われているのが、いまの文学史である、と私は読んだ。明治期の文学史に関しては、すでに亀井秀雄『明治文学史』(岩波書店、二〇〇〇年)が、独力でそうした試みを先駆的におこなっていたが、「昭和文学史」も集団的にかかる試みがなされたといってもよいであろう。

言葉を換えて言えば、今回の「文学史」は歴史的な変遷のなかで、文学の概念と形、その営みを問いかけ、文学と文学史へ、その根源にかかわる問いを発している。

この問題系は、歴史学を専攻する私から見るとき、「歴史の問い」であり、「歴史への問い」と重なって見える。いささか抽象的な言い方となるが、ひとつの連続性としての文学史が、その連続性を何によって表し、どのような根拠によってその連続性を弁証するのかということである。歴史学の立場から言えば、「通史」という領域の根拠にかかわることである。

すばる版で、第一巻に「谷崎潤一郎と芥川龍之介」と「プロレタリア文学」が収められ、第四巻に「三島由紀夫と安部公房」と「小林秀雄」が入り、第六巻に「大江健三郎の文学」と「戦後の日米関係と日本文学」が入るとき、文学史の流れが形成され文学史が語られているように見える。また、インパクト版で、『戦時下の文学』(第四巻)で、『写真週報』がとりあげられ、永井荷風と高見順の日記が論じられ、「少国民」向けの「南方案内書」が紹介されるとひとつの歴史的なまとまりがあるように思われる。だが、この時間の連続性を支えているもの、時代のまとまりを支えているものは、いったい何であろうか。ヒトとモノの流れという通時性(すばる版)、トキとモノの共役の共時性(インパクト版)をつくり出しているものは何であろうか。井上や小森、あるいは、栗原をはじめとする編者たちが「文学史」を構想することは、コト、ヒト、モノがつくり出す関連のあり方(共時性)とその時間的な推移によるそれぞれの関係の変化(通時性)である。

それはとりもなおさず、文学史においてトキというまとまり、「史」という連続性をどのようにつくり上げるのか、という試みである。これは、文学(あるいは、文学研究)の側からの歴史叙述にほかならないであろう。文学史とは、文学の領域からの歴史への接近であり、歴史叙述の実践である。

こうした観点に立ってみると、これまでえんえんと論じられてきた「歴史と文学」という関係性への問いと回答がなされる領域として「文学史」が提供されていることに、あらためて気づく。「歴史と文学」と言ったとき、これまで論じられてきたのは、個々の文学作品のなかでの歴史の扱い方であり、作家の歴史認識であった。森鷗外の史伝物が考察され、島崎藤村の『夜明け前』が論じられてきた。「歴史と文学」といった命題の考察は、しばしば歴史小説論と同義であった。むろん、作家の歴史認識や作品のなかの時間意識を問う試みは依然として重要であるが、直截にこの命題を扱うのは「文学史」であることも明らかである。

こうして文学史の領域は、文学の側からの「歴史と文学」への答案のひとつであり、さらに言えば、歴史学への問題提起となっている。このことが、一九九〇年代後半に出された二つの文学史を読みながら、私が感じたことである。この観点から読むとき、あらたな歴史と歴史叙述をめぐる局面が、二つの文学史によって提起されていると思う。

このように文学―文学史からの問題提起を受け取ったとき、この問題系を歴史学の側から論じたら、如何ようになるであろうか。

(2)

歴史学の領域以外の人びとにはなじみが薄いが、歴史学には「史学史」という領域がある。歴史学の歴史として、歴史家の系譜や流派の考察をおこない、これまで提供されてきた膨大な数の歴史学の作品を歴史的な文脈で読み解き、歴史認識や歴史分析の方法から整理してみせる分野である。歴史学は、個々の事例をとりあげ個別の分析をおこなうが、その分析が単なる個別の事例に終わらず、歴史(学)全体への普遍に連なる分析として位置づける役割をも、史学史は果たす。史学史と研究史を意識しながら、歴史家は作品を叙述し、自らの歴史学のなかでの位置を測るのである。

史学史は、作用において歴史家の作品を歴史学の歴史に媒介するとともに、歴史家と歴史家の作品を関連づける。すでにふれたように、「文学史」は文学作品をコト、モノ、ヒトの関係でくくり上げる場所になっているが、歴史学においてそれにあたるものが史学史となる。そのため史学史は、通常の歴史叙述とは、いくらか異なった叙述の様相を呈している。すなわち、史学史においては、誰が、どのような認識で、どの題材をとりあげ、どのように評価を下したかが問われ、そのことが叙述される。歴史家と歴史学の作品を素材とした歴史叙述である。

いくらかなじみにくいことなので、別の言い方をしてみよう。一般的にいって、歴史学では、歴史叙述が提供される際に固有名をもった存在として、(執筆者である)歴史家が認知されることは少ない。たとえば、戦後の歴史ブームとされた、中央公論社版の『日本の歴史』(一九六五―六七年)は、一人一巻の書き下ろしというスタイルをつくり上げたシリーズである。全部で二六巻(別巻五巻)と大部にもかかわらず、よく売れよく読まれたというが、歴史家が書いた作品としてではなく歴史そのものとして読まれている。この歴史家であるから、こうした歴史像が提供されているという読み方はされていない。いや、こうした読み方は、かなりに専門的な読み方とされるであろう。ときおり、石母田(正)史学、網野(善彦)史学のように固有名をもった歴史家と史観が登場するのがせいぜいである。文学者が固有名で固有の世界を描くのと同様に、歴史家も固有名で固有の歴史を描く作業に従事しているにもかかわらず、無署名の筆者による普遍的な歴史が描かれていると思われている。また、多くの歴史家たちも自らの叙述が主観的なものではないと言い、歴史学においては、「客観的」な立場と「普遍的」な叙述が肯定的に把握されている。

加えて、歴史家は「私」の領域にかかわることには足を踏み入れず、この観点からも固有名が疎外されている。多くの人びとが歴史学への誘いの書として推奨する、E・H・カー『歴史とは何か』(岩波新書)が、歴史家に着目するように言っているにもかかわらず。

だが、固有名をもつ歴史家が、歴史の素材としてふんだんに登場する領域があり、それが史学史である。その故に一挙に専門的な領域ともなっているが、しかし(と言うべきか、したがってと言うべきか)、史学史はきわめて重要な領域となることが見てとれよう。一人ひとりの歴史家がどれほど意識しているかは別にして、歴史学のアイデンティティを形づくっている分野である。

二〇〇四年七月に亡くなった歴史家・永原慶二の『二〇世紀日本の歴史学』(吉川弘文館、二〇〇三年)は、史学史の通史として、歴史学のなかでは話題となった著作である。

版を重ねており、著者を招いての合評会がもたれ、歴史学の専門雑誌が同書をとりあげ論評するなどの検討がなされている。同書が扱っているのは、近代歴史学の創世期である一八七〇年代から現在にいたるまでの「長い二〇世紀」の歴史学である。先の二つの文学史(『座談会 昭和文学史』『文学史を読みかえる』)が、関東大震災以後の「短い二〇世紀」を扱い、「近代」よりは「現代」に比重を置くのに対し、同書では「近代」に力点を置き、近代と現代の差異よりはその連続性を見て、そこを一気に論ずる。ここでは、明治維新期に始まる「近代歴史学」の「成立」から、戦後歴史学という「現代歴史学」の「展開」を時系列的に追っていくという叙述のスタイルをとっている。もっとも「近代歴史学」と「現代歴史学」は、その誕生した時期にしたがって名づけられており、「近代」「現代」の内容的な区別によっているのでないことには留意しておく必要があろう。「近代」と「現代」の断絶ではなく連続のなかで「二〇世紀」の歴史学が考察された一書として、同書は提供されている。

永原は、「誕生」「発見」や「転換」「変化」といった言葉を多用し、時間軸に沿った叙述をおこなっている。歴史家(ヒト)とその作品(モノ)とともに、歴史学をめぐって引き起こされた出来事(コト)にも言及される。たとえば、久米邦武が書いた、神道を「祭典の古俗」とした論文が波紋を呼び、久米が帝国大学を追われたことや(一八九二年)、津田左右吉の著作が戦時下に発禁処分を受けるという「受難」(一九四〇年)などについて書き込み、歴史学、歴史家とその作品、それをめぐる出来事を状況のなかで考察していく。

『二〇世紀日本の歴史学』は、福沢諭吉や田口卯吉の「文明史・啓蒙主義歴史学」から説き起こし、帝国大学の史学科を築いたドイツ人歴史家のリース、「日本中世史」「日本近世史」を比較史的な観点を導入しながら書き換えた原勝郎、内田銀蔵らが紹介される。あるいは、『日本資本主義発達史講座』とその中心を担った野呂栄太郎と「マルクス歴史学」が論じられる。また遠山茂樹や石母田正らによる「戦後歴史学」の華々しい展開の様相、さらには一九七〇年前後の「民衆史研究」や、近年の「社会史研究」の台頭などが描かれる。柳田国男の民俗学や伊波普猷の沖縄学、高群逸枝の女性史学などに目を配り、「地方史」の研究者にも言及している。

『二〇世紀日本の歴史学』は、こうして大学のなかで講じられる歴史学や、歴史家たちがつくり上げる学界（そこには、アカデミズムと対抗的な「在野」の歴史家たち、およびその組織も含まれる）の活動を主軸とし、近年の諸外国における「日本研究」も視野に収めながら、歴史学研究の歴史を描いてみせた。

もっとも、同書では「歴史学」が厳密に扱われていて、社会経済史や社会構成体の分析にかかわる研究が中心となり、たとえば歴史文学にかかわる論点はふれられていない。論点を正確に言い直せば、ここでは「歴史学」と歴史学以外の作品とを切り分ける根拠が示されず、歴史学が所与のもの、自明なものとして扱われ、歴史学の領域(=範囲)はすでに定まったものとされている。どの作品が「歴史学」と見なされて扱われ、だれが歴史家と認定されたかということの歴史性を明らかにすることが、史学史の課題であるだろうが、永原は、そこには立ち入っていない。

また、「日本」ということも論点となる。東京帝国大学の国史学科の教授であった黒板勝美は、植民地時代の朝鮮の歴史編纂を主導し『朝鮮史』の刊行に関与している。そのほかにも多くの日本の歴史家が、植民地であった朝鮮や台湾で活動する。しかし、同書ではそのことには言及していない。植民地文学が、「日本文学史」の領域で扱われるようになるなかで、「日本」の歴史学といったとき、どこまでをその範囲とするかは重要なことである。歴史学それ自身の時間的な推移と、空間的な変遷、そして、そのこと自体がもつ歴史性への認識が重要であろう。

『二〇世紀日本の歴史学』の歴史認識を支えているのは、一九三〇年代以降に風靡した皇国史観への強い反撥である。同書の全体を通じて、「反近代」を標榜するとして日本浪漫派グループと西田(幾多郎)哲学グループが忌避され、「近代の超克」「世界史的立場と日本」が批判の参照系としてもち出される――「反進歩・反近代という非合理主義は、皇国史観と共鳴しあってマルクス歴史学や実証主義歴史学への思想的攻撃力を強めていった」という記述は、繰り返しおこなわれている。

この観点は、戦後の歴史学の潮流のなかにもち込まれ、たとえば網野善彦の歴史学はこの参照系によって「空想的浪漫主義的歴史観」をもつと論じられ、社会史に対しても「ポストモダン」論（さらに「近代の超克」論）と重ねあわされ警戒される。『二〇世紀日本の歴史学』においては、「非近代」「非合理主義」への警戒心と、「近代―合理」の体系を擁護する姿勢を明示している。このことが、同書における「長い二〇世紀」の叙述と重なっていることは明らかであろう。

こうした史学史を書く永原の内面―「私」の領域は、一九四二年に東京帝国大学に入学し、そのまま徴兵され「軍隊で敗戦を迎えた」という体験と密接不可分であろう。同書の「おわりに」で永原は「自分の視座」として、そのことを説明している。したがって、「世代的にも意識・思想的にも」戦後歴史学のなかで問題意識を育て、「封建制」「地主制」への「学問的関心」から出発したという。この発言に沿って言えば、『二〇世紀日本の歴史学』は、戦後に台頭した「戦後歴史学」の立場からの史学史となっている。『二〇世紀日本の歴史学』は、〈いま〉の歴史学が認知している歴史学研究の範囲を「歴史学」としてとりあげた著作ということとなる。

あらためて、歴史学における自己確認としての史学史を、先の二つの文学史の叙述と比較してみると、『二〇世紀日本の歴史学』は、歴史学のキャノンの紹介に忙しいこととなった。現在に連なる歴史学をつくり上げた歴史家とその代表作を、手際よく紹介する著作である。そのため、『二〇世紀日本の歴史学』においては、キャノンの再解釈をおこなうのではなく、キャノンを流派に分け、流派ごとにキャノンを拾い上げその系譜を追い、それらのモノ、ヒト、コトをていねいに紹介し論ずる。先の『座談会 昭和文学史』『文学史を読みかえる』がキャノンを疑い、キャノンを再解釈し、キャノンから零れ落とされたものに眼を向けようとする態度であったことと異なり、『二〇世紀日本の歴史学』ではキャノンに対しての温度差が見られる。史学史の代表的な作品として『二〇世紀日本の歴史学』は、現時の歴史意識を保持して、過去の歴史学にかかわるヒト、モノ、コトをとりあげた作品となっている。『二〇世紀日本の歴史学』においては、「近代」の価値体系がそれほど強く自己拘束をしている。

歴史学や文学の個々の作品では、時間や歴史の観念が複雑に配置されており、「歴史と文学」を考察する場合、どの作品を選択して相互に比較するかによって、結論がままに前提とされてしまう。歴史と文学の比較と考察をおこなうことは、個別の作品に即してはなかなかに厄介である。しかし、「文学史」と「史学史」はともに歴史叙述として提供されており、比較の水準を同じくし、比較することが可能な領域となっている。ここが、〈いま〉の「歴史と文学」の検証の場所となろう。文学史と史学史においては、それぞれ、「文学」／「歴史」の範囲、キャノンの選定の根拠、モノ・ヒト・コトの連続性の叙述の作法の提示、トキにおける通時性と共時性と概念の確定などが、実践的に叙述される分野である。

いったん、このように問題を設定して現時の「文学史」と「史学史」を比較するとき、上述したように、文学史と史学史の双方に認識の少なからぬ差異が見られることもたしかである。そしてその差異は、双方の歴史認識と歴史叙述の認識の差異であると言うことができる。史学史の側から言えば、何がどのような理由で「歴史(学)」の領域に振り分けられ、何は「歴史(学)」以外へと追いやられたかを歴史的な視点から考察することになる。たとえば、坂崎紫瀾が坂本龍馬を描いた『汗血千里駒』(一八八三年)は「歴史小説」に押し込められてしまっているが、坂崎は、大著『維新土佐勤皇史』を著す歴史家でもあった。坂崎の意識としては、両著の区別は小説／歴史書というものではなく、『汗血千里駒』を歴史小説とするのは、現在の観点からの整理によっている。

となれば、(すでに史学史でとりあげられている)山路愛山や竹越三叉(与三郎)の作品とともに、(「歴史小説」として扱われている)子母澤寛『新撰組始末記』を検討し、島崎藤村『夜明け前』や江馬修『山の民』を一九三〇年代後半に書かれた歴史叙述として考察し、戦後における西野辰吉の秩父事件論を自由民権運動研究のひとつとして含むような史学史が構想されうるのである。宮武外骨や石井研堂、松本清張や井出孫六らの作品を含むものとして、史学史が書かれることが考えうる。ひろく歴史を叙述した作品を対象として、誰が歴史家として認知され、どの作品が歴史学の作品として認定されたかについての根拠と線引き、およびその歴史的な推移と変遷を明らかにする試みとして史学史はあろう。こうした問いをはらむ分野として史学史を構想することによって、史学史は文学史をはじめとする他の領域の歴史叙述との対話と交流が可能となるのではなかろうか。及ばずながら拙著『歴史学のスタイル』(校倉書房、二〇〇一年)で試みたのは、かかる史学史へのささやかな踏み出しであった。

このような問題意識に立つとき、史学史においては、『二〇世紀日本の歴史学』をなぞるのではなく、同書自身が「二〇世紀日本の歴史学」を体現していることを明らかにすることによって考察を深めることができよう。山路愛山の作品は同書で歴史学の作品として扱われているが、大岡昇平の『レイテ戦記』ははじめから除外されていることを、史学史の問題として考察する必要があると言える。同書の歴史的位相、すなわち史学史的位置づけをすることが、永原がこの著作を著した意図を汲むこととなるとともに、史学史のこの自己点検をおこなうことによって、文学史への架橋がおこなわれ、「歴史と文学」を従来の視角とは異なる観点から考察することが可能となる。

文学史は、二〇世紀の末葉から競演による饗宴がなされ、興味深い大部の作品が提供された。文学史には、「挑発としての文学史」(ヤウス)を経て、文学史のスタイルをあらためて探ろうとしている営みが見られる。史学史の分野においては(歴史学全体にも通じるが)、「挑発としての文学史」に比する、「挑発としての史学史」の提示こそが、いまや必要なのではなかろうか。そしてこのことが、「歴史と文学」という命題へのより深化した接近になるように思う。

〔補註〕その後(二〇〇七年)、池田浩士編『〈いま〉を読みかえる』が第八巻として、「「この時代」の終わり」を副題としてインパクト出版会から刊行された。さらに「文学史を読みかえる」研究会編による論集『文学史を読みかえる』も三冊刊行された(二〇一二年、一四年、二〇年)。

II

鏡あるいは座標軸としての「民衆史研究」

第7章　違和感をかざす歴史学

はじめに

歴史学が問われている、という感覚を歴史家たちがもつようになってから、かなりの時間が経過している。いつの時期にもこうした問いが存するとはいえ、今日の状況においてこの問いはなかなかに深刻である。グローバリゼーションという事態が「歴史」を消去しているということに加え、「戦後」からの時間、さらには近代の射程のなかで歴史学のいまが問われている。歴史学は、いま何をすべきであり、何が可能であるのか。また、どのような学知として、自他から要請されているのか。

こうした問いに対し、一見迂遠のように見えながら、史学史という領域から回答を出そうという動きが見えてきている。史学史という領域は、元来、「歴史学」の歴史として歴史学の一角を占めており、講座などでは別巻が史学史に割かれることが多い。たとえば、歴史学研究会・日本史研究会編『日本歴史講座』(全八巻、東京大学出版会、一九五六―五七年)は、第八巻を「日本史学史」にあてている。第二次となる『講座日本史』(全一〇巻、東京大学出版会、一九七〇―七一年)は、第九巻が「日本史学論争」となり、「寄生地主論」(安孫子麟)、「近代天皇制論」(後藤靖)、「近代化論」(和田春樹)のように問題別・課題別の論点提示と総括を行った。もっとも、『講座 日本歴史』(全一三巻、東京大学出版会、一九八四―八五年)は、第一三巻を「歴史における現在」とし、さまざまな現代日本の問題を指摘・考察するが、歴史学の総括は見送られている(1)。

他方、岩波書店の『岩波講座 日本歴史』(第三次は、『岩波講座 日本通史』とされる)は、戦後の第一次講座(全二二巻+別巻二、一九六二―六四年)において、別巻Ⅰで史学史にかかわる論稿(岩井忠熊「日本近代史学の形成」、北山茂夫「日本近代史学の発展」)を掲載し、第二次講座(全二三巻+別巻三、一九七五―七七年)は「戦後日本史学」に焦点を絞り、戦後における研究史を主軸にした。また、第三次講座(全二一巻+別巻四、一九九三―九六年)では別巻一で、キャロル・グラック(「戦後史学のメタヒストリー」)やジョン・ダワー(「日本社会像の原像」)、尹健次(「戦後歴史学のアジア観」)らが「歴史意識」を正面に据え、メタヒストリーの視点を導入し、アメリカを主とする(日本以外の地域での)日本史研究やアジア観などを考察し、史学史的考察により歴史と歴史学へのあらたな観点を示した。歴史学を自己点検するとともに、史学史の方法を再考察する試みともなっている。

こうして、史学史はいまの歴史学のありようを、これまでの道筋をたどり検証することともに、歴史学の営みとはいかなる行為であるかという点にも接近している。史学史の方法の推移にもそのことはうかがえ、当初の歴史学流派の分類・整理から、問題史的な指摘(中村政則「現代民主主義と歴史学」『講座日本史』第一〇巻、東京大学出版会、一九七一年)、さらには、歴史学以外の領域にも目を配り、広く歴史意識に論及する史学史が出され(鹿野政直『「鳥島」は入っているか』岩波書店、一九八八年)、ついにはさきに紹介したようなメタヒストリーの領域にまで入り込んだ(キャロル・グラック「戦後史学のメタヒストリー」『岩波講座　日本通史』別巻一、岩波書店、一九九五年[2])。

後述するように、戦後日本における歴史学は大づかみに記せば、「戦後歴史学」から出発し「民衆思想史―民衆史研究」を経て、一九七〇年代後半には「社会史研究」が登場するという潮流をもつ。その後、一九九〇年代に入り歴史学の困難が言われるようになるが、どこに節目を見出し、どの潮流に親近感をもつかは論者によって異なり、その立場の違いが史学史の見取り図にも差異を生み出している。

ここでは、一九六〇年前後に主唱された民衆思想史―民衆史研究を手がかりに、戦後歴史学、および現在の歴史学の状況を考察する糸口を見出すことを考えてみたい[3]。民衆思想史研究の登場は、歴史学がまだ自信を有していた時期であったが、高度成長にともない、人びとのなかに中流意識が胚胎する時期と重なっている。ことばを換えれば、冷戦体制期――戦後意識として実感されていたが――の「国民的」アイデンティティとして、歴史が一定の役割を担っている時期に民衆思想史研究が、(戦後歴史学と並ぶ)批判的な歴史学として介入してくる。民衆思想史研究は、社会経済史に対し(「民衆」という)「主体」を強調する歴史像を打ち出し、(「民衆」という)周縁からの視点で従来の歴史の相対化を図る歴史学である、と当面述べておこう。登場から五〇年を経て、民衆(思想)史研究はいまや歴史学の中心にあり、民衆思想史研究を手がかりにいまを測り、これからを構想する動きがさまざまに見え始めている(4)。

戦後日本の史学史を考察するに当たり、民衆思想史研究を軸とする論点を、さしあたり四点挙げておこう。第一は、いまや「民衆」ぬきの歴史は存在しえない状況になっているが、ここに至る過程を検討するためである。一九六〇年前後から民衆を歴史の主人公とした歴史学の検討は、グローバリゼーションのなかであらためて「民衆」とは誰を指すのか、またなぜ「民衆」が語られなければならないか、という省察ともなる。

第二は、民衆を歴史における「主体」としたことにかかわり、主体にともなう責任を探ることである。現時の新自由主義による「自己責任」の議論を念頭に置きながら、民衆(思想)史研究の知見を測りたい。このことは、第三に、出来事の解釈における当事者(性)という論点ともなる。当事者の内面に沿う形で歴史の再構成を行ってきた民衆(思想)史研究の営みは、いったいどのような意味をいまもつのか。

そして第四には、歴史学と戦後の関係についてである。民衆思想史研究の主導者たちは、年長の色川大吉が一九二五年生まれで学徒出陣の経験をもち、鹿野政直(一九三一年生まれ)、安丸良夫(一九三四年生まれ)、ひろたまさき(一九三四年生まれ)らは少国民世代として、いずれも戦争体験を有している。語り始めの時期に差はあるが、こもごも戦時期に軍国主義に感染した自己を語るとともに、戦後思想に大きな思想的影響を受けていることを標榜する研究者たちでもある。一九五〇年代に鹿野や安丸が歴史学界に登場してきたとき、彼らは戦後の価値観から逸脱せずに歴史学を実践してみせた。いまや戦後が終焉したという認識のもとで、たえず違和感を呈しながら、戦後の推移に正面から向きあってきた民衆思想史研究の検討は、戦後知としての歴史学の営みとその意味を探るものとなるはずである。

こうして、民衆思想史研究を軸に、戦後日本の史学史をあらためて考察することが、ここでの目的である。これまでの史学史は、戦後歴史学の立場から戦後歴史学を対象とした史学史であったが、近年では先述のようにさまざまな方法的な工夫がなされ、史学史自体が領域ではなく、歴史学を検証するひとつの方法となっている。この立場から、民衆(思想)史研究を扱い、現時の歴史学のありようを考察してみたい。

まずはいくつかの手続きが必要である。民衆思想史研究の分析の視座として、(A)問題意識、(B)方法、(C)対象、(D)イデオロギー、(E)叙述を分節化し、さらに時系列を導入し、民衆思想史―民衆史研究を大きく前期、中期、後期と時期区分する。民衆思想史研究の現象とともに、(A)から(E)までのメタヒストリーの領域に踏み込むこととするが、本章では主として鹿野政直と安丸良夫の研究を対象とし、民衆思想史研究の出発から前期・中期における、その構想力を探ることにしよう。ふたりの作品を考察し、(社会や歴史学の状況に対する)違和感を手がかりとする思考とその構想力を見ることにする。

ことばを重ねれば、民衆思想史研究の形成―展開を通じて、この間の歴史学が「なにを」扱ったかと同時に、「いかに」評価し叙述してきたか、とその方法を問うことになる。民衆思想史研究といったとき、色川大吉『明治精神史』(黄河書房、一九六四年)とともに、安丸の論文「日本の近代化と民衆思想」(『日本史研究』第七八・七九号、一九六五年五・七月)、鹿野の大著『資本主義形成期の秩序意識』(筑摩書房、一九六九年)がそのひとつの指標として掲げられるのが通例である。ここでも、とりあえず、この作品を念頭に置きながら考察を始めたい。前期といったときにはこれらの作品を指し、まずはそこに至るまでの道のりを探ってみる。

1　はじまりの違和感

民衆思想史研究への助走

民衆思想史研究の誕生ということを考えたとき、鹿野政直と安丸良夫にとって、まずは戦後歴史学の受容とそれへの違和感が出発点となる。鹿野が最初に公表した論文は「日本軍隊の成立」（『歴史評論』第四六号、一九五三年六月）、安丸は（鈴木良、井上和子と共著で）「共同研究　戦後の天皇制」（『黎明』一九五五年一月）[5]である。ともに戦前を規定した制度であり、戦後歴史学が追究した主題、対象である軍隊、天皇制を戦後の価値軸で考察している。

戦後歴史学を、マルクス主義と近代政治学という二つの学知を軸にする歴史学と、ここではゆるやかに規定しておこう。戦後歴史学は、戦時の歴史学を批判するとともに、日本近代の総体を批判的に対象とし、歴史の法則や、主題としての変革と主体の設定という方法、西洋との比較など多様な問題群・問題系を提起した（とりあえずは、遠山茂樹『戦後の歴史学と歴史意識』岩波書店、一九六八年、を参照されたい。また、『思想』二〇一一年八月、掲載の小沢弘明、戸邉秀明との座談会「戦後日本の歴史学の流れ」でも、私見を述べておいた）。

しかし、鹿野は軍隊、安丸は天皇制という、戦後歴史学が正面から取り組む問題系を扱いながら、戦後歴史学の扱いとの差異も示している。ふたりには、戦後歴史学を受容しつつ、同時になんらかの違和感があり、そこを手がかりに自らの歴史学を紡ぎ出そうとする姿勢があるように見える。

たとえば、「共同研究 戦後の天皇制」は、「天皇神話」は過去のものとなったのではなく、「新時代、民主主義の仮面」をかぶりながら「新しい役割を——否、全く昔と同じ役割」さえ示すということを批判的に議論する。天皇制に真正面から取り組んだこの論文で、安丸は「天皇制はどの様に残つているか」を記している。京都の小学生の綴方をはじめ、亀井勝一郎らの論を取り上げ、戦後の天皇制擁護論は比喩が多く「気分的感情的性質」のものであることを指摘する。また、雑誌『平凡』なども史料として取り上げながら、「天皇制絶対主義」と「権威主義」「非合理主義」「卑屈感」あるいは「我利我利主義」が結びついており、「天皇制」に対し「正しい態度決定」をすることが、生活に巣くう「権威主義」などの「克服」につながることとなると主張する。

天皇制は「われわれ内部」に根拠をもつとし、その観点から天皇制を把握するとともに、さらに天皇制と「共産主義」との受容の同位性をもち出す。すなわち、安丸は「天皇主義」と「共産主義」の二つに対し、「自由な批判」がなされず「自主的な判断」を止め、「情緒的」な好悪を感ずる「日本思想の盲点」とした。「共産主義」を根拠とするのではなく、むしろ「共産主義」の立場のなかに「権威主義」という「天皇主義」を支える基盤を見出している。違和感を立てて議論を展開しており、ここに安丸の面目をうかがうことができよう。

他方、「「国民的」軍隊」を発足させた日本は「武装国家としての内容と形式」を備えた(前掲「日本軍隊の成立」)とする鹿野は、軍隊に対する違和感を前面に押し出している。さらに、鹿野は戦後歴史学の中核的な担い手であった歴史学研究会の大会についての感想を記すなかでも違和感をいう(「歴研六一年度大会の現代的意義」『早稲田大学新聞』一九六一年六月七・一四日)。すなわち、鹿野は一九六一年度の歴史学研究会での、とくに芝原拓自の報告に触れ、「大塚(久雄—註)史学にかわるあたらしい変革の理論、いわばアジア人からの変革の理論の原型ともいうべきものを、かなり的確なヴィジョンをもって創造したもの」とその意義を捉えてみせた。

そのうえで、鹿野は歴史学研究会がその時々の「切実な課題」を「共通テーマ」として設定してきたことを評価する一方、そこでの課題の追求によって蓄積されたはずの「歴史認識」が、安保闘争という「現代史のもっとも重要な局面」において、「ほとんどなんらの有効性をも発揮しえないものでしかなかった」ことを批判する。「戦後のあたらしい歴史学」の「にない手」である歴史学研究会の「課題の設定」「その追求のしかた」への違和感であり、それは「学問と実践」という二つの要求が「最悪のかたちでむすびつけられ」、しばしば「性急な政治主義」「便宜主義的な処方箋の提示」であったとまで述べられている。

そもそも経済史とそこを前提とした政治史を重視する戦後歴史学に対し、思想史を拠点とすること自体がすでに距離を見せているが、当然、二人の論点はそこにはとどまらない。

思想史を入り口とする鹿野も安丸も、方法の検討を必須とし、安丸は「近代的社会観の構造」として「生産力」「民主主義」「近代的自我の発展」という「三つの要素」を挙げた(「近代的社会観の形成」『日本史研究』第五三号、一九六一年三月)。また、鹿野は『日本近代思想の形成』(新評論社、一九五六年)の「はしがき」で、人物を論じるばあい、まず「進歩的意義」を、次にその「限界」を論じ「差引いくらの進歩性(乃至反動性)と結論する収支決算書」が多いと、これまでの思想史批判を行う。「進歩的意義」を論じるばあいは、人間を「超歴史的な存在として英雄視」し、「限界」のときは「社会経済面へ還元」してしまうようにみえるとした。鹿野も安丸も、目の前の思想史研究に対しても違和感を起点に方法的検討を行っている。(6)

さて、思想史というとき、(A)問題意識と(B)方法では、安丸は、丸山眞男とその学派による政治学からの思想史、鹿野は、家永三郎による思想史との格闘を見せている。

安丸は、丸山眞男、藤田省三、神島二郎らの著作を取り上げ、書評を次々に行っている。芝原拓自・鈴木良との共同執筆である「思想としての現代社会科学」(『新しい歴史学のために』第六三号、一九六〇年)をはじめ、「書評　神島二郎『近代日本の精神構造』」(『日本史研究』第五六号、一九六一年九月)、「近代日本の思想構造」(『新しい歴史学のために』第七六号、一九六二年)、「日本社会の病理の追求」(『展望』第九四号、一九六六年九月)などであるが、近代政治学の人びとの旺盛な執筆活動に対し、安丸はまめに、かつ真正面から対応していった。

試みに、「丸山眞男『日本の思想』を読んで」との副題をもつ、安丸「近代日本の思想構造」を見れば、丸山の議論を「近代日本において諸思想は相互の対決をへて「蓄積され構造化される」ことがなかった」と主張していると要約し、ここに照準を合わせ「西欧市民社会型の諸思想についてのみ(丸山の議論は―註)正しい」という。安丸は、「西洋市民社会的な系譜」からは外れるが、決して「主体性」を喪失したのではない日本の思想家たちの事例を挙げ、彼らは日本思想のなかに「構造的」に組み込まれていたことを強調する。「主体性」と「共同体」の理解の相違が丸山に向かってぶつけられるが、「より強く共同体的人間であること」がそのひとにとっての「主体的真実」である存在に着目し、安丸は「共同体的なタテマエ」もそれを徹底することにより「日本近代社会の根本的な批判」に「到達」しうるとした。

丸山の議論は「日本の思想一般」を扱うのではなく、なぜ「西欧市民社会型の諸思想」の蓄積・構造化がなされなかったのかとして設問されるべきであり、それ自体は「正しい側面をたくさんもっている」丸山の批判的な立場が「現実の社会体制とはかかわりのないたんなる当為」「到達しようのない理想」となっている点に、安丸の批判が向けられている。一九五〇年頃の丸山の主体性論は「民主々義革命という社会変革の戦略的構想」と結びついていたが、安保闘争以降の六〇年代ではなんらの「戦略的構想」とも結びつかず、ただ「主体性の確立」という「当為の形」でしか出されていないとも、安丸は述べる。共同体に根差した近代日本の変革、またそれと対をなす、共同体と重ね合わされた主体性のありようへの関心が、丸山眞男を批判するなかで語られ、このことが安丸の思想史の方法的な省察となっている。

他方、鹿野は『日本近代思想の形成』を上梓したのち、この著作で言及されなかった内村鑑三や徳富蘇峰、あるいは自由民権家について論じ、対象を一八八〇年代に移行させるとともに、思想家の「受けとめられかた」に踏み込む(「福沢諭吉の受けとめられかた」『福沢研究』第八号、一九五七年)。「思想家の影響」ではなく「受容」としたことに、受け止める側の「主体」を見出そうとする鹿野の意図がある。大きな日本近代史像の枠組みを前提としつつ、個人を手がかりに細部に踏み込みながら論じていく。

そもそも、鹿野の『日本近代思想の形成』は、第一章「封建思想の変容」と第二章「資本主義思想の形成とその性格」とに分かたれ(7)、前者では尊王攘夷思想、倒幕思想、絶対主義思想が、後者では資本主義思想、社会主義思想が取り上げられ、時系列的な系譜として把握する一方、それぞれを、吉田松陰―高杉晋作―大久保利通―福沢諭吉―幸徳秋水という個人によって代表させていた(8)。

こうした鹿野にとって、念頭にあったのは家永三郎の思想史であった(9)。鹿野は、(植木枝盛を論じた）家永三郎『革命思想の先駆者』（岩波書店、一九五五年）の書評を行うなかで、家永の思想史の方法に言及する（『史観』第四六号、一九五六年三月）。ここで鹿野は、まずは家永が、かつて論じた方法と異なる姿勢を見せたことを指摘する――「著者の態度は、進歩的意義を認めながらも限界を論ずる立場から、限界は限界として認めながらも、敢て進歩的意義を論ずる立場へ転換したのだ」。

しかしそのうえで、鹿野は、家永がはじめにその「進歩的部分」を詳細に展開し、次にはそれでは「一見割り切れないような後れの部分」を取り出し、それを「限界」とする点を批判する。鹿野にとってみれば、（植木枝盛の）「矛盾」は、「いわば矛盾のまま投げ出されて」おり、そうした「矛盾」が「同一人格のなかに統一されていたこと」に問題の所在を見出すことになる。植木枝盛の自由民権理論自体のなかに、植木が遊里へ行くことを妨げない「何か」があり、両者を「構造的に統一」して捉えなければならないとした。そしてその視点によってこそ、植木の思想は「普遍性と一層関連的に考察」しうるというのであった。

鹿野は、こうして家永の方法を検討し、政治的主張と倫理的態度とが近代日本において「乖離しがちであった」と論点を拡大しながら、自己の問題意識と方法を追求していく姿勢をみせた。

同時に鹿野は、師事する西岡虎之助の門下生たちが中心となる民衆史研究会の結成に関与している。一九六〇年に結成された、民衆史研究会の会則第一条は「民衆を歴史発展の主体的要素とする認識をもち、日本史の科学的究明を目的とする」とされている。

2 民衆思想史研究の成立――前期・民衆思想史研究

民衆思想史研究にとり、色川大吉『明治精神史』の刊行は、ひとつの事件であった。のみならず、その枠を超えて史学史としても大きな意味をもつ。[10] 鹿野も安丸も、『明治精神史』への一貫した称揚を行い、それぞれ書評を『社会科学討究』(鹿野。第一二巻第二号、一九六六年一二月)、『東京経済大学人文自然科学論集』(安丸、八・九号、一九六五年三月)に記している。

鹿野は、『明治精神史』が歴史学界にもたらしたものとして「思想史研究における底辺からの視座」を言い、「思想史の主人公」として「人民」が「設定」されていること、「無定形のもの」を掘り起こしたこと、「人間の回復」――「人間を全体として」捉えようとしたこと――を指摘する。

鹿野が『明治精神史』の意義を、(色川の意図を)解読する方向で議論をしたのに対し、安丸は(『明治精神史』の意義を最大限に尊重しながら)あえて異なった民衆思想への解釈を対置する。民衆の「主体変革=自己鍛錬」を指摘するのだが、(直後に論文として公表する)「日本の近代化と民衆思想」の構想をぶつけていると言ってもよかろう。このとき、安丸は、色川の方法として「思想を「思想作品」としてではなく、人間体験の独自な内面的意味としてとらえることに成功している」とする。[11]

注意を払っておきたいのは、ここに至るまで、鹿野も安丸も「民衆」の内実には言及していなかったことである。歴史学において支配者(権力)の事項のみが書き留められるとき、その記述を批判する方法として民衆に言及していた。換言すれば、色川が『明治精神史』において、石坂公歴ら東京多摩の豪農たちを「民衆」として描き出したとき、両者はあらためて民衆の内実——誰が民衆であるかに意識を向けたということになる。それぞれの作法で『明治精神史』への衝撃と称賛を語った鹿野と安丸は、自らの作品においても、一九六〇年代の半ばに「民衆」という語を用いて、これまでの立場を移行させていく。さまざまな要因があるなか、『明治精神史』が重要な契機となって、あらたなステージへと踏み出す。安丸と鹿野にとっての(方法にとどまらない)民衆像への接近であり、そのことによる民衆思想史研究の誕生である。

大きな文脈では、安保闘争およびその後の所得倍増政策——思想的には近代化論の瀰漫が証言されるが(たとえば、安丸の単行本『日本の近代化と民衆思想』青木書店、一九七四年、の「あとがき」など)、独自の模索と『明治精神史』の登場など、内在的かつ外在的な合力により、一九六〇年代半ばに安丸と鹿野の歴史学は、(A)問題意識、(B)方法、(C)

対象のいずれもが大きく改変された。その結果として、安丸は論文「日本の近代化と民衆思想」を書き、鹿野は大著『資本主義形成期の秩序意識』を上梓し、「民衆」を前面に掲げていくことになる[12]。

安丸の論文「日本の近代化と民衆思想」は、「生活規範を中核とした民衆的諸思想」として勤勉、倹約、孝行などの「通俗道徳」を抽出し、それが「自己規律」に基づく「自己変革の可能性」をもつものであることを指摘したうえで、その「自己形成・自己鍛錬の過程と意味」を「欺瞞性のカラクリ」をも含めて、明らかにしようとする作品である。ここで、安丸は通俗道徳の形態を通して発揮された「広汎な人々の真摯で懸命な人間的努力」が可能性とともに「支配体制を安定させる方向」に作用したことを、あわせて強調している。

人間論的な立場を根底に据え、「通俗道徳」というイデオロギーを抽出し、それに対する民衆の視点からの批判と、通俗道徳—虚偽意識が歴史的形態をもつことを論証するが、通俗道徳が「強い規制力」をもちえた根拠のひとつを、安丸は「ある歴史的発展段階における広汎な民衆の自己形成・自己解放の努力がこめられる歴史的・具体的な形態」であったことに求めている。天皇制イデオロギーは、かかる通俗道徳のうえに「構築」されたとするのである。安丸は、人間が生み出した能力は「特有の形態」を有することにより「本来の人間らしさ」に対し「よそよそしく外在的で抑圧的な力」となることを、歴史的な事象として考察したということができる。ことばを換えれば、安丸は通俗道徳と「庶民の功利的目的」との「接合・癒着」のなかに「近代日本の思想構造の巧妙なカラクリの原基形態」を見出すのである。

安丸にとっての「民衆」は、その営み(「内面に醸成された厖大な建設的なエネルギー」)が近代化をもたらす存在であることが明らかにされ、論文「日本の近代化と民衆思想」では、民衆は知識人とは異なった論理と実践を有する集団として認定されている。丸山眞男とその学派が知識人を扱い、その視点からのみ「思想(史)」を構成することを安丸は批判してきたが、あらためてこの論文で、非知識人としての民衆がもつ、(知識人とは異なる)別個の主体形成―思想を描き出した。そして、その民衆の主体的な営為こそが、日本の近代化の原動力であったことを、その構造(＝カラクリ)とあわせ論じてみせたのである。

これは経済史研究(生産力の発展、社会的分業の展開、農民層分解……)や政治史研究(農民一揆・打ちこわし、幕・藩政改革……)が明らかにした「人間的社会的エネルギー」の発露に見られる「民衆の成長過程」への思想史研究からの考察である。このとき、安丸にとってみれば「自然と人間の分裂」「経験的合理的認識の発展」「自我の確立」などを基準とする旧来の思想史の方法は、「支配階級の立場かその周辺部」の思想の解明にとどまる。この「モダニズムの方法」では、民衆的諸思想は非合理で遅れたものに見え、そこでのきびしい自己形成・自己鍛錬の努力は理解できないとされる。こうしたなか、ここでの民衆の営為―「覚醒」は近世の儒教と仏教の宿命論に対する「能動性・主体性の哲学の樹立」であったと、安丸は意味づけた。

「民衆的諸思想」を対象とし、「民衆」を方法とする思想史がここに描き出された。論文「日本の近代化と民衆思想」は、戦後歴史学の論文を読みなれた目にとっては、まったく斬新な論文と映るであろう。戦後歴史学が焦点とした制度や運動ではなく、思想家の思想分析でもない。ひとつの主張が具体的・歴史的な論証をともなって提供されており、従来の歴史学や思想史研究とは異なった(B)方法と(C)対象、さらに(E)叙述が試みられている。近代化論に対する(D)イデオロギー批判も、論理として組み込まれていた。民衆思想史研究の旗揚げに相応しい力編であった。

他方、「精神の歴史」が「理性の歴史」にとどまらず、「情熱とか衝動とかためらいの歴史」でもあるという観点から『明治の思想』(筑摩書房、一九六四年)を著した鹿野は、さらに子供向きに『明治維新につくした人々』(さ・え・ら書房、一九六六年)で「民衆」の世界に入り込む。『明治維新につくした人々』では、さきの『日本近代思想の形成』での人物群に修正を行い(幸徳秋水と福沢諭吉に代えて)坂本龍馬と中山みきを加え、明治維新を描こうとしている。福沢については別著で考察することになるが(『福沢諭吉』清水書院、一九六七年)、中山みきがここに加えられたのは、政治の枠組みからのみではない社会の把握を示し、「民衆」に向かう試みであったといえよう。鹿野は、中山みきに「幕末における民衆の希望と、さらに、明治維新でなしとげることのできなかったことへの批判」を見出そうとしており、中山みきを介し、薩長史観の相対化を意図した作品であったとも読むことができる。[13] 加えて、女性史への端緒を見出すことも可能であろう。

鹿野の『資本主義形成期の秩序意識』は、六〇〇頁を超える文字どおりの大著で、幕末から明治末期までの思想史を丸ごと扱っている。「資本主義形成期の歴史像」を「思想＝秩序意識の面」から描き出すことを図り、階層別に通時的にそのすべてに接近しようという特徴をもつ。

序章に「後期幕藩体制下の精神状況」を置き、「封建秩序解体期における志士的路線と農民的路線の競合」「資本創出期における官僚的路線と民衆的路線の対決」「資本制確立期における地主・ブルジョア的路線の優越と小市民・プロレタリア的路線の抵抗」という大きな三部立てとなっている。各部のタイトルは、社会経済史による時期規定、階級による「路線」―秩序構想の対抗的な把握となっており、説明的であり、かつゴツゴツした手ざわりとなっている。後の鹿野ならば史料から抽出したことばで表現するであろうところを、「志士」「農民」「官僚」「民衆」「地主・ブルジョア」「小市民・プロレタリア」と、そっけなく、しかも次元の異なる範疇を交えながら表題としている。枠組みはオーソドックス(ということは、戦後歴史学―社会経済史的)にし、そこに厖大な人びとの

痕跡としての史料を投げ込むという手法のように見受けられる。(14)

ここで鹿野は、民衆と民衆を軸とする思想史研究のあらたな動向を手がかりに、自らの歴史像を全面的に展開していく。(A)問題意識と(C)対象のなかに民衆が含められるが、鹿野の議論は思想史の方法から出発する。

資本主義の「疎外」からの回復を希求する鹿野は、思想史は、いかにすれば自らを「社会科学にまでたかめること」ができるだろうか、と問いを立て、これまでの思想史研究を批判する――「思想史学にたいするみたされない気持」(=違和感!)は「歴史叙述」のなかに、「われわれ自身の情感」がすくいあげられていないことに由来していたとする。あわせて、旧来の思想史は「日常的な意識の解明」に消極的であり、思想家の思想を「既成の図式」によってしか捉えていないとも批判する。「実体から概念をつくりだすのではなく、概念をとらえたのちでなければ実体を対象としないという認識方法」であり、対象としているのは「思想の干物」であると手厳しい。

思想史が「代表的な思想家のみ」を取り扱いがちで、「抽象的な理念」を好む傾向をもち、「民衆の意識の実態」から遠ざかり、「思想の機能の把握」が「軽視」されるとの視点からの批判も行っている。「民衆」との関連が希求されず、「権力の論理」にいかに働きかけたかの視点が欠如し、「一つの思想とつぎの思想の間隙」が「政治史的叙述」により埋められるが、そうではなく「思想の歴史の面自体から、全社会構成的な像」をつくりあげていくことを、鹿野は主張する。

しかし、ようやく旧来の姿勢はやぶられたとの認識も、あわせて示している。「思想史の叙述」に、「さまざまの人生の苦闘やなやみ」を感じることができるようになった――「個性的なもの」を描くことにより「普遍的なもの」をより鮮明に浮かび上がらせる態度があらわれてきたとした。そして、近代日本を対象とするばあいに限ると限定しつつ、思想史は「あたらしい飛躍の関門にさしかかっている」としたのである。

『明治精神史』を念頭に置いてであろう、思想家のみを取り上げてきた旧来の思想史を批判し、あらたな思想史の可能性を鹿野は力強く語っている。民衆の意識を含む総体を対象とするとともに、それを方法とすることにより、情感の次元までをも扱う思想史を構想する。思想家を「自己目的的」に扱うのではなく、「なんらかの一般的な要求の反映ないし焦点」として把握すること、また、概念に「超歴史的な価値」を与えず、「変化の実態」を捉える方法をも言う。

『資本主義形成期の秩序意識』では、こうして民衆に着目し、民衆を入れ込むことにより思想史を書きなおそうという壮大な試みをもち、思想史を「権力と民衆という二つの論理の拮抗・対抗関係の歴史」として構想する。思想に投影された「社会構造を析出」することを図り、「それぞれの立場から社会について、その社会構造＝全体像をえがきだす」ことが目指されており、思想史の方法と、方法としての思想史が実践される

こととなった。(15)

民衆思想史研究としての思想史研究の宣言であり、叙述を通じ対象の拡大、問題意識の転換を実践するこの著作において、(内容的に)秩序へ、(方法的に)これまでの思想史へ二重の「違和」を主張することが、鹿野のあらたな立場となった。

ただ、このとき思想を「精神的傾向」から扱い、その「精神過程のダイナミクス」を追求するのだが、そこでは民衆が「類型として把握」されることには注意を払っておきたい。「精神史的な視角」から「日本資本主義社会の構造的な特質」を照射し、あわせて、その特質が個人の精神活動にいかなる陰影をおとしているかを描こうとするのである。(16)

こうして『資本主義形成期の秩序意識』に描き出されるのは、「幕末にはじまり明治の末期をもっておわる期間における国民思想の展開過程」——日本における「近代思想」の「成長」とある面での「挫折」である。「近代思想の展開過程」ではなく、日本における資本主義社会の形成が「精神の面でいかに行われたか」を描くのである。鹿野は厖大な史料を用いて、「天皇制国家の思想」と「ブルジョア民主主義社会をめざす思想」(=「市民的変革思想」)を、複雑な対抗関係——志士と農民、さらに志士が官僚へ、農民が民衆地主・資本家と労働者へと分化していく——のもとに描き出していった。

かくして、安丸良夫と鹿野政直においても、一九六〇年代半ばに民衆思想史がそのかたちを現した。色川のばあいは、方法以上にその具体的な叙述に迫力を有しており、安丸は具体的な対象よりは、その視点からするあざやかな論理展開に比重があった。鹿野はと言えば、その視点により、さまざまな人びとの多様な営みをまとめあげていったことに特徴をもつと言うことができよう。

もっとも、一九六〇年代半ばにおいては、戦後歴史学がいまだ圧倒的な影響力を有していた。思想史自体、歴史学においては傍流であり、そのなかで鹿野や安丸のそれぞれの営みが、『明治精神史』をひとつの核として見たとき、ある共通性を有することとなったというのが当面の状況である。鹿野や安丸にとってみれば、民衆思想史研究とはそもそも色川が提唱したものであり、この面々はなにほどの共同研究も行わなければ、学派を形成しているわけでもない、と交々述べている。民衆思想史研究のひとりとして数えられると鹿野が受身の形で言い、そのことが自分にとり、いくらかの桎梏となるというのも(「問いつづけたいこと」『鹿野政直思想史論集』第一巻、岩波書店、二〇〇七年)、ここに至るまでの過程を見ればうなずけることである。

しかし、一九六〇年代半ばに、民衆を手がかりに戦後歴史学に違和を唱えた思想史家たちというまとまりが、この時期の状況――正統派マルクス主義への批判、階級や変革ということばのリアリティの喪失、感性や情動、あるいは挫折感への着目、さらに資本主義による疎外の自覚化などを介在させると、存在感をもって見えてくる。換言すれば、安保闘争のあと、高度経済成長のさなか、政治主導から経済的な利害への関心に人びとの気持ちが向かい始めるこの瞬間に、民衆思想史研究のまとまりが作られうる条件は出来上がっていた。政治と社会、思想と思潮、そして旧来の学知への違和感をもつ研究者たちのまとまりが誕生したということである。

このとき、同時に『明治精神史』を経て、安丸と鹿野にはいまひとつの変化が見られることも指摘しておこう。鹿野や安丸がここであらたに論じた民衆は、かつての非知識人という規定から、かなりの程度に具体化されている。これまで、知識人の思想を相対化するために設定された「民衆」という立場性が、一九六〇年代半ばの作品では実体化されていると言ってもよい。鹿野と安丸において、認識としての民衆から実体としての民衆、方法としての民衆から対象としての民衆へとゆっくりと、そしてひそやかな推移があるように見受けられる。

実体としての民衆、対象としての民衆は、色川『明治精神史』が強烈に打ち出した世界である。それまで認識、方法としての民衆により思想史批判の方向性を、それぞれの立場と問題意識で探っていた鹿野と安丸が、いわば色川の引力圏内に入り込んできている。いや、引き込まれたと言ってもよいであろう。安丸は、色川作品による衝撃から丸山教について、ひろたまさきとともに調査を行っている(「「世直し」の論理の系譜」『日本史研究』第八五・八六号、一九六六年七・九月)。そして、ナショナリズムや宗教政策と宗教意識の考察へと向かう。

一方、鹿野はこの後、一挙に民衆世界を開示していく。大正デモクラシー期に研究領域を移行するとともに、民衆世界に入り込むべく(方法というよりは)史料的な探索を行い、実体を解明しようという志向を見せていく。さらに加えて、女性史研究、沖縄史研究の開始や、民間学の提唱などを行うが、これらは民衆思想史の視点から見えてきた世界であろう。

現れる態度は別個であるが、ともに具体的な民衆世界を探るためのあらたな対象とその史料的な探索に比重をかけるようになっており、(『明治精神史』から受けた)衝撃を示しているように思われる。こうして、鹿野も安丸も具体的な民衆世界に乗り出す――民衆が、方法から対象となっていくのであった。

民衆思想史研究における推移は、民衆の具体相とその広がり、実在的な民衆の思考がたどられることになり、民衆思想史研究から民衆史研究への拡大を必然化していく。このことは両義的である。民衆は、実在するのか――その都度、論者により民衆が名づけられ、定義されるのではないか。民衆を範疇化することには、どのような意味があるのか。民衆思想史研究は、方法規定であるのか――視点(色川流にいえば「視座」)として対象の発見に効力を発揮すると考えるのか。さまざまな問いかけが出されることになる。

このなかで、民衆の実在との論点を打ち出しながら、一九七〇年代前半の民衆思想史

―民衆史研究は展開していった。多くの民衆――このばあいは、非権力者であり、敗れ去ったものということになろう――具体相は、民衆(思想)史という位相を与えられたことにより、悲惨あるいは残酷といった文脈から解き放たれ、歴史上の位置をもつことになった。[17]だが反面、そのことにより、方法意識が希薄化していくのでもあった。

固有名と無名性という軸から説明しなおせば、かつて固有名によって叙述されていた歴史を、戦後歴史学は「階級」―マスとして無名の人びとを歴史の主体とした。そこに色川は、再び固有名詞を与えたのである。権力から遠ざけられた人びとを民衆とし、歴史の主体としたうえで、あわせて彼らに固有名を与えた作品として『明治精神史』を把握することができよう。そこに鹿野と安丸が賛同し、その世界に参画していったのである。

3　民衆思想史研究の転回

一九六八年前後の転回

一九六〇年代半ばに誕生した民衆思想史研究のグループであったが、そこで核となった民衆思想史が、一九六八年に象徴される状況のなかで拡大していったことは見逃せない。たとえば、大江健三郎の呼応(『核時代の想像力』新潮社、一九七〇年)はそのひとつである。大江は、色川大吉の「近代化の四つの要素」の議論(産業化、民主化、自我の解放、ナショナリズム)を引用し、さらに前衛批判を読み取り、「民衆の自律性」を指摘するのである。

あるいは、多くの民衆史研究が提供されていく。大半は在野の執筆者で、まま情念に傾くことも見られたが、たとえば、村上信彦(『明治女性史』全三巻四冊、理論社、一九六九―七二年)、山崎朋子(『愛と鮮血』三省堂、一九七〇年。『サンダカン八番娼館』筑摩書房、一九七二年)らの登場である。聴き取りを含む史料の厖大な収集により、「底辺の視座」や民衆女性へ接近していくなかで、森崎和江(『与論島を出た民の歴史』川西到との共著、たいまつ社、一九七一年。『奈落の神々』大和書房、一九七三年)らも、資本主義から疎外された民衆の内面の探索に比重を置き、旺盛な執筆活動を見せた。

他方、松本健一ら「大衆のエートス」論者によるナショナリズムとファシズム解釈(『若き北一輝』現代評論社、一九七一年。『歴史という闇』第三文明社、一九七五年)、松永伍一ら「土着」論者による伝統論(『日本農民詩史』全三巻五冊、法政大学出版局、一九六七―七〇年)が見られ、さらに、歴史学や民俗学、政治学などからも、民衆を対象とした考察が出される。[18]

背景には、「近代主義」批判、講座派(正統派マルクス主義)へのイデオロギー的批判や、講座派をイデオロギー偏重であるとする批判などがあり、近代(その実、「日本の近代化」

および「日本近代」）への懐疑を「民衆」と「民衆運動」に託すのである。民衆思想史研究の拡大には、（D）イデオロギーの次元も介在している。

安丸や鹿野は、戦後歴史学、および思想史研究への違和感から出発したが、かかる問題意識と接点を有し、こうした一連の研究群とあわせ「受容」される面ももったと言いうる。そして、このことはマニフェストのようになった論文「日本の近代化と民衆思想」、あるいは『資本主義形成期の秩序意識』をはやくも転回させる動きともなっていく。それは、二点において見られ、（C）対象とともに、（A）問題意識にも転回がなされる。前者に関しては、さきに指摘したように、安丸や鹿野は、それぞれ独自の問題意識と課題からあらたな境地を開拓したが、『明治精神史』との接触により、「民衆」による権力の相対化から、民衆世界それ自体に接近することをより明示的に語る。

『歴史学研究』「特集　天皇制イデオロギー」（第三四一号、一九六八年一〇月）に寄稿した、安丸と鹿野の論文[19]をその手がかりにしよう。この特集号には、色川大吉「天皇制イデオロギーと民衆意識」などのほか、安丸「近代化過程における民衆道徳とイデオロギー構成」、鹿野「〝近代〟批判の成立」が収められている。安丸と鹿野に即して言えば、ここに「民衆」を対象とする意図と、そのことによる近代日本の史的構想がデッサンされた。

鹿野「〝近代〟批判の成立」は、旧著『日本近代思想の形成』に触れ、執筆後に「〝卓越した〟個人の研究という視野」にとらわれていたことに気づき、「論理の支配領域」

を半分にし、「受容」を独立させなければならなかったとしている。このことを、鹿野は自分にとって「〝民衆〟が登場してきたこと」として自覚的に記した。

ここでは、さまざまに限定と留保を付したうえで「〝近代〟が自生的に成長した西ヨーロッパ」では思想家の思想が社会意識を「かなりひろく代弁」しえたが、近代日本ではその手法では「国民の思想のかなりの部分」が「未解明のまま」残されるとした(この部分は、『資本主義形成期の秩序意識』にもそっくり記されている)。とともに、鹿野は思想を「より原初的な地点」にさかのぼり、「意識の次元」で認識する必要があるとする。「より混沌たる、よりなまの意識の世界」では生活者である民衆が主人公であり、彼らは思想家の思想をその主張とは異なった次元で受け止めているであろうという認識である。

「生活の論理」と「行動の論理」に着目し、「民衆の海のごとき日常的ないとなみ・体験」を思想史の「基本的な認識対象」とし、これを鹿野は「民衆思想」とした。(C)対象の面からもこれまでの思想史を批判し、「思想史の認識対象」の「転換」を明示した。

同時に鹿野は、後者の点、すなわち(A)問題意識にかかわっても、あらたな見解を出し転回を見せていく。「近代」への批判―「近代」批判への着目である。「民衆のなかに〝近代〟批判の意識がめばえそだち、しだいに体制とは別個の秩序構想にまで結実する」様相の探究へと一歩を踏み出し、日清戦争を契機としての動向を素描する。

すなわち、「〝ブルジョア的自由〟」「〝市民的価値〟」が、日本の帝国主義的進出にあたって、体制と「癒着」し、民衆に対する「あたらしい拘束要素」となり、ここから「〝近代〟批判」が始まるとした。『資本主義形成期の秩序意識』と重なる文章があり、認識も重なっているが「〝近代〟批判」を見出した点に、鹿野のあらたな主張とそれにともなう転回がある。

ここで提出されるのは「近代化の路線」批判ではなく「近代そのもの」に対する疑問であり、「近代化にもかかわらず」救われない階層が残るのではなく、「近代化ゆえに」かかる階層が作られるという歴史把握である。

こうして「民衆を主体においた近代化の構想」は、現象的には「近代への懐疑」を「露出」し始めた。「解放」の近代から「抑圧」の近代へという把握の転換が、鹿野のなかにあらためて自覚され、たとえば、初期社会主義への評価も「民衆がわから展開されたさまざまの〝近代〟批判的秩序構想の中核としての位置」が与えられるとする。

こうして鹿野は「〝近代〟批判によってきたえられた民衆の秩序の構想力」を探ることになったが、一九六八年に象徴される社会運動の高揚のなかで、(A)問題意識として「〝近代〟批判」に至り、(C)対象としてもそのことを一八九〇年代の歴史に探ることにより、あらたな歴史認識を提示したと言いえよう。

他方、安丸「近代化過程における民衆道徳とイデオロギー構成」では、どのような主張がなされていようか。安丸は、論文「日本の近代化と民衆思想」を前提にしながら論じている。

「日本近代社会成立期」という「特有の歴史時代」における民衆思想を研究する意味と課題を、(1)「日本の近代化」をその「最基底部から支えた民衆のエネルギー」をその「人格的な形態」において、「広汎な民衆の内面性」を通して捉え、「広汎な民衆のあらたな生活態度の樹立」が、「近代的生産力の人格的形態」であることを明らかにすること、(2)「近代日本のイデオロギー構造の全体」を捉えるための「基礎作業」とすることと述べる。そして、近代日本における「特有のイデオロギー構造」としての「天皇制イデオロギー」は、「民衆意識の全領域」に深く根をおろし「民衆の疑似「自発性」」を巧妙に調達することによってのみ存立しえたとした。また、(3)「民衆の伝統的日常的世界」に密着しつつ、しかもそれをのりこえていく「真に「土着的」な思想形成の可能性」を考えることを挙げ、民衆思想のなかの「矛盾や裂け目や苦悩」を媒介として、「あらたな思想形成の可能性」について考察するともした。

民衆の自己規律の実践による「自己変革―自己革新」によった「ぼう大な人間的エネルギーの噴出」を論じた安丸は、その行方を追跡し、通俗道徳が虚偽意識であることに力点を置いて論文「近代化過程における民衆道徳とイデオロギー構成」を執筆している。ここでは「通俗道徳的自己規律」の外部に出ることが難しいこと、およびこの自己規律を踏まえた「人民的な社会秩序を構想する可能性」が論じられた。民衆思想の「全過程を通観」してその「歴史的役割」を見とおす「地点」に達しているという認識のもとで、安丸は、日本近代に民衆の思想的な営為―主体化が果たす役割に執着し、そのことを、あらたな(A)問題意識と(C)対象としていくのである。

中期・民衆思想史研究へ

かくして、『明治精神史』経験と一九六八年の社会状況をへて、鹿野と安丸は転回を見せていった。本章でいうところの中期・民衆思想史研究の始まりである。その具体的な作品として、鹿野『大正デモクラシーの底流』(日本放送出版協会、一九七三年)、『高群逸枝』(堀場清子との共著、朝日新聞社、一九七七年)、および『大正デモクラシー』(『日本の歴史』第二七巻、小学館、一九七六年)があり、安丸の単行本『日本の近代化と民衆思想』(青木書店、一九七四年)と、『出口なお』(朝日新聞社、一九七七年)を挙げうる。安丸の単行本『日本の近代化と民衆思想』および、鹿野の二冊の大正デモクラシー論(『大正デモクラシーの底流』『大正デモクラシー』)を検討することにしよう。

安丸『日本の近代化と民衆思想』は、同名の論文(初出は、『日本史研究』第七八・七九号、一九六五年五・七月)と単行本とを区別することにより、安丸の議論の様相がよくうかがえる。単行本の第一編「民衆思想の展開」には、三論文が収められ(第一章「日本の近代化と民衆思想」一九六五年、第二章「民衆道徳とイデオロギー編成」一九六八年、第三章「「世直し」の論理の系譜」一九六六年)、第二編「民衆闘争の思想」には、二論文(第四章「民衆蜂起の世界像」一九七三年、第五章「民衆蜂起の意識過程」一九七四年)が収録される。ここでは、『明治精神史』の経験以前の第一論文／経験以後の第二・第三論文、さらに一九六八年を経た第四・第五論文と三種の論文が三層構造をなしている。第一層では丸山政治学や近代化論批判として民衆思想が方法的にも打ち出され、第二層では民衆思想の具体性に着目し、第三層では(この時期に再編されつつあった)歴史学界の動向を受け、それへの応答が提示されている。換言すれば、問題意識と方法、対象を異にする三層の論文群が、民衆思想の解明と通俗道徳という概念使用によってまとめあげられている。

すでに石田梅岩と心学、二宮尊徳と報徳社、老農たちの営みとともに民衆的諸宗教にも目を配っていた安丸であるが、第二層では丸山教という個別の民衆宗教に取り組み、その史料にたんねんに当たり、それを「貧困と抑圧からの解放」を求める民衆の「幻想」としての世直しの系譜のうえに位置づけた。そして、第三層では一転して百姓一揆、世直し一揆という民衆運動の思想史的考察を行う。

おりしも、一九六八年の社会状況は戦後歴史学にも大きな影響を与え、歴史学研究会は「人民闘争」という概念―方法を提起していた。この動向への参加と違和が第四・第五論文で提示され、安丸は民衆運動を扱うとともに、百姓一揆の「結集様式」に着目し、世直し一揆に「集団的オージー」を見出し、これらを「蜂起」として考察する。一揆を闘争の局面に限定し、その政治的な意義に性急に迫ろうとする見解への批判を行い、一揆の指導者は「民衆的世界における経験的知識の練達者」―通俗道徳の実践者であること、そしてその「権威と権能」により、(百姓一揆における)農民たちの「参加強制」が可能であったとした。

また、この第二層を展開したのが、「朝日評伝選」の一冊として刊行された『出口なお』ということになる。本章の立場から言えば、この評伝は『明治精神史』の影響の延長上になされたと言える。むろん通俗道徳論の展開としての面をあわせもっており、さらに方法的な工夫も多々試みられている点を見逃すわけにはいかないのではあるが。

他方、鹿野『大正デモクラシーの底流』も、『明治精神史』経験による民衆の具体的な把握の志向と、一九六八年による「〝近代批判〟」の関心の合流点にある。鹿野は、『大正デモクラシーの底流』で、三つの対象を扱うこととなった。創唱宗教(大本教)、長野県における青年団運動、大衆文学としての中里介山『大菩薩峠』である。いずれも「精神生活や社会生活上、なんらかの〝救済〟」を求めて「民衆が関わっていった分野」とされる。資本主義、国家、制度としての近代知への「民衆の苦闘ないしあがきあるいは精神の境位のある部分」を考察するための拠点である。大正デモクラシーという「合理主義的開明主義的基調」のもとで「くすぶりつづけた」「〝土俗〟的な精神」の「地表」への噴出として把握されている。

民衆世界に分け入るに当たって、鹿野はためらいを隠していない——「民衆自身が望んでもいないところへ、土足で踏みこむような感じを抑えがたい」。また、「民衆」と一括することにより、彼らを「顔のない存在」へと押し込んでしまうのではないかとも述べている。「傲慢」との語を用い、民衆を対象とすることの「傲慢」と、自らをも「民衆の一人とする虚構」の「傲慢」とにたゆたう。民衆思想史研究は、「知的専門家」のもつこうした「二律背反性」を課題として押し出したことを述べつつ、鹿野は民衆世界に踏み込むのであった[20]。

私自身は、『出口なお』や『大正デモクラシーの底流』を美しい作品と思い、偏愛している。しかし、この作品は鹿野や安丸にとっては、ある方向性への舵切り—転回の作品となっている点を指摘しておきたい。

加えて、鹿野の立場は、『大正デモクラシー』である決着を見せる。『大正デモクラシー』は、前期・民衆(思想)史研究に基づく通史としての色川大吉『近代国家の出発』(『日本の歴史』全二六巻、中央公論社、一九六五—六七年のなかの一冊)に続く、中期・民衆(思想)史研究による通史の代表作のひとつと言えよう。小学館版『日本の歴史』(全三二巻+別巻、一九七五—七七年)の一冊であるが、そもそも通史は、その時点までの歴史学の成果を目配りし、ひとつのまとまった歴史像を提供する役割を有している。小学館版のばあい、執筆者は社会構成史派と民衆史派で構成され、「社会集団」の巻が設けられたが[21]、これは民衆史で通史が描けるかという試みでもあった。

『大正デモクラシー』は、鹿野による全体史となり、『大正デモクラシーの底流』をもくるみ込み、大正デモクラシーの全体像を描き出すべく提供されている。『資本主義形成期の秩序意識』も「すべて」を対象とすることを試みた全体への志向をもっていたが、かつての図式性と叙述の堅苦しさが『大正デモクラシー』では一掃された。

『大正デモクラシー』は、論壇、社会運動の分析から叙述が開始される。いきなり民衆の経験をもち出してはおらず、若き日の作家や学者たちを、ひとりの民衆として扱うという方法をとっている。自伝や体験記を利用し、文学作品も証言として用いており(これは、物語構造に入り込まないことでもあるが)史料群が安定している。

叙述においては、民衆を代表性ではなく、固有性において叙述し、歴史の文脈のなかで意味づける方法を用いている。鹿野は、当事者の主観に沿いつつそれをたどり、しかし最終的には主観から離れ、歴史的な意味づけを行う、『大正デモクラシー』においては、鹿野が共感したものを引用し採用することとなり、史料における読解の肯定性が基調となっている。この当事者の意図が現実化しなかったり、意図通りに機能せずに背馳されたりすることが歴史であり、(史料の扱いとは対照的に)歴史に対しては厳しい批判の叙述となっている。民衆の経験と歴史の非情、民衆の意図とその結果の乖離が記される

構成　a：(b　c)　(d　e)―f―g　h―i・j―k

課題の提示　形成期　展開・改造期　解体期

図1

が、本章の観点からすれば、他者の生を引用することの作法が問われることになる。

『大正デモクラシー』の構成と生成(文体の考察)を検討してみよう。目次は、a「大正デモクラシーと現代――はじめに」、b「新思潮の暗流」、c「閥族打破」、d「世界大戦への参加」、e「大戦景気」、f「米騒動」、g「半途の文化革命」、h「独立万歳・日貨排斥」、i「〝改造〟の時代」、j「社会運動の新紀元」、k「政党支配の樹立と腐敗」となっている。構成は、大きく三つのパートに分割することができる。体制の動向と秩序(c、d、e、h、k)の考察、「民衆」の秩序意識(b、g、i、k)の探求、社会運動(c、f、h、j、k)の検討である(図1参照)。

(A)問題意識は、大正デモクラシーを「戦後社会そのものの命運」と重ね合わせて想起し、「「近代」そのもの」と向きあうこととされた。(B)方法として「秩序意識」の検討が採用され、b「新思潮の暗流」(「明治期とは異なるという意味での大正期を準備する意識動向」)、f「米騒動」(「動きだした人心を、ある程度満足させつつ、その激化をふせぎ、同時に政友会勢力の基盤拡大をはかろうとする方策」)、k「政党支配の樹立と腐敗」(「既成の政治家へのなんともいいようのない不信感」「地殻変動へのきざし」「エロ・グロ・ナンセンスは、ゆきづまった社会でのニヒリズムと、それゆえの正統性否認の思想を、いわば無思想というかたちであらわしていた」)として抽出される。そして、他の章も、運動と政治秩序の再編とをあわせ描くこととなった――民衆史研究と、政治史・経済史研究との接合を行い、主体としての民衆と政治・経済との接点としての「秩序意識」に着目するのである。

『大正デモクラシー』は、(民衆史研究の要としての)「にとって」の視点と「される」側からの叙述となっており[22]、g「半途の文化革命」(「生活復権の思想」という「文化革命の進行した時期」)、およびi「〝改造〟の時代」(「思想界は激動期にはいったとの観をいっそうふかくした」「焦慮する人心のそうした激発」「変革志向と排外思想を混在させた人心のこの流動化のゆくすえが、やがて昭和の日本の運命をきめる大きな要素となる」)の叙述を生み出す。また、j「社会運動の新紀元」でも「それが同時代の歴史にもった意味を、また、なげかけた問題を考える」とした。

『大正デモクラシー』は、(『大正デモクラシーの底流』で)一九二〇年代を解体期として考察を始めた鹿野が、通史として整合性を図るときに、あらためてこの時期にg「半途の文化革命」、およびi「〝改造〟の時代」を設定することともなった。解体期の叙述の解体を行い、f「米騒動」、g「半途の文化革命」、i「〝改造〟の時代」、j「社会運動の新紀元」、k「政党支配の樹立と腐敗」とに叙述を分散させている。換言すれば、大正デモクラシーの解体期と把握した時期を、展開・改造期に「〝土俗〟的精神への回帰」

(『大正デモクラシーの底流』の副題)の特徴とをあわせ見ている。一九二〇年代後半の歴史像として、k「政党支配の樹立と腐敗」が定まらないのは、研究史の状況が大きい[23]。民衆の叙述の観点から見たとき、『大正デモクラシー』が民衆の営みを探る試みとして、ある厚みを提供したことは大方の認めるところであろう。そしてこのとき、その叙述は、政治史と運動史で接続されることとなった。

あわせて、いまひとつの論点が浮上する。一般的に、歴史学は「他者」にかかわる言説の学であった(ミシェル・ド・セルトー)。しかし、色川は民衆思想史研究をアイデンティティの方向に舵取りをしており、鹿野はその方向に動いていく。とくに、通史は国民アイデンティティの根拠(＝制度)となることでもあり、『大正デモクラシー』はいっそうその感を強くする。民衆により、支配者による歴史を「相対化」するという鹿野の姿勢がここで固まっていく。

初発において鹿野や安丸によりもち出された「民衆」は、歴史を差異化する可能性をはらむ概念であった。それが民衆(思想)史研究として展開─転回するなか、固有名をもつ民衆として実在性を付されるとき、民衆は歴史を引き裂く「知の棘」(上村忠男)ではなく、権力の歴史の相対化という位相を与えられることになっていく。

むすびにかえて——「社会史研究」との距離

一九七四年の阿部謹也『ハーメルンの笛吹き男』(平凡社)や、一九七八年の網野善彦『無縁・苦界・楽』(平凡社)の登場により、戦後日本における歴史学の光景は大きく変わった。社会史研究の台頭である。前掲の座談会「戦後日本の歴史学の流れ」をあわせ参照されたいが、社会史研究は、さきに挙げた(A)問題意識、(B)方法、(C)対象、(D)イデオロギー、(E)叙述のすべてにおいて問題を提起し、歴史学に大きな変化をもたらした。[24] 社会的権力を対象とし権力観を換え、自明化されていた時間と空間を自覚化させ、身体感覚や感性をはじめ心性の領域に入り込み、そこから人びとの集団—結合のしかたを再考察していくが、自然や環境、技術と人びととの関係にも着目し、関係性の歴史学とでも呼ぶ視点を提示する。そして、さらには社会や歴史の把握や記述に関しても問題を投げかけていった。

二宮宏之「全体をみる眼と歴史家たち」(『ちくま』第八九号、一九七六年九月。『二宮宏之著作集』第一巻、岩波書店、二〇一一年)、「歴史的思考とその位相」(『フランス文学講座』第五巻、大修館書店、一九七七年。『二宮宏之著作集』第一巻)は、こうした社会史研究の動きを世界的視野のもとで、いち早く論じていた。そののちも、『思想』「特集 社会史」(第六六三号、一九七九年九月)を嚆矢とし、『社会史研究』の創刊(一九八二年)へと至る流れは急速であった。

もっとも、社会史研究の動きは中世史において顕著で、近代日本を対象とする社会史研究の動きは必ずしも活発ではなかった。しかし、安丸は「方法規定としての思想史」(佐々木潤之介・石井進編『新編 日本史研究入門』東京大学出版会、一九八二年)、「困民党の意識過程」(『思想』第七二六号、一九八四年一二月)により社会史により接近し、鹿野は『歴史学研究』小特集「社会史と民衆史」(第五三二号、一九八四年九月)に「歴史意識の現在」として社会史論を描き、その見解を表明していく。

安丸「方法規定としての思想史」は、そのタイトルをかつての『近代日本思想史講座』第一巻(筑摩書房、一九五九年)の「講座をはじめるに当たって」から借用したとしつつ、『明治精神史』の読み直しを通じ、あらたな歴史認識と叙述を開示しようとする論となっている(25)。

まずは、戦後において、近代日本の思想史研究の出発となったと言える『近代日本思想史講座』(「講座をはじめるに当たって」)の問題意識や対象の設定、方法に関し、安丸はきっぱりと「もはや今日の私たちの立場ではありえないだろう」と切断し「彼らの志だけ」を受け継ぐにすぎないと言いきる。そのうえで、あらためて『明治精神史』の「問題意識」「方法」「叙述スタイル」がもつ意味を説く――『明治精神史』が、どんな歴史家も「思いもかけなかったような一つの断面」を提供したと言い、「通念的な予想を裏切るような事実の連鎖」を提示し、「迫力に富んだ歴史叙述」がなされたことを評価する。「手堅い実証主義的な手法と歴史学的な想像力とを巧みに結びつけて、歴史という場における思想主体の体験の意味を内在的に分析するもの」と論じた。

しかし、安丸の議論は、実はここから出発し、『明治精神史』には(色川の)「みずからのはじめの意図」さえも超えた「ゆたかな発見性の到達」があり、それは「ブルジョア民主主義思想─近代市民社会思想─権利や自由や人格的自立性の思想というような枠組み」では捉えられないことを指摘する点にある。『明治精神史』における「発見性」に「固執」することにより、「既成の歴史理論を仔細に再検討し、あらたな明晰さと具体性とをもった歴史像を再構築するという道」の追求を主張するのである。かつて『明治精神史』経験により民衆世界に分け入った安丸が、一九八〇年初めに再び『明治精神史』を論じて、民衆世界に接近する「枠組み」を問題化し、民衆世界を介した歴史の書き換え──方法としての民衆史を主張していく。

安丸の議論は、一方で色川の発見の意味を再確認するとともに、あわせて色川が処理しえなかった理論と叙述を探るという野心的な議論となっており、「方法規定としての民衆史」であるとともに、民衆(思想)史研究の再発見(＝方法)による歴史の書き換えが提言されたということになる。

色川は「明治の新時代にふさわしい人間的な活力や葛藤や自己形成のダイナミズム」を明らかにしたが、対象の内面に深く立ち入っていくことは「歴史や人間についての理解力」をたえず「検証しなおすこと」にほかならず、その実践により「私たちの歴史認識の枠組」がたえず「訂正」される可能性がひらけてくるというのが、ここでの安丸の立場である。色川の議論は、色川自身も含めて「歴史認識の枠組の再検討」に向かう方向での受容がなされなかったが、そこで発見されたものを中核にして歴史像を再構成すること——「人々の生活や生活意識についてのさまざまのファクトから出発して、そうしたファクトのつみかさねと連関の展開のなかからもっと大きな歴史の全体像の組みかえを進めてゆく」ことこそが、「私たちの歴史学の方法」であるとした。そして安丸は、生活や生活意識のなかに発見される「諸事実」は「それ自体がなにものにも還元されない歴史的事実」であり、その事実の発見において民衆思想史研究が「ある程度まで有効だった」と述べる。

こうした議論を経て、安丸は、

歴史家は、対象とする人々とは異なった歴史的文化的脈絡のなかにいるのだから、みずからの歴史的文化的脈絡を通して対象とかかわるしかなく、その点からは、私たちは対象を丸ごととらえるというよりは、対象の頑固な存在性のまわりに群がって、歴史叙述という名の文化的フィクションを構成しているにすぎない。

と主張するに至る。ここでの安丸は、すでに民衆思想史研究および戦後歴史学から大きく踏み出し、社会史研究に接近していると言いうる。「事実」の科学的解明とその叙述ではなく、異文化としての歴史の理解と解釈、そしてそれに基づく叙述で構成される歴史学が構想され、提示されている。論文「困民党の意識過程」は、かかる立場からの負債返弁騒擾や秩父事件への接近である。自ら述べるように、この論文では「絶対主義」「ブルジョア民主主義」など「歴史家におなじみの概念」が用いられないままに叙述がなされている。

他方、鹿野は「社会史をめぐって」という副題をもつ論文「歴史意識の現在」(『歴史学研究』第五三二号、小特集「社会史と民衆史」一九八四年九月)を著す。社会史を、従来の「時間系列の思考を基軸」としてきた「時間」に対し「「空間」の概念」を提示、強調していると理解する。いかにも鹿野らしく、その「空間」への傾斜を「変化・推移・発展などという「時間」の視点で世界や人類を割り切るしかたへの、批判ないし不信の高まり」の投影と把握してみせる。そのうえで、社会史を「エコロジー型」「コミューン型」とに分類し、前者を空間「回帰」、後者を空間「模索」とした。周到に、両者はしばしば「一個の人格」に共有されることも指摘している。

鹿野は、社会史研究に「「西洋近代」なる神」の相対化を見てとっていくとともに、「絶対的なもの普遍的なものはなにもないとの意識」を指摘し、その相対化の姿勢が

「既成の社会観・人間観の基底」を洗い始めるとした。「社会史の興隆は、意識のあたらしい枠組みを定着させてゆくのだろうか、それともそれは一過性のものにすぎないだろうか」——鹿野は、社会史研究をこのように一九八〇年代以降の人びとの歴史意識と結びつけながら理解していく。

しかし、ここでも違和感を標榜する精神は健在である。鹿野も安丸も、ともに社会史研究への違和感を表明している。自らはその外部者として接し、鹿野は社会史研究を「歴史意識の現在」を測る指標として把握し、安丸は歴史学の改革の方向性として論じてみせた。この後の民衆思想史—民衆史研究の態様については別稿（「民衆史と社会史と文化史と」『民衆史研究』第八〇号、二〇一〇年。本書第8章）を参照されたいが、「近代日本」を対象とする社会史研究は、文学研究や建築史、社会学など多領域の研究者が参画するなか、肝心の歴史学からはなかなかあらたな参加者を見ることがなかった。こうしたなか、社会史研究に対し反撥する色川を除いた、民衆思想史の研究者が一九八〇年代から九〇年代にかけての社会史研究を担ったというのが、私のいまの史学史に至る仮説である(26)。

戦後の学知としての民衆思想史—民衆史研究は、啓蒙批判の啓蒙知、ナショナリズム批判のナショナリズム、非アカデミズムのアカデミズムとしての性格をもつ。近代が爛熟するなかで、民衆を外しての歴史は存在しえず、その意味における民衆史研究という構えはいまや歴史認識のスタンダードとなった。

このことは、民衆を誰がどのように名指すのか、誰が民衆であるのか——「誰を」民衆と名付けるのか、「誰が」「誰に」それを語るのかという問いを不可避とする。対象とした人びとを「国民」として想定するか、「市民」あるいはさらに別の捉え方をするかも問いかけられる。また、民衆という範疇を設定したとき、そのなかでのヒエラルヒーとともに、必ずやそこからこぼれおちる人びとが存在する。そして、そもそもこうした名指しの行為は、どのような資格と根拠によって保障され担保されるのか。

鹿野が一九七〇年代初めに煩悶した事態は、民衆思想史—民衆史研究の存在にかかわっていたが、七〇年代後半からの社会史研究の登場により、あらたな局面のなかでの問いとなる。民衆を主体とする歴史認識が定着するなかで、その主体をめぐる問題系と、それを記述する主体と立場性にかかわる論点の顕在化である。当初、権力を相対化する方法—視座として民衆が浮上するなか、前期の民衆思想史研究のなかから民衆世界への接近がなされた。ここでの民衆を「他者」として扱いうるかということが鹿野の問いであった、とあらためて把握しなおされるのである——民衆を記述する歴史家は、対象としての民衆といかなる関係を有することになるのか。

鹿野も安丸もこのことには敏感であったが、さらにこの論点に踏み込み、歴史家—書き手の被拘束性を強調するのが、一九九〇年代半ば以降の後期の社会史研究(文化史)の提起する議論となっている。後期・社会史研究は、相対化のための民衆ではなく、歴史を差異化する「他者」としての民衆を提言している。このように史学史を構想し、たどりなおすとき、民衆思想史研究の問いは、あらたな射程のなかにある。民衆思想史研究を鏡とすることにより見えてくる歴史学の課題は、なおも深刻である。

(1) ちなみに、第四次である『日本史講座』(全一〇巻、東京大学出版会、二〇〇四―〇五年)では、別巻自体が放棄されてしまった。歴史学の営みを自己点検する別巻が編まれないというところにも、学知としての歴史学の衰弱が見られよう。なお、本章にかかわって、拙稿「戦後歴史学の自己点検としての史学史」(『歴史学研究』第八六二号、二〇一〇年)も参照されたい。

(2) こうした点は、拙著『歴史学のスタイル』(校倉書房、二〇〇一年)で触れた。また、拙稿「三つの「鳥島」」(『思想』第一〇三六号、二〇一〇年八月。本書第9章)も参照されたい。

(3) 後述するように、当初は民衆思想史研究として登場してきたものは、次第に民衆史研究として広がりをもつようになる。この認識自体が論点をはらむことは、むろんである。

(4) たとえば、安丸良夫の『文明化の経験』(岩波書店、二〇〇七年)、鹿野政直の『鹿野政直思想史論集』(全七巻、岩波書店、二〇〇七―〇八年)、ひろたまさきの『差別からみる日本の歴史』(解放出版社、二〇〇八年)をめぐって、合評会やシンポジウムが、多くの参加者を集めて開催されたことは記憶に新しい。

(5)『黎明』は、ガリ版刷りの同人誌である。なかなか見ることができないこの雑誌を、安丸良夫氏が提供してくださった。厚くお礼申しあげます。

(6) あわせて、鹿野・安丸の関心は、「日本の近代」にあり、ヨーロッパと対比しつつ、封建制度の克服としての近代を問題化しようとしていた。鹿野と安丸は、それぞれ資本主義的近代を問題化しようとし、鹿野『日本近代思想の形成』は前半で「封建思想の変容」、後半では「資本主義思想の形成とその性格」を論じ、近代を「資本主義時代」と把握する。このとき、資本主義思想の性格は、社会主義思想の出現により「決定的に明らか」になると、歴史学の正統派的な把握を見せる。他方、安丸は、重商主義者である本多利明、海保青陵、佐藤信淵らを取り上げながら「生産力」について議論する。

(7)「国家権力」への対応の分析(政治思想)とあわせ、ヨーロッパ文明への対応(倫理思想)の二点を、鹿野は思想史の「根幹」としている(『日本近代思想の形成』)。

(8) 高杉晋作や大久保利通のような政治家を入れていることには、思想史に対する鹿野の違和感の表明—主張の具体化のひとつがあろう。

(9) やや後の証言となるが、『歴史評論』(第二九七号、一九七五年一月)で、鹿野は家永三郎と「歴史と人生」という対談を行っている。そのなかで、鹿野は(司会の江村栄一に促され)家永との関係を、(講義に連なり)「非常に触発されたのがいちばん基本」と言いつつ、「しかし一面では、(家永—註)先生への疑問というものを自分に強いてかき立てる形で、なにか作っていこうかなという気持ちをもっていたように思う」と述べている。家永の道徳思想史の講義を聴き、「たくさんの思想家の思想が次々に出てくる」が、「引用される一人の思想家の一つの言葉、それはやはりその人それぞれにとっては思想形成があり、思想展開があるなかでなにか心〔必〕然的に出てきたものなわけです」——「個人々々に即した形でずっと思想を追っていくことも必要ではなかろうかという気持ち」をもったと述べている。

(10) 本章では、『明治精神史』および色川大吉の考察は行わないが、私自身は『明治精神史』は地域史研究と運動史研究、地域活動と学界(アカデミズム)、歴史学と文学(研究)を架橋した作品——民衆思想史の研究者がもつ非アカデミズム・脱アカデミズムへの志向を示した作品と把握している。『明治精神史』は、その後、増補版(黄河書房、一九六八年)、さらには新編(中央公論社、一九七三年)が刊行されたが、とくに初版と新編のあいだには大きな差異があり、この検討も必要である。とりあえずは、花森重行の論考(「明治精神史」岩崎稔・上野千鶴子・成田龍一編『戦後思想の名著50』平凡社、二〇〇六年、所収)を参照されたい。

(11) このとき、安丸が「明治十年代の日本の民衆は、豪農層を先頭に、広汎な小生産者や半プロレタリアートなどの大群であろう」と述べていることは、後述する論点と重なり注意を払っておきたい。

(12) すでに、安丸は「日本の近代化についての帝国主義的歴史観」(『新しい歴史学のために』第八一・八二号、一九六二年)を著し、(D)イデオロギーでの旗幟を鮮明にしていた。

(13) ただ、必ずしもその試みは成功したとは言い難く、私は薩長を中心とした倒幕の動きが、簡潔によく記されているとの読後感をもつ。

(14) 鹿野は、『資本主義形成期の秩序意識』で、「日本の近代」が自らにとり「宿命」のようなテーマであるとともに、「〝戦前的な価値〟」を外在的に「糾弾」するにとどまらず、「みずからのうちなる奴隷制への、嫌悪と焦燥をこめての凝視」があり、そこから日本の近代化の「始期」でありその型を決定した「明治」との「〝対決〟の一つの所産」の作業であったと述べる。

(15) 人間を「全体像」として把握することが必要であり、そのためには「理念」のみでなく「感性」から把握しなければならず、「権力によってさし示される価値の体系」のみでなく、「情緒的な性質」を帯びるものに着目し、思想史はいわば、「正義感」によってだけでなく「屈辱感」によっても書かれなければならない、と鹿野は繰り返し述べていく。

(16) これまで、「全体像の認識へのこころみ」は、「綜合的網羅的と称する史実の羅列」に流れたり、あるいは「問題史的と称する通史への志向の実質的な放棄」となった、と鹿野は思想史を批判する。多くのばあい、思想史は、全体像の体系化にともなう困難を、「対象とする思想家の数を無限に多くしてゆくことによって解消」しようとしてきた。すなわち、思想家の考察が「自己目的化」し「国民の精神活動の総体」と言うにはほど遠い範囲しか対象とできなかったと、鹿野は言う。そのため、『資本主義形成期の秩序意識』では、思想家は「いわばインデックス」として捉えられている。

(17) かつて、『日本残酷物語』(全五巻+別巻二、平凡社、一九五九―六一年)に描き出される「人々」と、民衆思想史―民衆史研究における「民衆」との類似性を指摘したことがある(前掲、拙著『歴史学のスタイル』)。民衆思想史研究は、民衆を主体とする歴史の文脈を作り上げ、民衆を主体とする認識と共振し、その方向での叙述を推進していった面がある。

(18) たとえば、宮田登(『ミロク信仰の研究』未來社、一九七〇年。『生き神信仰』塙書房、一九七〇年)ら民俗学の動向、芳賀登(『明治維新の精神構造』雄山閣、一九七一年。『民衆史観』第三文明社、一九七六年)による豪農―国学者研究、村上重良による民衆宗教研究(『近代民衆宗教史の研究』法蔵館、一九五八年、増訂版一九六三年、改版一九七二年)、橋川文三(『近代日本政治史の諸相』未來社、一九六八年)ら近代政治学のファシズム研究などを挙げることができる。

(19)『資本主義形成期の秩序意識』は、刊行は一九六九年一二月であるが、「はしがき」(一九六九年四月二日)によれば、「構想の原型」は一九六二年に出来上がり(第二章)、一九六七年の年明けとともに「全体をとおしての構想」がなり筆をおろし、一九六八年一〇月に稿を終えたと記す。一九六七年、六八年の大学での講義に用いたともいう。「〝近代〟批判の成立」は、第三章第二節「全体」にかかわるとされるが、この大著と重なりながら(実際に、『資本主義形成期の秩序意識』に、論文「〝近代〟批判の成立」とまったく同じ文章を見出すこともできる)、それ以後の問題意識をも提示していると考え、そのように扱った。なお、巻末には、初出論文とあわせ、未発表部分の執筆時期も記されている。

(20)「歴史学ははたしてディオニュソス的な世界を認識対象としてもちうるのかという疑惑」がしきりに湧いてきたが、「民衆のオフィシャルな発言の内部にどこまで入りこめるか、また、入りこめないか」と鹿野は「あとがき」で述懐している。

(21)通史は、「制度」としての側面をもち「国民」と「国家」を立ち上げていくが(拙稿「「通史」という制度」『歴史学のポジショナリティ』校倉書房、二〇〇六年、および『危機の時代の歴史学のために――歴史論集3』岩波現代文庫、二〇二一年七月刊予定、所収)、以下では、「生態」としての通史を探ることになる。なお、本文でも触れたとおり、この小学館版の通史では、通時的な出来事を記す巻とともに、「社会集団」の巻が設けられている。近代では、安藤良雄『ブルジョワジーの群像』(第二巻)、中村政則『労働者と農民』(第二九巻)がそれである。

(22) 鹿野政直『「鳥島」は入っているか』(岩波書店、一九八八年)参照。

(23) このとき、いまひとつの民衆史の通史として、『日本民衆の歴史』(全一一巻、三省堂、一九七四―七六年)がある。国家論を背後にもつ民衆史――正確には民衆運動史の通史となっている。安丸とひろたまさきは、こちらに参画している。そもそも通史こそは研究史の規制を受けており、史学史的な考察が必要である。

(24) なおこの間に、良知力『向う岸からの世界史』(未來社、一九七八年)も刊行されている。社会史研究の登場の意味、およびに日本近代を対象とした社会史研究、また民衆思想史―民衆史研究と社会史研究との関連については、本章と接続する時期を扱った拙稿「民衆史と社会史と文化史と」(『民衆史研究』第八〇号、二〇一〇年。本書第8章)を参照されたい。

(25) このとき、さりげなくではあるが、注として、社会史研究の書目が挙げられている。クリストファー・ヒル、ジョルジュ・リューデ、E・P・トムスン、そして、リン・ハントの著作である。安丸なりの社会史研究への応答であろう。

(26) こののち、鹿野も安丸も社会史研究への距離を有したまま、社会史研究を代位していくことになる。前期の社会史研究は、中期の民衆思想史―民衆史研究が担い、同一の人格によって担われたため、歴史像の転換は見えにくかったが、私は、近現代日本を対象とした社会史研究の影響力は、一九九〇年代半ば以降の後期・社会史研究の登場によって顕著となったと考えている(注(24)「民衆史と社会史と文化史と」では「文化史」と仮に記してある)。

付記　本章脱稿後、二つの重要な文献が刊行された。ひとつは『民衆史研究会会報』第七〇号(民衆史研究会、二〇一〇年一二月)に掲載された「特別インタヴュー」と銘うつ「鹿野政直氏に聞く」、いまひとつは、安丸良夫「色川大吉と戦後歴史学」(安丸・喜安朗編『戦後知の可能性』山川出版社、二〇一〇年)である。前者は、一九六〇年に設立された民衆史研究会の創設前後の鹿野の証言であり、後者は安丸による(色川を中心とした)民衆思想史研究をめぐる論考である。ともに本章で扱う時期と対象に深くかかわる、当事者の発言—論となっている。

第8章　民衆史研究と社会史研究と文化史研究と

――「近代」を対象とした

はじめに

戦後日本の歴史学を対象とした史学史が、議論され始めている。研究史の次元ではなく、史学史という歴史学のアイデンティティにかかわる領域が議論の対象となっていることは、戦後の歴史学の営みに関し、本格的な検討が開始されようとしていると言ってもよかろう。これまで主潮をなしてきた歴史学を「戦後歴史学」として把握し、いまの歴史学との距離を測ろうという動きである。

いまの歴史学を「現代歴史学」としたとき、両者のあいだには、前者の「戦後歴史学」に比重を置きいまを考察する立場と、後者の「現代歴史学」に依りながらここに至る道筋を解明しようという見解があることはすでに記したことがある(拙稿「「戦後歴史学」の自己点検としての史学史」『歴史学研究』二〇一〇年一月)。機運は「戦後歴史学」の動揺、といってまずければ、検討が引き金となっている。指標としては、歴史学研究会大会(一九九九年)での検討(のち、『歴史学研究』増刊号に掲載され、歴史学研究会編『戦後歴史学再考』青木書店、二〇〇〇年、として刊行)、および歴史学研究会編『現代歴史学の成果と課題　一九八〇—二〇〇〇年』(二冊、青木書店、二〇〇二年)などが挙げられる。後者は「現代歴史学」という観点から、ここ二〇年間の歴史学の整理がなされた。

さらに、現在の史学史的検討は、歴史学原論ともいうべきメタヒストリーの次元での検討と符牒を合わせている。『思想』(二〇一〇年八月)では、「ヘイドン・ホワイト的問題と歴史学」の特集が組まれた。また、遅塚忠躬『史学概論』(東京大学出版会、二〇一〇年)もそうしたなかでの一冊といえるが、歴史学のありようをその根幹から再考しようとの試みである。

ここでは、近現代日本史研究の領域に即しながら、さらにその過程を分節化し、「民衆史研究」と「社会史研究」および「文化史研究」との関係を考察する点に焦点を合わせることにする。

その際、いくつかの前提を確認しておこう。まずは、「戦後歴史学」は一九五〇年前後までにかたちを現し、マルクス主義と近代政治学の手法に学びながら歴史学研究の主潮を作ってきたということ。それを主導した遠山茂樹と永原慶二は、ともに戦後歴史学の観点からの史学史を記している(遠山『戦後の歴史学と歴史意識』岩波書店、一九六八年。

永原『二〇世紀日本の歴史学』吉川弘文館、二〇〇三年)。

戦後歴史学の主潮流は、一九七〇年前後に再編成されたが、ここには「民衆史研究」(民衆思想史研究)を名乗る潮流が大きな影響を与えている。しかし、一九七〇年代後半から「社会史研究」と呼ばれる動きが台頭し、さらに一九九〇年代半ば頃にも、あらたな動向が見られるようになる[1](ここでは『民衆史研究』編集部の把握に沿い「文化史研究」としておこう。私自身は、以下で論述するように、一九九〇年代半ばからの動向を社会史研究の射程内にあるものと考えている)。こうした戦後の歴史学にかかわる認識は、戦後歴史学の形成と再編に関しては大方の共通認識となり、民衆史研究も認知されているかたわら、社会史研究に関しては、その現象を認めつつも評価が分かれ、文化史研究については現象そのものに関してもそれを認めるか否かで見解が分かれる。

たとえば、戦後の歴史学の成果を集成しようというシリーズである『展望 日本歴史』(東京堂出版)のうち、大門正克・小野沢あかね編『民衆世界への問いかけ』(二〇〇一年)は民衆史研究の成果を追うが、みごとに文化史研究の動きを捨象している。安田常雄・佐藤能丸編『思想史の発想と方法』(二〇〇〇年)は、幅広い視野を見せようとするものの、いっそうその立場性が顕著で、一九九〇年代後半の変化とその意味づけを欠いている。こうした学界動向を総括しようという史料的なものはバランス感覚が求められるなか、このシリーズでは立場性が顕著である。別言すれば、従来は立場性が見えてこなかった歴史学論集の領域にも、それがあらわになってしまう状況が出てきたということであろう。

さらにことばを添えれば、戦後の歴史学の営みと潮流の分節化の試みにおいても、戦後歴史学に比重を置く立場、社会史研究に比重を置く立場、文化史研究に比重を置く立場によって、戦後史学史の光景がまったく異なってくるということにほかならない。

ちなみに、ここに歴史修正主義の潮流が加わったところに、現在の歴史学の動向があろうと思われる。現象的に見れば三派鼎立であり、立場によっては四派の定立ということになる。

むろん、各派といえども固定的ではなく、絶えざる研鑽によりそれぞれ成果が取り込まれ、それぞれ外延も内容も推移している。さらに、歴史学には認識、対象、叙述のほかイデオロギーも入り込んでいるため、一人ひとり、一つひとつの作品に入り込むときには、かなり複雑に入り組んだものとなる。本章では、蛮勇をふるい、そこにあえて踏み入るという妄動を犯すことになるが、かかる認識のもとに民衆史研究と社会史研究、文化史研究とその関係性を考察してみたい(2)。

1　民衆史研究／社会史研究／文化史研究にかかわるいくつかの前提

まずは、民衆史研究、社会史研究、文化史研究について私なりの把握を示しておく必要があろう。前述したように、戦後の史学史をめぐっては、しばしば異なった内容や対象を念頭に置きながら議論することが多いためである。たとえば、岩波書店版『日本史辞典』(一九九九年)では「戦後歴史学」について、「西欧を基準とする一国的発展段階論の性格をぬぐえなかった」という反省のもとに記され、「民衆史」「民衆思想史」「社会史」の項目がとられている。しかし、この辞典では、一九一〇年代の大正デモクラシーを背景とした「文化史学」の項目こそ見られるが、本章でいうところの「文化史」については立項されていない。

「近代」を対象とした民衆史研究の輪郭は、比較的にはっきりしており、民衆思想史研究から出発し民衆史研究として拡大していく過程(3)や、色川大吉をはじめとする民衆史研究の主導者たちについて、おおよその共通了解は見られよう。

当事者のひとりである安丸良夫に従いつつ、『歴史学研究』に掲載された色川の二つの論文――「困民党と自由党」(一九六〇年)、「自由民権運動の地下水を汲むもの」(一九六一年)がその誕生であり、『明治精神史』(黄河書房、一九六四年)をひとつの指標としておこう。安丸の論文「日本の近代化と民衆思想」(『日本史研究』第七八・七九号、一九六五年)、鹿野政直の『資本主義形成期の秩序意識』(筑摩書房、一九六九年)、また、ひろたまさき「文明開化と在来思想」(『講座日本史』第五巻、東京大学出版会、一九七〇年)などが、こうして前期の民衆思想史—民衆史研究の作品となる。

民衆史研究は、六〇年安保闘争とその後の近代化論の拡がりへの批判を背景とし、当初は民衆思想史研究として誕生したが、さらに一九六八年前後に展開する社会運動での近代への問いかけ(実際には、「日本近代」ないし「日本の近代化」への問いかけとなったが)と歩調を合わせるようにして、広範な支持を呼び寄せる。別の言い方をすれば、戦後歴史学の再編の動きと並行し民衆史研究が存在感を示していくということであるが、このことの把握と評価もまた、戦後史学史の見取り図の理解にかかわっていく。

こうしたアカデミズムのなかでの動きとともに、それとは一線を画した民衆史も提供される。たとえば、松本健一は「大衆のエートス」に着目し、この観点から北一輝や中里介山らを分析し、森崎和江や山崎朋子らは聞き書きによる民衆女性史の作品を提供していく。彼らはいずれも多作であり、民衆史研究の裾野は広がりを見せていった(4)。

また、民衆史研究は時間の経緯のなかで推移し、時期によって異なる緊張関係のなかでその歴史像を提供していくことも見逃せない。このことは次節で再び言及することにしよう。

さて、さきの岩波書店版『日本史辞典』では、「社会史」に対しては「定義は多様」と言い、イギリス、ドイツ、とくにフランスのアナール派を挙げ解説している。「新しい歴史学」という言い方がされ、教育学の領域からも社会史が言われている。さらに、社会史研究は出版のなかでも活況を呈し、たとえば、平凡社はA5判変型サイズで「社会史シリーズ」と銘打った一連の刊行を行う。[5]

こうしたとき、『思想』特集号「社会史」(一九七九年九月)、『社会史研究』(全八冊、一九八二―一八八年)と『社会運動史』(全一〇冊、一九七二―八五年)の三種の雑誌が社会史研究にかかわる問題提起を行っている。

『思想』「社会史」特集号は、巻頭に、柴田三千雄・遅塚忠躬・二宮宏之の鼎談「「社会史」を考える」を置き、中井信彦「史学としての社会史」がその概要を記す。J・ル・ゴフ、J・コッカ、E・P・トムスンの論稿の翻訳、および阿部謹也、山口定によるドイツの社会史、長谷川昇による日本の考察のほか、宮島喬が「心性」について触れ、福井憲彦は「死」をめぐる研究動向を記す。議論すべき点は多いが、ここでは佐々木潤之介による議論(「思想の言葉」)が、以下の議論に関連してくる。

佐々木はいくつもの論点を挙げるが、一九七〇年代初頭以来、日本史研究も「新たな歴史的綜合の努力」を行い、「民衆史」と「国家史」との「二つの潮流」が出現したことを言う。そして、「二つの潮流の統合、とくに、国家史の諸問題をもくみこんだ民衆史の創造」が目指され、「そのような民衆史こそが、社会史なのではないか」と言う。戦後歴史学の主導者としての佐々木にとっても、民衆史研究と社会史研究、そしてその関係の追究が課題になっていた。

もっとも、正統派マルクス主義を認ずる佐々木が念頭に置くのは、「国家史」は『大系・日本国家史』(全五冊、東京大学出版会、一九七五年)だが、「民衆史」は『日本民衆の歴史』(全一一巻、三省堂、一九七四―七六年)である。両者ともに、佐々木が編者に加わるシリーズだが、『日本民衆の歴史』は、これまで述べてきた民衆史研究とは重なりをもちつつも(安丸や、ひろたが執筆している)、戦後歴史学の延長線上にある作品であり、国家史研究と対をなすものとなっている。

ことばを換えれば、正統派マルクス主義に距離感をもつ民衆史派に対し、『日本民衆の歴史』は正統派マルクス主義の立場からの民衆史の通史叙述ということになる。すなわち、ここで佐々木が言う「民衆史」とは、そのじつ「民衆運動史」であり「人民」とその周囲で抑圧された人びとによる運動史であった。したがって、佐々木が「民衆史」のさきに「社会史」があると言ったときのそれも、さきの柴田・遅塚・二宮鼎談で議論されている社会史研究とは異なっている。この差異は、『社会史研究』を開くとき、さらにはっきりする。

『社会史研究』は、二宮のほか、阿部謹也、良知力、川田順造を同人とした雑誌で、年二回の刊行が目されたが最後は不定期刊となった。創刊号(一九八二年)では、巻頭に、阿部「ヨーロッパ・原点への旅」を置き、良知力「女が銃を取るまで」の論文のほか、網野善彦、土肥恒之らの論考が掲載された。第二号(一九八三年)には川田順造「口頭伝承論」、そして第三号(一九八三年)に二宮「ある農村家族の肖像」が掲げられる。これらが、同人たちの考える社会史研究の実作ということになろう。

その内容を、阿部「ヨーロッパ・原点への旅」に探ると、阿部は「人間と人間の関係の変化」を明らかにすることを社会史研究の課題とし、時間意識などにおいて古代・中世的なものが「現在の社会の深層」に生き続けていることを指摘すると同時に、その観点からヨーロッパとは何かを語り、一八世紀以降の文明による統一(＝普遍化)以前の多様性をもつ文化の様相を描き出す。そして日本との差異など、他の文化への理解を言うのである。阿部は問題意識の次元に始まり、史料や研究、叙述の作法に至るまで、これまでの歴史学の作法とは異なるやりかたで社会史研究を披露していった。

もっとも、『社会史研究』における「日本」を対象とした社会史研究の作品は、蓮実重彦、坂部恵(第四号、一九八四年)、西郷信綱(第五号、一九八四年)と思想史・文学史研究がのる程度である。日本史家の登場は、網野善彦こそ創刊号から連載しているが概して遅れ、横井清(第三号)のほか、勝俣鎮夫、塚本学が第六号(一九八五年)に登場するものの、

「日本近代」を対象としては歴史家の作品が見られない。

社会史研究における「日本」と「近代」の低調であり、「日本近代」の不在である。社会史研究においては、『社会史研究』にとどまらず、一般的にも「中世」および「近世」が拠点となっている。「近代」の不在は、J・ル・ゴフも指摘しており(「新しい歴史学」『歴史のメソドロジー』新評論、一九八四年、所収)、近代の社会史研究での対象はおろか、問題意識も必ずしも明確ではなかった。

他方、一九七二年に創刊された『社会運動史』はいささか様相が異なる。いくらか年長の喜安朗のほか、福井憲彦、近藤和彦、石井規衛、北原敦、岡本充弘、坂巻清らヨーロッパ近代史を専攻するものたちを中心とし、松沢哲成ら日本や中国の歴史専攻者をも含む社会運動史研究会の「同人誌的」な雑誌である。『社会運動史』には、宣言も同人の名前も記しておらず、こうしたところに彼らの気概をうかがうことができる。

一九七二年刊行の創刊号は、パリコミューンを扱った論文(木下賢二)やファシズム分析(木村靖二)のほか、「喜安朗「革命的サンディカリズム」をめぐって」という座談会が掲載されている。座談会では「労働世界」と一九世紀の「労働大衆に内在する革命性」をめぐり熱っぽい議論がなされているが、市民社会とボリシェビキをあわせ批判することが共通の前提となっており、「党であると同時に大衆でありうるような党の追究、党であると同時に大衆であるような大衆の追究」(喜安)がなされる。

『社会運動史』には、正統派マルクス主義への違和感がみられ、労働者のもつ自然発生の「革命性」に着目し、党をめぐる議論がなされており、かつて色川が困民党に着目し、戦後歴史学から民衆史研究を離陸させた問題関心と重なる部分もうかがいうる。

しかし、創刊時に見られた民衆史研究との近似性は、終刊となった第一〇号(一九八五年)の座談会「社会運動史の回顧と現況」では趣きを変えることになる。一三年を経ての歴史学の状況の変化が、その背景にある。あらたに社会史研究の動きが顕著であるなか、この座談会の出席者は、口々に「社会史」との相違を言い、社会史研究に対し批判的でもある。喜安は「前近代でいわれてきているような社会史という問題観と、われわれが社会空間を捉えねばならないという感じでやってきた仕事と、どう違うのか。どこで問題が交差するのか」と言う。また、「近代社会、産業社会、さらに帝国主義段階以降になればなるほど複雑化してくる」(近藤)との発言もあり、こうしたことがまたさらに論点として議論される。

『社会運動史』の参加者にとり、社会史研究は「好事家的」な考察、「現代の鏡」「現在の矛盾」として整理・把握され(喜安)、社会運動史の立場からは「社会的権力」や「民衆世界」、あるいは「全体的位置関係」「対抗関係の中での共同性」を明らかにすることなどが語られる。そしてそれは「現在の矛盾」の解明へと連なり、この点でめぐりめぐって社会史研究との接点が見られることとなる。それでも、社会史研究は「社会空間の問題」—「運動の位置する場をつかむという方向へ広がってきた」(喜安)と述べられる点において、さきの佐々木の「国家史」との接点を探る社会史理解とは異なっている点に留意しておきたい。

さらに、この社会史研究との接点は、『社会運動史』同人のメンバーを多く含むシリーズ『歴史のフロンティア』(山川出版社、一九九三年—)によってもうかがうことができるが、ここでは立ち入らないことにする。ただ、以下の論旨との関係で、『歴史のフロンティア』には日本関係の書目は挙げられていないことを付しておこう(6)。

以上の議論を踏まえたうえで、あらためて日本史の領域での社会史研究とは、誰のどの作品を指すのかという問いが残る。「日本」の社会史研究と言ったときには、即座に網野善彦の名前と作品とが挙げられることがしばしばである。いったんそれを認めたうえで、それでは日本—近代を対象としては、どのような作品が社会史研究となるのであろうか。

いささか性急に述べれば、私はまだ仮説ながら、歴史学の作品として社会史研究に求められる多くの部分を、民衆史研究が肩代わりしていたと思う。しかし、あわせて、一九九〇年代半ばにその民衆史研究と社会史研究の差異が見られていったと考えている。すなわち、日本—近代をめぐっては、(歴史学からは)社会史研究は独自の領域と作品を提出することなく、文化史研究に至ったのではないかと考える。

とはいうものの、その実、文化史研究はまだ輪郭がはっきりしない。文化史研究の存在を認めない論者も少なくない。否認する論者には二つの立場があり、社会史研究との分節化に否定的であるか、あるいは、文化史研究なるものをもはや歴史学とは認知しない立場とである。私自身は第二の仮説として、この社会史研究と文化史研究のあいだの差異を認めつつ、しかしそこの懸隔はゆるやかに把握したいと考えている。文化史研究(＝一九九〇年代半ば以降の動向)は社会史研究への違和感を手がかりにしながら、社会史研究の目指す方向をより明確に考察するものだという認識である。

文化史研究と言ったときには『思想』の特集「近代の文法」(一九九四年)や、『岩波講座　近代日本の文化史』(全一〇巻、別巻は未刊、岩波書店、二〇〇一年―)が、ひとつの指標となろう。双方にかかわっている酒井直樹の研究をその代表格とし、文化史研究の論点を日本―近代に沿いながら整理してみると、酒井は「近代」が作り上げた「国民共同体」を根底的に問い、それを解体する議論を展開している。「ナショナリズム」をはじめ、「国民」「民族」「国家」あるいは「日本語」「日本人」、さらには「主体」に至るまで、これまで歴史学において分析概念として用いられていたもののすべてを検討しながら作業をした。これらの概念もまた、「近代」の「国民共同体」によって創出されたものにほかならず、この概念を用いての作業は「国民共同体」の構築過程をなぞるものとして拒絶されるのである。

酒井の実践は、これまでの戦後歴史学―民衆史研究―社会史研究の営みが、一見「国民共同体」を批判するように見えながら、それを支える行為であったという痛烈な批判となっている。酒井の議論のもつ衝撃力は大きいが、ここでは、専門と国境という二つの境界に対する越境性という観点に着目しよう。文化史研究の指標として『思想』特集「近代の文法」を見るとき、歴史学からの寄稿は少数で(佐々木克、牧原憲夫、成田龍一)、社会学や民俗学、地理学や文学研究者を交え、歴史学でも酒井をはじめ、キャロル・グラック、T・フジタニとアメリカに拠点を置く研究者が論を提供している。

一九九〇年代後半のこの時期から顕著になったのは、「歴史」を扱うときに歴史学がその占守の学知ではなくなり、また、「日本」を考察するときに日本在住の特権性が喪失したことである。歴史社会学(見田宗介、栗原彬らの先行世代と、吉見俊哉、上野千鶴子らの後継世代)と、文学研究(前田愛、亀井秀雄らと、小森陽一、坪井秀人ら)、さらに宗教学(村上重良らと、島薗進ら)、美術史(若桑みどりらと、千野香織ら)、またアメリカの日本研究者(キャロル・グラック、ジョン・ダワーらと、酒井直樹、T・フジタニら)の台頭は著しい。

そうした試みが、さらに『岩波講座 近代日本の文化史』として、ひとつの歴史像を作り上げようとしたといえよう。ここにうかがえるのは、「主体」と「立場性」の再検討、「叙述」(7)への配慮、「学知」を組上にあげること、そして「全体」という概念の再検討である。

2　民衆史研究を軸とした歴史学の光景
――社会史研究への親和と文化史研究への違和

社会史研究を代位する民衆史研究

「日本近代」を対象とした民衆史研究、社会史研究、文化史研究という仮設の三者関係を考察するとき、一九七〇年代半ばと一九九〇年代半ばとが大きな節目となり、それぞれ社会史研究、文化史研究の登場にみあっている[8]。民衆史派の鹿野政直、安丸良夫、ひろたまさきらの議論では、それぞれ前者の節目を大きく把握し、後者はその勢いの延長上で把握している[9]。

以下に、この様相を民衆史研究の側からの認識を軸としながら整理をしてみよう。このとき、いくつかの前提が必要になる。第一は、(相互の関係性といったとき)大かたは、社会史研究の側からの働きかけであったことである。

はやくは『歴史のメソドロジー』(新評論、一九八四年)巻末に掲げられた文献案内「〈新しい歴史学〉と〈日常性の歴史学〉を考える文献一〇〇点」にそれをうかがうことができる。文献を「「アナール」とその周辺から」「ヨーロッパ近代の問いなおし」「中世史の変貌」「民俗学と歴史の接点」など一〇項目に分けたなか、「民衆の生活世界から歴史を問う」(「フランスほか」「日本史から」に分けられている)のなかに、安丸『神々の明治維新』および『日本の近代化と民衆思想』、色川『民衆史の発見』および『新編 明治精神史』、鹿野『大正デモクラシーの底流』『近代日本の民間学』が挙げられた。

第二には、ここでの民衆史研究と言ったときに、中期の民衆史研究として位置づけることができる点で、一九七〇年代半ば以降の民衆史研究の様相と認識を探ることとなる。続く文化史研究との関係は、一九九〇年代半ばの転機との関連で、後期の民衆史研究のありようを考察するということになろう。

民衆史研究と社会史研究との接点を軸とするとき、『週刊朝日百科 日本の歴史』(全一三四冊、朝日新聞社、一九八六―八九年。図版が多数用いられる)、『日本近代思想大系』(全二三冊+別巻、岩波書店、一九八八―九二年。本編は史料集となっている)が一つの素材となる。二つのシリーズ自体は、近代政治学や戦後歴史学の研究者がその立場から参画し、テーマもその角度からの接近が基調となり一九八〇年代の過渡期の様相を示しているが、民衆史派の人びとはここで従来とは異なるあらたな著作を提供している。

鹿野と安丸は編集委員として、『週刊朝日百科 日本の歴史』にいくつかのテーマを編集しているが[(10)]、さらにその後に刊行された姉妹編の『週刊朝日百科 日本の歴史』別冊「歴史を読みなおす」にも関与していく。このシリーズ全二四冊のうち、近代の部分は、『村の手習塾』(高橋敏)、『立国の時代』(坂野潤治)、『自動車が走った』(中岡哲郎)と、安丸

『「監獄」の誕生』、鹿野『桃太郎さがし』である。執筆者が先行している感はあるが、ここで扱われたテーマは社会史と重なっている。

他方、『日本近代思想大系』では、安丸は、加藤周一、丸山眞男、前田愛、あるいは遠山茂樹、中村政則らとともに編集委員を務める。「開国」から始まる時系列での出来事に沿った巻とともに、国家の制度と構想、都市と社会、文化にかかわる巻が配されるが、注目すべきは、ことばと身体、セクシュアリティ、さらには「差別」にかかわる巻が設けられていることである。「思想」を中核に置きながら、政治・経済、また狭義の教育、文化とあわせ、このシリーズも社会史研究の領野に入り込もうとしている。

『日本近代思想大系』における安丸とひろたの議論は、安丸「近代転換期における宗教と国家」(一九八八年)、および「民衆運動における「近代」」(一九八九年)、そして、ひろた「日本近代社会の差別構造」(一九九〇年)である。

まずは、前者のシリーズである。安丸は、『明治精神史』の方法と認識を再論した「方法規定としての思想史」(一九八二年)、モラルエコノミー概念を援用した「困民党の意識過程」(一九八四年)を経て、『「監獄」の誕生』(一九九五年)へと至るが、同書は、フーコーの翻訳書とタイトルを同じくしながら、近世から近代にかけての日本における「犯罪と刑罰の社会史」、すなわち懲役刑とそれを実現する監獄の誕生を描く。

『「監獄」の誕生』で、安丸は「刑罰の体系と犯罪の取締まり機構」が「すっかり改編」されるとともに、警察権力の民衆生活への「介入が強化」された一八七三年頃から八四・八五年までの時期に着目する。刑罰制度が「近代社会」へ「転換」する過程で、ひとつの「極限的な次元」を構成し、そこに「新しい権力の性格」や「権力と民衆の関係」の特徴が「集約」されているとする。

そして、安丸は、国家が犯罪者を囲い込み、秩序の内部へ組み入れようとするとともに、「教化し先導する主体」としての「権威的性格」を強めるという「二つの過程」によって、権力が社会のなかに深く介入し、民衆が「新しい〝国民〟」に向けて「鍛冶」されていくことを明らかにしていった。

安丸は、フーコーを導きの糸としながら、西洋と日本との差異を踏まえ、フーコーよりも「具体的な次元」で上記の過程と内実を論ずることをねらいとしたという。日本法制史研究の成果を用いながら、たんねんに出来事や事項を紹介するが、一八世紀末から一八八〇年代後半までの時期—幕末期以降から明治期に至る近代転換期における日本社会の解析である。(世直し一揆を含む)一揆や都市打ちこわし、尊王攘夷運動、新政反対一揆、自由民権運動の激化事件、負債農民騒擾などの民衆運動に着目し、それらがその「基底部」で「逸脱的社会層」の活動力に支えられていることが、安丸の基本的な認識となっている。すなわち、これら社会層の「抑圧と統制」によりはじめて「地域秩序の安定化」「権力支配の貫徹」が可能となるのであり、「「監獄」の成立」にこの過程が

「集約」されているとした。

同じくフーコーに想を得て、幕末から明治期にかけての監獄を扱った、前田愛「獄舎のユートピア」（『都市空間のなかの文学』筑摩書房、一九八二年。初出は一九八一年）を想念させるが、法制史や歴史学の成果の組み替えによって、社会史研究が課題とするところを、安丸は独自に明らかにしている。国家と犯罪は社会という同一物から生まれた「双生児」であり、互いに「明快に照応」しあい、「権力」と「犯罪」と「国民（私たち）」とがそれぞれに異なりながら「より根源的には完全な同一存在」であり「おなじものが分化して三つの次元を構成している」という認識を、安丸は披露する。

こうして、安丸は「犯罪と刑罰」にその社会の「特徴」が表現され、「犯罪と刑罰の社会史」により、「表相からは必ずしもよく見えない当該社会とそこに生きる人びとのより深い特徴」に接近しうるとした。方法としての犯罪・刑罰により、近代—日本社会の解析を図り、近代社会への転換の意味があわせて追究されている。社会的権力（福井憲彦）による人びとの生の意味づけの転換の解明であり、ここに社会史と重なる問題意識を見出すことができるであろう。

他方、鹿野による『桃太郎さがし』（一九九五年）は、身体を扱った論冊である。「健康観」を軸として見えてくる「さまざまの方向づけや希求のしかた」を、明治維新から今日まで探るという作品である。鹿野は「「健康」の時代」とまずは全体、ということは近代総体を把握したうえで、以下、「体質」「体力」「肉体」「体調」と「時代」を特徴づけていく。単行本化のとき(副題が主題とされ『健康観にみる近代』と改題された。朝日新聞社、二〇〇一年)、あらたに「「生命」の時代」が付け加えられたが、この箇所で「「健康」の退場」を述べていることが見逃せない。近代を、鹿野は「健康」の時代と把握しているのである。

さて、「健康」は近代全体を通観する価値となるとともに、その出発をかたち作る。きっかけとなるのはコレラの流行であり、鹿野はそこに「隔離の思想」「「衛生」の概念の生誕」「国家の主導性」を見てとっている。また、次の産業社会の形成期には「内がわから健康を蝕む病」として結核が蔓延する。「結核予防」が健康問題の中心となる一方、薬の日常化が見られ、「滋養」「栄養」の重視がなされ、「「体質」改善」が図られる時期となる。

このとき、結核は工場労働に「集約的」にあらわれ、薬と滋養は中間層を担い手とするとして、鹿野は健康観の分析に階層─階級の視点をもち込む。さらに、ラジオ体操と「健康優良児」の表彰という「二つの健康キャンペーン」に着目し、「健康」であることが価値とされる時代─「健康観の変化」に着目する。そして、健康の条件として「体力」がともなうことが要求され、厚生省の設置(一九三八年)、国民体力法(一九四〇年)の制定などが見られ、国家による「鍛錬」が重視されたことを、鹿野は記す。

戦後は「飢え」による「肉体維持」の困難から始まる。鹿野は、このときは「肉体」の時代であり、占領軍による「防疫作戦」(＝DDT散布)により「健康のために清潔の極限」を目指す志向など、「よく管理され手入れされた肉体」こそ「『文明』の象徴」とされる時期であったとした。また、健康にかかわる「枠組みの変換」が見られる「『体調』の時代」は、「貧しさからの解放と豊かさの獲得が、目覚ましく達成」されたことを背景としている。「貧しさに」起因する病から「飽食」によるものとなり、医療自体が創り出す「医原病」や薬の副作用、すなわち「文明の達成ゆえの矛盾」―「肉体への加害」があらわになることを言う。

「『健康』の呼号から始まった近代は、袋小路というべき『体調』不安の時代に至った」――そして、さらに「心の問題」の重視、「心と身体の一体性」への傾向も、鹿野は指摘する。また、この過程で病者の「隔離」が問われ、医者と患者、「病者」と「健常者」の関係が問われ、「健常者」という概念の再考が促される事態となっていることにも目を留める。

こうして鹿野は、時期ごとに身体をめぐる論理と現象を追いながら、(1)国家による身体の扱いの推移を明らかにしたが、(2)いまやその根幹をなしていたさまざまな境界がゆらいでいることの指摘に行きついた。「『生命』の時代」では、その境界のゆらぎは「生と死」にも及び、身体―健康保持の「管理と自己決定」をめぐっての論点が「新たな枠組」に至ったとした。すなわち、身体への捉え方を軸に、戦前を三期、戦後は二期(のち、三期)に分け通時的に把握するなか、健康を焦点とし「管理と自己決定」がせめぎ合う近代の論理を抽出する一方、健康という焦点の喪失を言うのである。

鹿野は次々に史料を繰り出し、現象に着目しながら叙述している。ときには特徴づけの次元が異なり、「健康」と続く三者(「体質」「体力」「体調」)、さらに「肉体」とは水準が異なる。だが、近現代日本史研究の領域において、これまで欠落していた身体にかかわる事象を、鹿野は通時的に扱ってみせた。断片的には知られていた出来事を整序立て、意味づける作業を行い、身体の管理と自己決定の視点から、近現代日本史を上書きする営みとなったということができよう。さらに、鹿野が著作集版(『鹿野政直思想史論集』第五巻、二〇〇八年)では、心の領域とあわせ「鋳なおされる心身」として一冊に収めたことにも、着目すべきである。心と身体をあわせ、鋳型にはめ込んだことが近代の営みであったという認識がうかがえるのである。

このとき、社会史研究においても身体は重要な対象/主題であった。病気や病人、心や身体の病いをはじめ、さまざまな身体をめぐる問題系が提出されるが、なかでも二宮宏之は「参照系としてのからだとこころ」(『社会史研究』第八号、一九八八年)として、「からだ」(および「こころ」と「きずな＝しがらみ」)を深層的な歴史分析のための方法として提起していった。二宮の論は、社会関係をいったん、「からだ」と「こころ」にまで解体し、そのうえでそれを媒介としての人びとの結合の仕方を再考察しようという壮大な構想を伴っていた。

鹿野『桃太郎さがし』は、こうした方法ではなく現象の列挙であり、その点から当然であるが、鹿野は、二宮「参照系としてのからだとこころ」を参考文献に挙げることはしない。しかし、鹿野があらたな領野に踏み出したことは間違いなく、社会史研究が問題化した対象をそれとは異なる手法で扱ってみせ、あらたな歴史認識を提供しようとしたと言うことができよう。また、先の著作集の「まえがき」では「社会史への応答」とも書きつけている。

そもそも鹿野は社会史研究それ自体が、現時の社会の病理の「表象」(と、鹿野は記している)であると認識する一方、社会の再生のためには「身体そのものの主題化」から出発するしかないと考えたとも述べている。

他方、後者のシリーズにおいて、ひろたが編集した『差別の諸相』と題された巻には、(シリーズの構成に従って)幕末から一八九〇年前後までの差別にかかわる史料が、「アイヌと沖縄人」「被差別部落民」「娼婦」「病者と障害者」「貧民」「坑夫」「囚人」という編別・順序で収録されている。

ひろたの解説「日本近代社会の差別構造」(一九九〇年)は、阿部謹也の差別論から説き起こされ、従来の差別の歴史研究が「個別史」としてなされ、「「差別」の全体史」へと至らないことを批判する。すなわち、ひろたは、個別の差別の「特殊性」が強調されればされるほど「「賤視の根源」が前近代の歴史に求められる傾向」を有し「「全体史」への展望」を困難にしかねないと批判し、「全体的な構造と矛盾の究明」へと向かう。ここで、ひろたもまた「「差別」の比較史、社会史」の用語を用いている。

差別と言ったとき、長らくそれが被差別部落への差別と重ねあわされ、ほとんど同一視されていたときに、ひろたは「諸相」として差別の現象を拡大し、さらに差別は「原理的には三者の関係を示す概念」と認識の転換も迫った。差別は「三者間における共通性と差異性」の自覚から始まり、そこには国家や社会の秩序、規範との関係が「共有」されているとした。そして、この論考において、「さまざまな「差別」が「社会全体」のなかで、それぞれどのような意味をもち相互に関連しているかを明らかにしようとする。「日本近代社会の差別構造」を「全体的」に明らかにすることが、ひろたの問題意識であった。

こうして、ひろたは、さまざまな差別の「連鎖」を前提に「社会的差別」を考察していくが、被差別者は、「「差別」されることにおいて等価」であるという「仮定」から出発する。ひろたは繊細に議論を組み立て、それぞれの被差別者の存在形態の「特殊性」と「差別」の関係を解くために、「自然的属性」「個人的属性」「国家的属性」「社会的属性」を仮設し、差別を創り出す根源は、「差別者たちが正当とする社会秩序や制度であり、その秩序観や人間観にある」とした。

また「差別の諸相」を扱いながら、「女性」「外国人」「芸能人など雑業者たち」「山窩」「離島の人々」の差別を示す史料を「割愛」したこと、あるいはこの巻のなかで、被差別者の存在形態を「どのような順序で配列するか」、その配列自体が差別となりかねないということをことばを尽くして弁明している。

ひろたの議論の特徴は、第一に「近世社会の差別の特質」に言及し、近代の差別との差異を論じることにある。ひろたは、日本の近世社会は身分制を「基幹」とした「差別社会」であり、近世賤民は政治的に創出された「社会集団」で、さまざまな職種があったと把握する。この点からは、従来の通説であった、近代の差別を封建遺制と把握する考え方は斥けられ、近世の差別／近代の差別の差異が論じられ、そのうえで近代の差別構造に接近することとなる。

第二に、ひろたは、社会的差別は「近代の「人間平等」観念の光」により、はじめて社会的に「自覚」されるとし、その「光」が「あらたな影」を生み出すところに「近代社会独自の差別の性格」あるいは「構造」を見出そうとしている。こうして「近代独自の差別」の解明が目指され、ひろたは差別を法、制度、思想、意識、感受性、無意識の領域で考察し、差別の構造とともに、近代社会の構造そのものに踏み込んでいくことになる。

こうした問題設定において、分析されるべきひとつの極は天皇制である。天皇制に対し、ひろたは、(1)「万世一系の伝統性」「文明開化の先導性」「民族国家の代表性」の「三本柱」を指摘するとともに、(2)それらを「一貫して」示し続けた「天皇像」として把握する。「天皇の権威の優越性」は「全社会構成員に対する公平さ」において示される。近代天皇制身分秩序の根幹をなしているのは「血統」の観念であり、天皇が「その最も清浄で崇高な「血統」の保持者」として「世界無比」を誇ることになるというのが、ひろたの解釈である。そして、この「「血統」の秩序」は、華族制度と士族・平民、さらに被差別部落とアイヌ・沖縄という「系列」――「日本型華夷意識の再生」とそのもとでの「差別意識の再生」を醸成するとした。

同時に、差別の構造の分析として、ひろたは「社会のすべての価値」が、文明／野蛮に二分されたことを言う(11)。明治政府は西洋文明摂取の方針を打ち出し、「知識」「富有」「健康」という「三宝」が希求された。そのことにより「反道徳的世界に閉じ込められていた欲望」が「文明の名」をもって「復権」することを前提とし、この欲望の肯定に近世的な価値観の「大転換」を見出すのである。

しかし、この「三宝」のそれぞれに差別がはらまれる要因があることを、ひろたは指摘する――知識は理性／狂気との、富有は貧困、健康は病気を対極にもつ。理性についてさらに述べると、「無学無知の民衆に対する啓蒙意欲と蔑視の二重性」のうえで、在来の習慣や民間信仰などが「文明・理性の目からは野蛮で不合理なもの」と見なされるとした。

かくして「自覚された文明的世界」にあっては「理性」が支配し、たとえば、障害者がかつて保持していた「神聖性」「神秘性」はぬぐい去られ、彼らとの「交流」は見られないことを、ひろたはフーコーを引用しながら論ずる。

天皇制とともに近代を作り上げる文明という価値――その具体としての「知識」「富有」「健康」そのものが差別を創り出すという認識が、ここに示されている。「「一君万民」理念のもとで文明的諸価値(つまりは健康・知識・富有)を追求するという大枠」ゆえの、その対極に対する「排除」の論理である。「「一君万民」的かつ文明的な秩序」――近代天皇制によってこそ、「囲い込み」――社会からの「全面的排除」と、「賤視の「視線」」、さらにその中間の「忌避」がなされていった、とひろたは近代ゆえの差別とその構造を説いてみせた。

したがって、「貧困」「不潔」「不徳」「恐怖」の「イメージの重複・結合」を言い、ひろたは近代の価値こそが、被差別者たちを「個性のない単色にぬりこめていく」とする。「一般的にいえば、近代化はつねに差別解消と差別強化の両面の条件と方向性をもっている」とは、従来の近代日本の差別にかかわる議論を大きく塗り替える主張であった。「内的な秩序や規律をもたぬ自由」が「欲望自然主義」となってしまったところに、ひろたは近代日本の差別を見出していくのである。[12]「文明度による差別意識の構造化」―「文明度による序列化」にも目を配るが、ここは「残された課題」としている。「被差別者たちが自ら文明の劣敗者というコンプレックスにとらえられるそのメカニズム」を、「天皇への距離と文明度とは相即的」としている。

もっとも、論理的な展開以上に、ひろたは具体的で個々にとっての差別の現象に言及している。かつて、鹿野は「にとって」と「される側」からの視点が民衆史研究のものであると述べたが(『「鳥島」は入っているか』岩波書店、一九八八年)、ひろたはそうした展開・叙述を存分に行ってみせる。ひろたにおいても、社会史的な課題を民衆史的に把握・叙述したということとなろう。

このように見てきたとき、民衆史派の人びとのなかに、社会史研究への親和性をうかがうことができる。当然のことながら、論者によりそれぞれに差異があるが、共通しているのは社会的権力に着目しその力学を歴史的に描き出している点である。安丸とひろたは、近代転換期の時期に集中し、鹿野は近現代全体をたんねんに分節化し議論を組み立てているが、近代に固有な社会的権力のありようを探っている。

民衆史派の社会史的考察(と、とりあえずこのように述べておく)は、こうして近代とは何かという問いと重ねあわされている。民衆史研究の出発には、民衆にとっての近代という問いが、事実上は民衆にとっての日本の近代化として論述されていたという経緯がある。しかるに四半世紀を経て日本近代が爛熟し、かつ社会史研究の問題提起が見られるなかで、安丸、鹿野、ひろたはそれぞれの関心と対象の選択により、近代の出現にともなう民衆世界の再編を描き出すに至った。人びとの生が、近代への転換のなかで組み替えられ(鹿野のばあいには、大枠が決定されるということになる)、あらたな緊張が醸成されることが明らかにされていった。

民衆史研究の視点として、初期には国家と民衆の関係が探られてきたが、この視点が中期でも継続しているとともに、その国家は「文明」を標榜する国家として把握されなおしている。文明化による国民化は民衆の解放ではなく、逆にその生を統合し(安丸)、管理し(鹿野)、あらたな排除と差別をもたらす(ひろた)という認識が明示されることになったのである。

当初の主体としての民衆の抽出とその内面の営みへの着目から、いまや民衆史研究は民衆の逸脱行動や心と身体、あるいは集団を媒介としての社会的権力による民衆の再編成——人びとの生をあらたなやり方で統御し秩序化することへと関心を推移させている。この推移は民衆史派の人たちの現状に対する認識の鋭敏さであり、社会史派の人びとが追究していたことと重なりをもつといえよう。「監獄」の時代、「健康」の時代、そしてあらたな「差別」の時代が、近代社会の本質であることを、具体的な過程と出来事をもって描き出したところに、一九七〇年代半ば以降の中期・民衆史研究の精髄があった。

民衆史研究と文化史研究との関係

おおむね、社会史研究には親近感を寄せていた民衆史研究だが、さて一九九〇年代半ばからの歴史学の動き——文化史研究についてはどのような対応を見せたであろうか。換言すれば、一九九〇年代半ば以降の後期・民衆史研究は、いかなる認識に基づき、どのような叙述を行ったのであろうか。ここでも、これまでに検討してきた安丸、鹿野、ひろたは、それぞれの対応を見せている。

安丸は、文化史研究のひとつの指標ともなる『岩波講座 近代日本の文化史』に参画し、民衆の記述について論じている(「戦後思想史の中の「民衆」と「大衆」」第九巻、二〇〇二年)。さらに、安丸は『文明化の経験』のなかで、「本書の立場」は「最近の諸外国での研究状況にかかわらせていえば、社会史やカルチュラル・スタディーズに近いものだといえよう」と自ら述べる。社会史研究とカルチュラル・スタディーズを並列しつつ、双方への親近感を述べているが、「民衆的伝統文化や伝統的行動様式とかかわらせて新しい時代の運動の実態面に迫ろう」とし、自らの立場と両者がまとめられる。

これに対し、鹿野は二〇〇〇年代に入ってから、(同じく身体に関心を寄せても)社会史研究のような「病理への関心を根底とする」のではなく、自らは「その〝対極〟としての健康を主題化」すると差異を強調している(「まえがき」『鹿野政直思想史論集』第五巻、岩波書店、二〇〇八年）[13]。鹿野がここでいう「誰もが健全と不健全とを紙一重で抱え込む存在とする人間観・身体観」を「提示」し、そこに「居直っての歴史観・社会観の展開」――「不健全さの主題化」は、民衆史研究から社会史研究、さらに文化史研究に通底していよう。正統派は、それぞれに健全さを基調としているという認識ではある。

だが、一九九〇年代後半以降には、歴史学と歴史学を取り巻く環境が変化していた。鹿野は、自らがポストモダンと見なす歴史学への批判は厳しく、本章では文化史研究のなかに含めることになる潮流との隔絶を（鹿野にはめずらしく、激した調子で）論じた。その意味と私なりの考察はすでに記したことがあるが（「三つの「鳥島」」『思想』二〇一〇年八月。本書第９章）、一九九〇年代半ばの転機をめぐり、民衆史研究内部の認識には溝が見られる。

ここでは、「民衆」概念の推移を考察したひろたの議論を取り上げよう。ひろたの議論は、差別をめぐっての議論において、すでに民衆史研究の枠を踏み越えていたかのごとくであった。しかし、歴史学の転機のなかで、ひろたは戸惑いを隠さない。酒井直樹が編者となった『ナショナル・ヒストリーを学び捨てる』（東京大学出版会、二〇〇六年）[14]に寄稿した「パンドラの箱」はその表明にほかならない。

ひろたは、この論考で、近代日本の史学史を「「民衆」概念を中心」に検証する。福沢諭吉や田口卯吉からたどりなおし、近代日本の歴史学が「官学も民間学も、まさに民衆を発見したのであり、その民衆がいかに立派な国民に形成されてきたか、形成されるべきかという視点から、「国民の歴史」を語ろうとした」と総括する。

転機に直面したとき、その検証を史学史の射程において語る点に、ひろたの鋭敏さと誠実さとが見てとれるが、さらにこの稿は「民衆思想史研究の課題」との副題をもっている。ひろたが民衆史研究に立脚する立場性は明快であり、民衆史研究と文化史研究の関係を探るのに格好の文献となっている。

ひろたの力点は、第一に「民衆思想史研究」により「民衆的な思想の営み」――節のタイトルでは「「民衆」は独自に考える」――が主張されたことの指摘にある。そのために、ひろたは、『明治精神史』(色川大吉)の意味をなによりも「名もなき青年たちの思想と行動の軌跡」を描き出し、「近代と伝統の結合」に「頂点的思想家と違った独自性」を見出したことに求める。その影響を受け、鹿野や安丸もそれぞれに「民衆には独自の思想形成がある」ことを主張したとする。

このとき第二に、ひろたは、一方で(鹿野を引き合いに出しながら)「「民衆」が「日本人」となり「国民」となってしまう、一国史観」が「明瞭」であると批判し、他方では(サバルタン・スタディーズやカルチュラル・スタディーズをもち出しながら)民衆史研究が「世界的に共通した問題の発見に参加」していたことを指摘する。ひろたの揺れを感じさせるが、その揺れは、「七〇年代後半からのポストモダニズムと社会史の流行」が

「民衆思想史研究の潮流に大きな衝撃を与えた」との認識によって語られる箇所に見られる。このことを論じた節は「そして、「民衆」はいなくなった」と題され、ひろたの困惑がそのまま表現されている。

ひろたは、第三に、サイード『オリエンタリズム』や、西川長夫の国民国家論、さらにサバルタン・スタディーズやカルチュラル・スタディーズなどをランダムに挙げ、それらが一九八〇年代末から九〇年代にかけて唱えられ、「民衆独自の思想形成の在り方を見失わせるかに思えるほどであった」と嘆く。『岩波講座 日本通史』「近代一」(岩波書店、一九九四年)や『思想』「近代の文法」などを例に挙げ国民国家論の台頭を言い、それが(1)「民衆思想史研究の潮流の一つといっても良い現象」でありながら、しかし、(2)その観点は「民衆が「国民」になることを示す」点にあると批判する。そして、このことを(3)「民衆思想史研究の行き着いた果て」とした――「それら手法の輝かしい魅力は、民衆の独自な思想形成の輝きを犠牲にしたところで得られたものではなかったか」。

こうしたひろたから見るとき、色川や鹿野の研究も「周辺的存在に歴史の主体」を見ることとなり、「周辺性から中央」を見るとき、そこでの「「中央」は民衆も一体である存在」と見なしていると映る。安丸もまた、近代国民国家に「包括」され「同質化」される歴史像を描いていると批判される。いや、自らの論考(「近代社会成立期の差別構造」)も、民衆を「支配的な社会意識と「完全な同一存在」」としていたと自己批判する。

色川、鹿野、安丸、そしてひろた自身、それぞれの視点から「文明社会の差別構造」にメスを入れたが、一九九〇年代に入って「奇しくも共に民衆の独自性発掘の視座」が「希薄」になり、「マイノリティーに対する差別を問題にすればするほど、民衆の閉じられた世界が問題になってしまう」と嘆くのである。そして、ひろたがもち出すのが「民衆思想史研究の初心」である。ひろたは、処方として「もはや「民衆」は一体でありえず、異質な諸集団として、かつその間に深淵を抱えた、しかし複雑な相互関係をもった存在としてとらえるしかないであろう」という。

自己批判を含む、厳しい史学史が叙述される。しかし、この結論としてひろたが提示した地点こそ、かつて自身が「差別」を論じて切り開いた論点ではなかっただろうか。差別論を論じ二〇年を経て、ひろたは「初心」ならぬかつての地点に戻ってしまったとの感がある。

元来、ひろたは、「民衆」と「底辺民衆」を分節し立論していた。たとえば、柳田国男の民俗学や戦後の歴史学において、その「民衆概念」に「アイヌや沖縄民衆」が「主体的な姿」をもち捉えられていないことを批判する――「歴史を動かす労働者階級を中心とする人民」と言ったとき、「病者や身障者、あるいはアイヌ・沖縄民衆や被差別民などの周辺的存在」がどれだけ視野に入っていたかを詰問する。

しかし、そもそも「民衆」が一体のものではないことは自明とし、どの人びとが「民衆」とされ、さらにどの集団が「底辺民衆」とされ分節化されるのかという恣意性―力学を問題化し、この恣意的な分節化を遂行しているのは誰かを問うのが、一九九〇年代半ばからの歴史学―文化史研究の問いであった。この問いの前に、ひろたは立場を逆回させ、かつての地点へと撤退してしまったと言わざるをえない。文化史の立場からすれば、「民衆」はいなくなったのではなく、再定義されるに至ったのである。

鹿野が「ポスト・モダンの歴史学」として手厳しく批判し立ち向かったのに対し、ひろたは突出していた角を引っ込めてしまう。社会史研究までの共通の関心が[15]、ここではともに文化史研究に接することを放棄している。

焦点となるのは、民衆の主体／主体としての民衆である。ひろたは、民衆が「いなくなった」と言い、鹿野は民衆をコマのように扱うとして文化史研究に対し憤りを隠さない。この論点を主体ということばで整理しなおせば、ひろたは主体としての民衆、鹿野は民衆を扱う主体を見て(鹿野にとっての、主体としての民衆は「個性」ということになろう)、それぞれの意味合いにおいて、文化史研究が主体をないがしろにしているとした。

こうしたときに、安丸は、あらためて民衆の主体的営為としての民衆運動の可能性を論ずる(『朝日新聞』二〇〇八年一月一四日)。『文明化の経験』も、民衆運動論を組み込む形で構成されており、民衆世界が文明社会に包摂されながらも、安丸は民衆運動にさらなる希望を見ているようにうかがえる。また、記述の主体としての自らを論ずる一稿も付されており、[16] 文化史研究に対し、民衆史派のそれぞれの対応は差異を見せている。

(1) 私は一九九〇年代半ばからの動向を社会史研究と分節することまでは当面考えておらず、そのため本章で文化史研究の用語を用いるのは無用の混乱を招く恐れがある。しかしそのことを承知であえて文化史研究として論じていったのは、一九九〇年代半ばの歴史学の変化自体は確認しておく必要があると思うためである。戦後歴史学と民衆史研究の関係に重ね合わせることができるような差異である。

こうした認識に立つとき、(A)戦後歴史学―(B)民衆史研究―(C)社会史研究―(D)文化史研究という仮設の潮流において、(A)と(C)とのあいだに大きな切断があり、(A)と(B)、(C)と(D)のあいだに小さな画期があるということになる。

(2) この時期に先行する、初期の民衆思想史―民衆史研究に関しては別稿「違和感をかざす歴史学」(『思想』二〇一一年八月。本書第7章)を参照されたい。

(3) また、民衆史研究は、民衆思想史研究との区別も史学史上の論点となるが、主要には本章で扱う時期に先行した時期での論点であり、立ち入ることはせずに民衆史研究で統一した。なお、引用に関しては、当然のことながら著者の表記によっている。

(4) たとえば、松本『若き北一輝』(現代評論社、一九七一年)、『歴史という闇』(第三文明社、一九七五年)、山崎『愛と鮮血』(三省堂、一九七〇年)、『サンダカン八番娼館』(筑摩書房、一九七二年)、森崎『与論島から出た民の歴史』(川西到との共著、たいまつ社、一九七一年)

などを、その代表的な著作として挙げることができる。なお、森崎はすでに『まっくら』(理論社、一九六一年)によって、民衆史研究の先駆けともいうべき営みを行っている。

(5)「社会史シリーズ」には、阿部謹也『中世を旅する人びと』、角山栄・川北稔編『路地裏の大英帝国』、藤田尚男『人体解剖のルネサンス』、横井清『的と胞衣』、喜安朗『パリの聖月曜日』などが挙げられている。阿部『ハーメルンの笛吹き男』なども同じ判型であり、当然、ここに含まれるべき性格の著作となる。

(6)このメンバーを中心に、『ヨーロッパ近代史再考』(ミネルヴァ書房、一九八三年)を刊行している。「ヨーロッパ近代をどう考え、捉えなおすのか」であり「それはとりもなおさず、近代なるものの捉えなおし」であるということ(「社会運動史の回顧と現況」『社会運動史』第一〇号、一九八五年、での福井憲彦の発言)が問題意識の重要な一角を占めている。

(7)こうした検討を行うに当たって、核になるのは歴史教育の領域である。『歴史のメソドロジー』においても、座談会は歴史教育を導入としている。史学史を考察する際には、歴史教育の観点が必要であろう。

(8)たとえば、安丸良夫は、網野善彦に言及しながら「戦後日本の歴史学は、一九七〇年代なかばを境として大きく転換した」(『朝日新聞』二〇〇四年三月一日)と述べ、さらに一九九〇年代に転機が見られたという指摘をしている(『文明化の経験』岩波書店、二〇〇七年、など)。

(9)繰り返し述べているように、私自身もこの認識を共有するが、一九九〇年代半ばの切れ目は、民衆史派の人びとの認識よりは大きく深刻なものと把握している。

(10) 鹿野は、『コレラ騒動』『都市と原郷』(一九八八年)、安丸は『世直しとええじゃないか』(一九八七年)などを、責任編集している。

(11) 私は、このとき、文明/野蛮という二分割ではなく、近代空間は、文明/野蛮/暗黒の三分割がなされたと考えている(拙稿「文明/野蛮/暗黒」『近代都市空間の文化経験』岩波書店、二〇〇三年。初出は、一九九六年)。

(12) 鹿野との比較で、ひろたの身体観を見ておけば、ひろたは、政府の肉体への関心は、性病予防のための「文明の名による肉体(娼婦)の閉じ込めと管理」と言い、両義性を見てとっている。「隔離」と「消毒」による、政府のコレラを中心とする伝染病予防活動に反対する民衆は「暴民」とされるのみならず、清潔法が「新しい文明の顔つき」をして人びとの生活に入り込み、「貧民街が「不潔」の代表」と観念され、「貧民や娼婦・病者等」が「「不潔」の存在」としておそれられるということを指摘する。文明ゆえの差別との認識がここでも見られる。

(13) しかし、そうした二分法が成立しないというのが社会史研究の立場であった。

(14) シリーズ『歴史の描き方』(三冊、東京大学出版会、二〇〇六年)の第一巻である。ひろたは、このシリーズ全体を、キャロル・グラックとともに監修している。

(15) ひろたは、社会史研究を「受け入れる素地は民衆思想史研究にもあったのであり、いやそもそも民衆思想史は社会史であったとも言える」と述べている。

(16) 『文明化の経験』をめぐっては、拙稿の書評(「安丸良夫『文明化の経験』、あるいは民衆思想史の位相について」『UP』二〇〇八年五月)を参照されたい。

付記　二〇〇〇年前後あたりから、ピエール・ノラが言う「史学史の時代」としての様相が見られるように思い、戦後の歴史学の検討をその作品に沿いながら行ってきた。この営みもそうした作業のひとつである。もっとも、ここで扱った事態はいまだ現在進行形であり、その意味においては「未完」である。仮説の検証、仮設の事項については、継続的に考えていきたいと思っている。

第9章　三つの「鳥島」

はじめに――史学史という領域

二一世紀初頭のいま、さまざまに「歴史学の現在」が問われている。私自身もまた、機会を与えられるごとに私なりの状況の診断を提出してきた。(1) こうした学知の動向を問う作業は、しばしば現時における変化の大きさを強調するが、いまの議論の背後には、一九九〇年前後から顕著となったグローバリゼーションが介在していることは、あらためて言うまでもなかろう。

グローバリゼーションのもとで、歴史意識と歴史の概念が急速に変容し、連動して歴史学自体もあらたな認識をもつことを迫られる事態となっているのである。そして、このことが、歴史学界での「歴史学の現在」にかかわる多くの議論を呼び起こしている。

議論の内容は、当初は歴史学の変化の指摘が多かったが、次第に新自由主義の歴史的特質の批判的な考察が試みられるようになってきている。歴史学の変化の要因となった

文体	推移(「科学」,「記憶」と「物語」)
方法	時期区分, 実証, 問題意識, 先行研究, 史料論
内容	来歴, 日本史・東洋史・西洋史の三分法
資源	理論(整理した記述＝歴史学概論)と個別の歴史叙述(論文, 通史)
比較	文学史, 美術史, 思想史, 映画史など, 他の学知における「史」の記述
叙述	アカデミズムと在野における差異
イデオロギー	歴史修正主義との対抗, 科学的歴史学と歴史の「語り」
認識	実証主義, 啓蒙主義, 文化主義, 唯物史観, 構築(構成)主義／本質主義

背後の状況を探り、「歴史学の現在」を歴史学の内部とそれを取り巻く外部との双方から考察する試みが出されてきた。(2) もっとも、そこでは社会経済的な状況分析を主とし、(現在性を言いたて歴史を捨象する)新自由主義と歴史意識との関連という視角は見られない。

本章では、その欠落を補うために、史学史という領域からこの「歴史学の現在」という問題を検討しなおしたい。史学史の焦点化は一九四〇年代、七〇年代に顕著であり、いずれも歴史と歴史学が問われる時期に問題化されてきたと言えるが、いまもまた、その直中にあるということであろう。

いくらか前提となることを記しておけば、史学史は歴史学の方法―「詩学」を検討することであり、そこには上表に掲げたようにさまざまな課題が存在している。

だが、認識面から見れば、これまで史学史として提供されてきたものは、現時の歴史学のアイデンティティを確認するものがもっぱらであった。言い換えると、現時の歴史学の認識・方法・対象により(そのことを検討しないまま、史学史の)叙述を行うというスタイルをもった。それらは、歴史学の「来歴」を明らかにしようとし、その「誕生」「成立」「展開」「変容」「展望」を考察してきたということとなる。歴史学研究会・日本史研究会編『日本歴史講座』(全八巻、東京大学出版会、一九五六―五七年)の一冊としての「日本史学史」から、永原慶二『二〇世紀日本の歴史学』(吉川弘文館、二〇〇三年)に至るまで、史学史の代表的な作品は、近代歴史学の自己認識に沿ったものであった。

このような史学史は、方法的に言えば、歴史学の「作品」、歴史家たちの「流派」あるいは「集団」(学会)、そして「歴史家」自身を取り上げて叙述するにとどまり、それらの範疇とその設定の当否は問われないままに、意味づけがなされているということである。したがって、これまでの史学史は、主題＝トピックスの推移に着目して、歴史家(集団)の「問題意識」として語られることとなり、(史学史にとどまらず)歴史学の豊かな成果と可能性が限定されてしまったのではないかという想いが私にはある。

また、これまでの史学史の叙述は、現時の歴史学へと向かう直線的な時間を前提になされていたという特徴も指摘できる。それは現時の歴史学の来歴への関心と相応しており、従来の例で言えば唯物史観の優位性の証明を目的としてきたことなどがそれにあたる。

「戦後歴史学」を対象とした史学史の代表的な作品である、遠山茂樹『戦後の歴史学と歴史意識』(岩波書店、一九六八年)は、「作品」「流派」「集団」「歴史家」を羅列するのではなく、「問題意識」に着目しそれらの関連を探るという方法を切り開いた。この方法により、遠山は、状況と歴史学のかかわりを「歴史家」「集団」と「作品」を提示しながら具体的に描いてみせた。歴史学研究会の掲げてきた主題の変遷を「問題意識」の推移として論じた遠山の論は、史学史の叙述としてあらたな地平を切り開いた作品となった。

だが、戦後の歴史学を歴史学研究会に代表させた点には議論が残る。遠山が『戦後の歴史学と歴史意識』を執筆・刊行した一九七〇年前後こそ、歴史学研究会が歴史学界での主導力を発揮しており、遠山の議論は説得力を有したが、いま史学史を描くときに、遠山の選択をそのまま踏襲することは難しいであろう。

このようにこれまでの史学史を見るとき、二つの問題系が現在の時点での論点となる。第一は、歴史学における認識論の検討の必要性である。日本の歴史学、とくに日本史研究の領域は、二〇世紀後半の大きな論点であった言語論的転回の提起する問題を回避してきた。ヘイドン・ホワイトの『メタヒストリー』が、(原著の刊行以来)四〇年近くも翻訳されず[補註]、議論も(日本史の領域においては)さほどなされてこなかったことはそのひとつの証左となろうが、史学史の検討はその課題をあらためて浮上させる。

第二の問題系は、「歴史学」の領域設定そして「歴史家」という認定の規準を明示することが求められるとの点にかかわる。言語論的転回を受容した歴史叙述が登場するに及んで、あらためて「歴史学」の領域と「歴史家」とは誰かが問われる状況となっている。加えて、アカデミズムと在野、評論(批評)と研究、教育者・運動家と研究者、学術書と非学術書などの区分線、さらに学界(学会、教育の制度)の構成と配置も、もはやかつてのように自明ではない。他の学知(文学研究、社会学、人類学……)とのあらたな線引きも求められよう。[3] 歴史学の「作品」「流派」の選定に先行する、「歴史学」と「歴史家」の概念そのものが問われており、いまや史学史はそこから出発しなければならない。

こうした問いかけは、むろん、いまに始まったことではない。本章で考察の対象とする、鹿野政直『「鳥島」は入っているか』は、第二の問題系を正面切って扱った作品として提供されている。後述するように、『「鳥島」は入っているか』は三つのヴァージョンを有し、一九七〇年代後半、一九八〇年代後半、二〇〇〇年代後半と三度にわたり、史学史的課題がそのときどきの歴史学の状況と重ね合わされて論じられ、あらたな史学史の体裁と叙述をもつ里程標的な作品となっている。ここでは、この著作の三つのヴァージョンの検討を通じて、史学史と歴史学の〈いま〉に接近することを試みたい。「民衆史研究」の推移を軸に、「歴史学の現在」を考察する試みである。

1 『「鳥島」は入っているか』とその三つのヴァージョン

『「鳥島」は入っているか』の三つのヴァージョンの時期ごとの考察が本章での主眼だが、まずは鹿野政直の歴史学上の立場と方法、認識、叙述を「民衆史研究」とすることの意味から出発しよう。また、ここでの民衆史研究とは、(1)色川大吉の主唱により、一九六〇年前後に誕生したものであり、(2)色川、鹿野のほか、安丸良夫やひろたまさきらを主要な歴史家とする日本近代史研究の潮流とゆるやかに把握しておきたい[4]。

一九六〇年の安保闘争、ないしその後の高度経済成長政策と向き合うことにより、民衆史研究はその問題意識を鮮明にしていくが、それは「民衆」を主体と認識したうえで研究の対象とし、「民衆」の内的世界に即した歴史像を提供することを実践する。歴史認識と歴史叙述の双方において、「民衆」(=当事者)になり代わる姿勢を見せ、認識においては、対象の領域の意識化を実践し、それまでの歴史研究で無視され、欠落させられていたものをチェックする態度を強調する。また、叙述では、それを遂行する歴史家の主体の自覚化を図った。すなわち、「民衆」の立場から中央を批判し、脱中心化の営為を行い、(書き手と対象との)主体性の回復を追究する学知である。

民衆史研究の方法的特徴を鹿野に即しながら挙げてみると、「にとって」と「される側」という、いわば歴史の読み替え、書き換えの視点をもつ。鹿野は、本多勝一『殺される側の論理』にある「される側」という視点を「〝弱者〟への視点の拡大」と把握し、「「される側」の視点の造形」を行った。強者による「する側」の論理の対極の視点である。また、出来事を自らに引き受ける意識として「「にとって」の視点」をも言う(引用は、単行本『「鳥島」は入っているか』)。

このことは、「民衆」の発言に対し、内在的な理解を行い、当事者の内在的な論理を探ることを旨とすることでもある。また、「民衆」の思想の形成期に比重を置き、思想の可能性に着目することともなった。こうした民衆史研究はひとつの歴史認識と歴史叙述の立場を示すとともに、戦後歴史学との位置関係では「代補」をなす。民衆史研究を欠く歴史叙述は不可能であることが明らかにされ、ひとつの歴史学上の潮流となる。(5)

一九八八年に岩波書店より刊行された、鹿野政直『「鳥島」は入っているか』は、一九七〇年代後半以降に徴候を見せる戦後歴史学のゆらぎの指摘とそれへの処方であるとともに、史学史として見たばあい、アカデミズムの基準を排し、研究史の延長上に位置する従来の史学史を批判した著作ということができる。

そもそも「「鳥島」は入っているか」というタイトルは、三つの作品に使われている。

すなわち、『岩波講座　日本歴史』の月報版A(一九七七年)[6]、単行本版B(一九八八年)、『鹿野政直思想史論集』第七巻に収められた著作集版C(二〇〇八年)の三つである。いずれも岩波書店の刊行物であるが、発表場所と時期の差異のみならず、その主意にも変化が見られる。

月報版Aは、鹿野が編集委員の一人となった『岩波講座　日本歴史』別巻三の「月報二六」(一九七七年六月)に発表されたが、強烈なアカデミズム歴史学への批判を主軸としている。最終回配本を迎え、編集委員たちが講座編集をふり返る文章を寄せるなか、鹿野は「意識しなかったといえばうそになる」と書き出す。そして、「名だたる国立大学出身者ぞろい」の編集委員のなかで「たった一人、私立大学の出であること」を出発点とし問題をなげかけていく。

主軸となるのは、アカデミズム歴史学の位相と認識についての批判であり、「雑談のなかでひょいとでる研究条件」の「雲泥の、あるいは天地の差」から、歴史学界の人事と研究資金、研究者養成の問題などに照準を合わせている。鹿野は自らの位置を「アカデミーと非アカデミーのあいだの中ぶらりんの場所」とし、「おそらくは牢固としたアカデミズムぶりによって貫通されるであろうこの講座(『岩波講座　日本歴史』―註)を、力よわくではあれ、ちょっとでもゆりうごかせればということを、自分のつとめにしようとひそかに考えた」と述べる。

すなわち、鹿野は「ふつうの生活者の感覚」から、『岩波講座 日本歴史』という歴史学の成果が「完結した体系としてうけとめられてはこまるという気持」を言う一方、自らが編集委員となった講座の歴史認識と歴史叙述を点検する。アカデミーと非アカデミーの差異が、歴史認識と歴史叙述にかかわるものとし、アカデミズムの歴史学が「一〇〇パーセント自己完結的な世界をつくること」への「違和感」を月報版Aに綴るのである。

アカデミズムの「権威」が通用しなくなった現在でこそ、アカデミーと非アカデミーの差異は緩みつつあるが、一九七〇年代にはまだ、それがはっきりと分断されていた。鹿野は、講座論文の作法や講座の構成と構想に言及しながら、アカデミズムによるこの講座が「人びとの思考の自由な発達に歯どめをかける」ことを避けるように繰り返し言う。

そしてそのことを、鹿野は歴史認識として問い返す。鹿野は、作家の島尾敏雄の「たとえば鳥島のようなところも地図から落とさないという気持がわれわれの中にも必要だ」との言を引用する。そして鳥島を落とすのは、紙面の制約にとどまらず、「はぶいてもいいという感覚」があるという島尾の認識に導かれ、講座への自己点検へと向かう——「さて、この講座のえがいた日本歴史の地図には、はたして「鳥島」ははいっているか。「東海道メガロポリス」だけが拡大されていることはないか」。講座への自戒を込めた批判であり、さらには身を切るようにして展開される、歴史学への厳しい自己点検である。

鹿野は、アカデミーと非アカデミーの差異、そのうえに国立大学と私立大学との差異を重ねながら、そのようなあり方が、現時の歴史学の内容・認識・叙述を規定しているという、二重三重になった「中央」と「周縁」の差別的関係を明示する。アカデミズム批判を軸に歴史学のあり方を洗いなおすという強烈な問題意識がここにはあった。(7)

これに対し、単行本版Bは、一九八八年一一月に刊行され、「戦後意識」「人間論」「日本文化論」の三つの柱で、歴史学の「いま」と「これから」を測定している。書名と同じタイトルの「「鳥島」は入っているか」という節が同書中に見られる。同時期に刊行された『婦人・女性・おんな——女性史の問い』(岩波書店、一九八九年二月)の主題である「女性史」を、ここにつけ加えれば、この時期の鹿野の問題意識は事実上、四つの柱をもつと考えられる。(8) ここでは、「戦後意識」に絞って紹介しておこう。(9)

鹿野には、戦後歴史学が、「国民の歴史意識」における「「戦後」の形成と擁護」とを「ほとんど固有の任務としてきた」という強い想いがある。単行本版Bの「Ⅱ「戦後」意識の現在」では、「戦後」を「戦前(戦中を含む)」に対立するものとし、それはまた「軍国」に対する「平和」、「専制」に対する「民主」という「持続的な意志」を「基調」とするものとして規定する。そのうえで、鹿野は、戦後歴史学の「研究」(10)が、「戦前とは異なるという意味での国民の歴史意識の形成」にどのような作品を提供してきたかを論ずる。

まず古代史研究から中世史研究、近世史研究、さらに近代史研究、現代史研究まで、時代順にその成果の内容と意味を概観してみせる。そのうえで、戦後歴史学は「民衆」を「中心概念」とするに至ったとする。一九六〇年代を通じて民衆史研究が歴史学界の「前面」にあらわれ、「「民衆」がいわば優位概念となり、他の諸概念はそれぞれ「民衆」をめぐって配置されるという認識が成立してゆくこととなる」と鹿野は言う。

とともに、鹿野は「歴史知識」「歴史への視点」にとどまらず、戦後歴史学が人びとに「歴史叙述」への参加を促したことを言い、「歴史への国民の能動的な姿勢」を呼び覚ましたことも指摘し、評価する。かくして、鹿野は、戦後歴史学が「批判としての「戦後」的日本史像の提示」を行ったとするのである。

さらに鹿野は、一九七〇年代における「戦争」と「公害」への言及を挙げつつ、「十五年戦争をめぐる歴史意識」に「新しい視角が成長」したことも指摘する。花森安治『一銭五厘の旗』、山中恒『ボクラ少国民』シリーズ、灰谷健次郎『太陽の子』など「歴史家以外の手に成り、読書界や市民のあいだに話題をなげかけた」著作により、そのことを論証する。

このほかにも、さまざまな著作に目を配りながら[11]「「戦後」意識の現在」を考察するが、次第に戦後歴史学の「初心」と「国民の歴史意識」とのあいだに「ある種の乖離」が生み出されたというのが、鹿野の観察である。歴史学の側における「「戦後」意識への固執ないし擁護」と、「国民」の側の「「戦後」意識の消滅」との乖離が、「「戦後」意識の現在」の章のいまひとつのテーマとなっている。

その例証として、この章で鹿野は司馬遼太郎を取り上げ、司馬に見られる「自己肯定としての「戦後」的日本史像」を検討する。一九七〇年前後から司馬は「「戦後」の擁護」を掲げ、「自足性」を言い、「「戦後」の終焉への歴史意識を準備した」と鹿野は手厳しく批判する。「「戦後」の初心の擁護」から、「自己肯定」とも言うべき「もう一つの「戦後意識」」が出現し、その「瀰漫」と重なり合い、「後追い」をしつつ、「「戦後」意識の消滅」に向かったとするのである。

こうして単行本『「鳥島」は入っているか』は、「経済大国化」にともなう意識の変貌への批判を主とする著作であった。「日本文化論」を論じた章でも、一九八〇年代における「日本論」のうねりを批判的に考察し、「日本化」が「国際化」によって裏づけされ、「経済論的視角の優位」をもつことを指摘した。

留意しておきたいのは、状況論でもあるという意識から、鹿野は、自らが状況に否応なく巻き込まれ「被拘束者」であるとともに、自らそこに参加する「実践者」であり、かつ事態の推移を眺める「観察者」という三者の意識を重ね持つことを言う点である。

当事者であるということをていねいに腑分けした言い方であろうが、鹿野は「いままで身につけてきた歴史学の視点と方法」で「状況を対象化」したとする。この「対象化」も歴史化と言うことができ、〈いま〉を焦点化している。

すなわち、〈いま〉を歴史化するに当たり、「戦後意識」「人間論」「日本文化論」が肝要であり、ここを入口とし現時の歴史的位相を探る。単行本『「鳥島」は入っているか』の方法は、状況のなかでこの三つの柱に沿う著作群を読み解き、そのことを通じて、主題としての「戦後意識」「人間論」「日本文化論」を系譜的に論じるものとなっている。「日本文化論」のばあい、歴史的なエポックである一九三〇年代における「日本人の自己認識の論としての日本精神論」と「日本文化論の戦後史」がたどられた。さらに、国家が主導権を取る「日本文化論」への対抗―「立ち向かう途」が系譜的に考察され、「いまこそ、運動史研究への視野をもちつづけることが必要」という提起も行った。

このように単行本『「鳥島」は入っているか』は、たえず「国民の歴史意識」を参照し、それを投影したものとして歴史学が検討されることにより、史学史の著作として考えることができる。これまでの史学史の叙述と方法を一新する史学史の誕生である。

史学史としての単行本『「鳥島」は入っているか』は、したがって「国民」の歴史意識を鏡とした「歴史学の自己点検」(第Ⅰ部のタイトル。ここでの「歴史学」は、戦後歴史学といってよかろう)となっている。月報版Aのアカデミーへの批判を継続し、多くの著作群を提示しながら、時間的経過と三つ(ないし四つ)の柱を立て戦後歴史学の点検を行う鹿野は「戦後歴史学はこれでいいのか」との気持ちが一九六〇年代に芽生えた、と単行本『「鳥島」は入っているか』の冒頭に書きつけている。

加えて、歴史家としての当事者性から鹿野は発言しており、戦後歴史学への批判的「観察者」「実践者」であるとともに、その影響下にある(「被拘束者」)という意識もあったろう。ここでの戦後歴史学の「自己点検」は、当然にも民衆史研究の立場、姿勢、作法、叙述の点検であり、その実践ともなる。

著作集版『「鳥島」は入っているか』(C)は、単行本版から「日本文化論の現在」を除いたものであるが[12]、むしろこの本体および同巻所収の「化生する歴史学」「問いかけの史学」を挟む形であらたに付された「まえがき」と「問いつづけたいこと」が重要である。そのなかで、鹿野は自己の立場を明らかにしながら、かなり強い調子で現時の歴史学への批判、とりわけポストモダン(と鹿野が見なすもの)への批判と苛立ちを綴っている。

著作集版「まえがき」で鹿野が主張しているのは、(1)自分は、狭義の「戦後歴史学の徒という意識を動かしがたい」という自己規定であり、(2)しかも自分がその「第二世代」であって「戦後歴史学〝体制〟」が帯び始めた「〝権威〟性」への違和感をもっているということである。違和感の内容は「真理性と正義性を疑わない自己完結性」(「科学的で啓蒙的でなければならないという、牢固とした使命感」とも言い換えられている)であると整理される。

これは「戦時下の体験」の延長で説明され、「スローガンふうに叫ばれる〝正しい〟歴史観」への「食傷」ともいうが、ある立場やひとつの価値の絶対化への忌避が鹿野の中核にある。「正しさ」を疑わない「自己完結性」への不信であり、その点では戦前と戦後の区別もない――すなわち、「相対化」が鹿野にとってゆずれない価値である。この意味において鹿野にとっての歴史学の「自己点検」の作業とは、戦後歴史学の相対化の営みにほかならなかった。鹿野は、『「鳥島」は入っているか』、および『化生する歴史学』(校倉書房、一九九八年)という自著のタイトルに触れながら「脱(ないし離)「戦後歴史学」願望」があったことを言い、女性史研究や沖縄史研究に向かった「発心」のひとつを「戦後歴史学への抵抗感」と回顧的に説明している。

だが、巻末に配された「問いつづけたいこと」では、自分は戦後歴史学の「内部批判者」のつもりだが、「「補完」者の一人とも目される」という自己認識を示す。戦後歴史学とポストモダンの歴史学との関係で、鹿野はあらたな認識を提示していくこととなる。節をあらためて検討しよう。

2 自己と他者

著作集版Cに付された「問いつづけたいこと」のなかで、鹿野は「歴史学をめぐる環境」は、一九八〇年代、さらに九〇年代に「劇的に変化」したという。大方の歴史家のもつ実感でもあるが、その中核に、鹿野は「歴史学の固有の価値を支えていた過去↓現在↓未来という図式の実在性」の「崩壊」を指摘する。

その理由として、鹿野は「(歴史学の—註)外側からの強烈な刺戟を内側に受けるかたち」での「大変動」を指摘し、歴史学の「外側」として「哲学・社会学・人類学などの諸科学」と、「歴史学を主とする海外の学問動向」を挙げる。また、「内側」では、(1)歴史構成主義、国民国家論を取り上げつつ「歴史学におけるいわゆるポスト・モダン的学風の擡頭と風靡」を言う。同時に、鹿野は、(2)「歴史修正主義の拡がり」をも、変化—崩壊の理由の一つとした。

グローバリゼーションのもとでの歴史の概念の変貌を鹿野は敏感に捉え、歴史学の問題として論じるが、鹿野の状況論はここでも史学史となっている。一九九〇年代の歴史学の状況として、鹿野は歴史構成主義、国民国家論と、歴史修正主義の三者を挙げ、「あらたな認識論」の台頭とした。着目すべきは、この三者を「同根」とする点である。

イデオロギーから見れば、ナショナリズムを批判する歴史構成主義・国民国家論と、歴史修正主義は異質であり、鹿野自身も三者を「並べては、(前二者と後者の—註)双方ともに反発があろう」と述べる。また論者によって差異はあるが、歴史構成主義の学史的系譜と国民国家論の台頭の契機とはまったく異なっている。

しかし鹿野は続けて、三者は「角度を異にする立場からの、それぞれの歴史学の在りようへの批判ないし否定という点では一線に並ぶ位置にある」と強く弁ずる——「これら三つの歴史認識ないし思潮」は「意図的にあるいは結果として、歴史における「人びと」の消去への視角を共有することを印象づけられる」。

ここには、二つの批判的論点が掲げられている。第一の批判的論点は、三者が対象とした「歴史」と「人びと」への接近方法に向けられる。三者の議論に対し、鹿野は「「生起」したものとしての歴史が、いよいよ素材化・手段化され、生きてきた人びとがますます遠景へ追いやられ」たと言い、いずれも「自他の峻別・他者の裁断・自己の貫徹という〝支配〟への欲望に支えられた政治力学を体現」し、「「人びと」の存在感の希薄化」が「通有」している、といつになく声高に批判する。認識、対象と方法にかかわる面からの三者に対する批判であり、その言は「みずからの図式に合わない現象への切捨ての精神をみる」とまで述べられた。

そのうえで鹿野は、野家啓一(歴史構成主義)、西川長夫(国民国家論)、そして西尾幹二

(歴史修正主義)をそれぞれの代表者とし、西尾『国民の歴史』(産経新聞ニュースサービス、一九九九年)は「「人びと」に、「国民」としての制服を着せ、一色化しようとする」「声高」な主張であり、野家『物語の哲学』(岩波現代文庫版、二〇〇五年)は「「叙述」が主役となり、「出来事」は脇役に変る」とした。また、西川「戦後歴史学と国民国家論」(歴史学研究会編『戦後歴史学再考』青木書店、二〇〇〇年)に対しても、「あらゆる矛盾を国民国家に押しつけてしまった」「西川にあっては、そのグローバリゼーションへの認識は薄い」とする。

かつて月報版Aで、アカデミズムの歴史学に向けた批判を、あらたに著作集版Cではこの三者に向け、野家の議論は「「出来事」を軸」に「〝値しない〟と目された人生」を切り捨てる性格を帯びざるをえないとし、そこに「自己完結化」の様相を見出した。三者は、それぞれ論者の側からの一方的な分析に終始しており、対象とされた側の主体性や内在的な論理の検討がなされていないというのが、鹿野の批判の眼目であろう。

第二の批判的論点は、歴史学批判のありように対してである。鹿野は、『シリーズ 歴史を問う』(全六巻、岩波書店、二〇〇二—〇四年)に対し(以上の批判を繰り返すとともに)、「国家権力と歴史学との関係」が「欠落」し、「自分」と「いま」が「自己完結的に存在」するとした。歴史構成主義と国民国家論は「歴史が権力とのあいだでもたざるをえない〝生臭い〟関係」を「視野から欠落」させたと批判するのである。鹿野の含意は、歴史学がかつて果たしてきた国家への参画に、歴史構成主義も国民国家論も無自覚だという点にあるように見える。

そのゆえに、(国家への参画を自己批判した)戦後の歴史学が保持してきた「人びと」への視点を重視し、「人びと」の生を希薄化するものとして歴史構成主義を厳しく批判しているようである。いくらかデフォルメして言えば、鹿野は「あらたな認識論」をもつ三者を、左右、内外、縦横からの戦後の歴史学への挑戦(批判にとどまらない、否定)として受け止めている。

すなわち、これまで戦後歴史学に違和感を有していた鹿野だったが、三者の台頭により、戦後歴史学と民衆史研究とが共有する認識、方法、対象を強調し、三者のもつ認識と対象への接近の方法を厳しく批判するのである。

こうした鹿野の著作集版Cにおける主張を、どのように考えることができるであろうか。歴史修正主義はひとまず措き、歴史構成主義と国民国家論の立場を弁じてみよう。

歴史構成主義と国民国家論がともに批判的に問題とするのは、国民国家(=近代)において「国民」の「歴史」の名のもとに、人びとの歴史が疎外されてきたことである。多様な存在の人びとの生が、国民国家(=近代)によって「国民」のもとに一元化され、その「歴史」からはずされたものが歴史の暗闇に放置されることへの批判であった。「国民」を「民衆」とし、「歴史」を民衆史研究としたときにも同様の事態は出来し、戦後は見られる。

ことは、「国民」の「歴史」を記述する歴史叙述にかかわっているとするのが、野家や西川の提起した議論であった。歴史を記述するという行為そのものがはらむ権力関係、および参照系としてもち出される「国民」がもつ規範性こそ、歴史構成主義と国民国家論が批判的に提起した議論にほかならないであろう。この立場からすれば、戦後の歴史学は、よい「歴史」と「国民」を探求し、「歴史」「国民」自体がはらむ権力性と規範性が見過ごされているということになる。歴史を記述することが執拗に問題化され、近代—国民国家批判が繰り返されるのはこうした認識によっている。

さらに言えば、論者は「国民」からも歴史叙述からも逃れえないのであるから、歴史構成主義と国民国家論では「歴史被拘束性」をより自覚し立論していると言えよう。

このように考えるとき、歴史構成主義・国民国家論と、「国民」の物語を強要する歴史修正主義との差異は明らかである。歴史構成主義と国民国家論が、「国民」のもとにすべての人びとの生を一元化し概念化すること、および記述する行為に暴力を見出したのに対し、歴史修正主義は構成的に作り上げられた「国民」の物語を当然のものとするのみならず、それを強制し他の歴史の可能性を排除するのである。イデオロギーのみならず、方法においても歴史修正主義と、歴史構成主義・国民国家論には相違が見られる。

たしかに歴史構成主義、国民国家論、そして歴史修正主義の三者は、「国民」や「民衆」という概念の構成性を言い、歴史叙述が「事実」の再構成ではなく解釈にかかわることを言う。三者にとって「歴史が権力とのあいだでもたざるをえない〝生臭い〟関係」とは、「国民」という概念化、歴史叙述の行為そのものに内包される事態であった。その点を批判的に指摘することが、歴史構成主義と国民国家論の主たる関心であったのである。(13)

この点から、歴史修正主義を含めた三者は、戦後歴史学や、その延長上に位置する(と、とりあえず述べておく)民衆史研究の立場とは切断されている。

急いでつけ加えておくが、歴史叙述は認識面だけでは論じられず、対象や方法、さらにイデオロギーの局面も勘案しなければならない。だが、このこともまた、歴史構成主義と国民国家論が(歴史修正主義との対抗のなかから)提起したことであった。認識、対象、方法、またイデオロギーという歴史学がもつこれらの要素における複雑な関係を明らかにしつつ、歴史叙述を遂行することが、〈いま〉の歴史学の課題となっていよう。

歴史学の〈いま〉をこうして理解するとき、処方においても差異が生じてくる。鹿野は著作集版Cにおいて、(1)歴史叙述を行う者と、「人びと」との双方の「主体的契機」の「回復」を課題とし、(2)前者は、「他者」としての後者へ働きかけることを避けえないが、そこでの「意識変化の微妙な兆し」を指摘する。そして、鹿野は(3)「向きあう」(「佇む」)

という処方を導き出す——「対象化される人びと、さらにその究極の単位としての個人にとってのという立場に踏ん張り、逆に世界や一国を、その来し方を含めて対象化する役割を担うべきではなかろうか」と、自らの立場に立つ処方を表明する。民衆史研究で追究していった「にとって」という論点をより徹底させ、鹿野は「個人」(「個」「個性」)にこだわりぬくことを言う。

激動する歴史学のなかで、三つ目の『「鳥島」は入っているか』で鹿野が示した認識と処方は、かかるものであった。真摯に状況に向き合い、歴史家としての鹿野が、その豊富な知識と経験から紡ぎ出した処方であった。

だが、ここでも事態の認識の相違が生じている。私の理解では、記述者と「人びと」の双方の主体性の「回復」を前提としたうえで、主体化の営みが有する両義性にあらためて論を立てた点に、歴史構成主義と国民国家論の主張があった。国民国家(＝近代)のもとでの主体化は、主体の達成が「国民」としてなされ、そのゆえに主体の「実現」とともに、歴史拘束性を抱え込むこととなり、個性化・個別化が捨象されてしまう局面をあわせもつことを、歴史構成主義や国民国家論は強調したのである。だが、鹿野にはこの事態が逆に見え、歴史構成主義や国民国家論が主体を損ねたように映っているようである。

このように著作集版Cの議論の地平をうかがうとき、肝要の点で(歴史構成主義・国民国家論と)同じことばを用いながら、背後にある認識が異なっていることに気がつく。もっとも、こうしたことは、史学史上にはしばしばあることにも思いが至る。一九六〇年代半ばになされた、竹内好による遠山茂樹への言及を見てみよう。

竹内は、(1)歴史学における認識論の脆弱さをいうなかで、(2)遠山は(アジア主義の)「連帯と侵略の二分法を採用すべし」と「要請」するが、自分(竹内)はその二分法の「妥当性」を疑うところから出発し、(3)「連帯と侵略の組み合わせの諸類型」を考えるとした。加えて、(4)この議論は、他者認識にかかわっているというのが竹内の議論であった。

遠山氏において、人間は動機と手段の区別が明瞭な、他者によってまるごと把握できる透明な実態であるし、私にあっては流動的な、状況的にしか自他につかめぬものである。歴史もまた、遠山氏には重苦しい所与であるし、私には可塑的な、分解可能な構築物としてある。(竹内好「学者の責任について」『展望』一九六六年六月)

竹内の議論では、「人間」は状況のなかでしか把握できないという認識が歴史の可能性と結びつけられる。竹内から見れば、(遠山は)歴史を所与としてしまうがゆえに「人間」が単純化されることとなり、他者が操作可能な他者にまで切り詰められてしまう。歴史家(=遠山)における「歴史」と「人間」の関係の把握、また「人間」―「他者」の理解が批判されるが、竹内の議論を参照するとき、鹿野の「『人びと』を軸に歴史学を建てる展望」――「「人びと」の生を歴史に復活させる途」を探るという処方も異なって見えてくる。

「人びと」が「流動的」「状況的」にしか把握できないこと、すなわちその構成性を歴史構成主義や国民国家論は指摘し、そこに働く「政治力学」を言挙げしたのである。そのことを自覚したうえで、いかなる歴史叙述を実践するかが求められており、現時の歴史学の課題―処方もそこを焦点の一つとしているといえよう。

3 「六八年」の転換と「九〇年代」への対抗

鹿野政直は、「歴史学の現在」を問い続けるなか、三つの『「鳥島」は入っているか』を提供してきた。それぞれ、民衆史研究の立場からのそのときどきの観察と処方が記されるとともに、戦後の歴史学の推移と民衆史研究自身の位置どりが示される議論となっていた。また、三つの「鳥島」は歴史学を媒介とした歴史意識の考察でもあり、歴史構成主義や国民国家論を論じた際には、鹿野は「グローバリズムの跳梁のもとでの、人びとの存在感の希薄化に照応する歴史論」と考察してみせた。

かかる鹿野の議論を、著作集『鹿野政直思想史論集』(全七巻、岩波書店、二〇〇七―〇八年。以下、『思想史論集』と略記する)を参照しながら、いま一度、史学史のなかで整理してみよう。『思想史論集』第一巻には、新稿の「わたくしと思想史」が付され、鹿野は「「近代」への問い」を軸とし自らの思索の軌跡を語る。ここで鹿野は一九六〇年代末に、「めざされる近代」の解明から「問われる近代」の考察へと「近代」をめぐる「位置づけ」を変えたと自己分析する。

「制度としての近代」「嵌めこまれた近代」とも表現されるが、「問われる近代」の問題意識を、一九六〇年代末の時点からいまに至るまで有していたという鹿野の自己認識が表明される。言い換えれば、鹿野の歴史学は「六八年」を転換点とする歴史学として、問題意識と方法、対象の設定がなされ、現時に至ると自ら述べる。(14)

おりしも「六八年」は知的状況が大きく転換する時期であり、そのなかで戦後歴史学もまた転回(あるいは、再編成)のときに当たっていた。いや、それ以上に民衆史研究が、戦後における歴史学を「六八年」の時期に再編成する領導を行ったことが『思想史論集』には刻印されている。鹿野に一貫している戦後歴史学への共感と違和感をあわせもつ点、すなわち戦後歴史学という大きな枠組みに所属しているという意識とそのゆえの(戦後歴史学への)修正への志向の姿勢が、鹿野を含む民衆史研究が一九六〇年代末から七〇年代初頭における戦後歴史学の再編の一翼を担うことを促した。『「鳥島」は入っているか』A・Bのヴァージョンは、こうしたなかから紡ぎ出されてきたのである。

だが二一世紀の〈いま〉、「九〇年代」に軸足を置く歴史学(歴史認識と歴史叙述)もまたあらわれてきている。(鹿野が批判の対象とした)歴史構成主義・国民国家論などであるが、これらもまた「近代」をめぐるあらたな問いといってよい。「六八年」の歴史学と「九〇年代」の歴史学は、「近代」の概念と評価の相違をはじめ、相互に一筋縄ではいかない複雑な関係があり、この関係を明らかにすることが二一世紀における歴史学のいまを考察するときの課題のひとつとなっている。「六八年」の歴史学から見れば、「九〇年代」の歴史学の近代批判はその扱いが軽いものに見え、他方、「九〇年代」の歴史学からすれば、「六八年」の歴史学の近代は、その実、「日本近代化」を対象としているにとどまるなどの議論がなされる。(15)

鹿野はこれまで見てきたように、一方の当事者として、歴史構成主義・国民国家論といった「九〇年代」歴史学に厳しい批判を加えるが、「わたくしと思想史」では、歴史構成主義・国民国家論を「ポストモダンとして興起した」と把握したうえで、その台頭が「逆に(鹿野に—註)「近代」へのこだわりを強めさせた」としている。「めざされる近代」から「問われる近代」へと問題意識を推移させた鹿野は、あらためて「近代へのこだわり」を言い、「九〇年代」歴史学への懸念を表明することとなる。(16)

このとき、鹿野が論点とし、焦点としたことを四点にわたって見てみよう。第一は、歴史構成主義・国民国家論が批判してやまない「国民」に関してである。元来、鹿野には「国民」「市民」という語法に敏感であったという自己認識があり、実際、対象とする「人びと」をどのような概念で考察するかに慎重であった。

『化生する歴史学』で、自分は「臣民か国民か市民かは、比較的に早くから意識してきた」と述べるとともに、一九八〇年代に入ってから「国民」という語を使うことに「居心地の悪さを感じた」と表明している。だが、対象とする「人びと」と研究との関係を語るときには、いささか疑問が生ずる。二つの事例を挙げて検討してみよう。

事例1　「私は民衆史をやっている人間の一人と言われますが、民衆の前で「私は民衆史をやっている。あなた方のことを研究しているんです。」なんて馬鹿なことを言えますか。だが、それを平然と言えるようにならないとアカデミズムでは成功しない。それに対し痩せ我慢を私は持っています。」（新谷尚紀との対談「民俗学と歴史学の現在」『本郷』一九九九年一一月）

事例2　「人々の歴史意識を否定するのでも、すり寄るのでもなく、緊張感をもって半分は内側から、半分は外側から見るというのでしょうか」（「事実」に基づかない歴史の言説に対し）「まどるっこしいようですが……一つひとつ、事実に基づいて言い続けることが歴史学の責務になると思います。」（インタヴュー「歴史学は現実政治と対峙しなければならない」『論座』二〇〇八年一月）

事例1では、「民衆」の実在性を想定していることは措くとして、鹿野の前にたちあらわれるのは（歴史上の人物も含め）固有名をもつ人びとであろう。対象とする「人びと」

は、それぞれ個性をもつ個人として登場する。だが、歴史叙述を行う際には、その固有名にある代表性を付することとなり、(固有名をもつ)彼や彼女が「民衆」「国民」となるのではあるまいか。

また、事例2における「人々の歴史意識」との距離の取り方は、鹿野の姿勢をよくあらわしたものとなっている。また「そういう言説に共鳴する人々がいるということを受け止めて、それはなぜかを、それこそ歴史学の対象としても考えてゆく。そんな多面的な作業が求められていると思いますね」という点に、史学史と状況論とを重ねあわせて考察する鹿野らしさが見られる。

だが、問われているのは、そのような「人々の歴史意識」をいかように書き留めるかであり、記述—歴史叙述の次元で、さらなる「緊張感」を有することの必要性であろう。[17]

第二の論点は、「近代」と「現代」との関係をめぐる点である。この用語を表題に掲げた鹿野の著作を繙いてみると、たとえば、『近代日本思想案内』(岩波書店、一九九九年)は、「案内」とのことばに啓蒙的態度を避ける鹿野の姿勢がまず見てとれる。とともに、『近代日本思想案内』は、幕末維新期から敗戦前後——一九世紀後半から二〇世紀前半までの「近代日本思想」の作品を「啓蒙思想」「欧化と国粋」「民本主義と教養主義」のように通時的に綴る。

この続編の位置をもつ『日本の近代思想』(岩波書店、二〇〇二年)は、「日本論」「民主主義」「沖縄・在日」のようにテーマごとに主題をたて、その来歴と〈いま〉を概観するものだが、二〇世紀を対象とし、とくに戦後に力点が置かれている。そのため同書のタイトルは（『近代日本思想案内』との関係からも）「日本の現代思想」がふさわしいように見えるが、鹿野はあえて「近代思想」としている。

すなわち、『日本の近代思想』で鹿野が対象としたのは、一九七〇・八〇年頃までの戦後の範囲であり、その後の思想――戦後と一線を画そうとした「九〇年代」の思想――は扱われていない。「問われる近代」までを範囲とし、鹿野が言うところのポストモダンは『日本の近代思想』では扱わずに回避している。

近代日本における思想の「達成」（『近代日本思想案内』）と「課題」（『日本の近代思想』）を叙述しながら、鹿野は(1)「九〇年代」思想を、近代とは異なる意味での現代思想と把握し、(2)批判的な意味合いを込め「ポスト・モダン」とし、(3)その歴史学における形態として歴史構成主義・国民国家論を捉え、(4)それらを、認識としても対象としても斥けたのである。

第三点目は、鹿野があえて『現代日本女性史』（有斐閣、二〇〇四年）と「現代」を付した著作に対してである。鹿野は「戦後」を対象とし「現代」を表題に組み込み、一九七〇年のウーマンリブの意義を強調する。「現代」に踏み込んだ作品と鹿野はするのだが、史学史の観点から見たときに『現代日本女性史』は「現代」ときしみを起こしている。

すなわち、鹿野は『現代日本女性史』において、ジェンダー(概念)の導入が、女性観にあらたな視野を拓いた諸点を指摘すると同時に「被抑圧者として、あるいは被抑圧者のために闘うという初心の変質への契機をも孕んでいた」と述べ、ジェンダー概念への批判を行うのである。歴史構成主義・国民国家論への批判と同様に、ジェンダー批判も「九〇年代」思想への批判と重ねられていよう。

とともに、鹿野は対象に立ち向かう際の「初心」の喪失をもち出しており、かつて女性史総合研究会編『日本女性史』(全五巻、東京大学出版会、一九八二年)へ向けたのと同じ批判が、ジェンダー研究にも向けられている。この点からすれば、ジェンダー研究批判は、一見、月報版Aから持続するアカデミズム批判のように見えるが、時間を経緯してその位相はいささか異なっている。

鹿野は歴史分析の参照系として「痛覚」をもち出したのだが、彼ら彼女らの「痛覚」を代理し表象することが可能であるか、と問うたのが「九〇年代」の歴史学であった。ジェンダー研究に向けられた鹿野の問いかけにおいて、鹿野は「痛覚」の代理と表象に関しての疑いをもっていないように見える。

このように見たとき、第四点目となるが、著作集版C『「鳥島」は入っているか』において「日本文化論」の項目が省かれたことにも、あらたな意味が生じよう。「日本文化論」の削除は、紙幅の関係のみならず、一九八〇年代の「日本文化論」の隆盛に代わり、一九九〇年代半ばには文化研究―カルチュラル・スタディーズが台頭したことと無縁ではないように見える。

『「鳥島」は入っているか』BとCとのあいだに、日本のアイデンティティとして論じられた「日本文化論」から、国民国家が作り出す国民文化という枠組みを批判的に考察する文化研究（カルチュラル・スタディーズ）への研究動向の推移が見られたが、鹿野の眼には両方の動きがともに許容できないものと映ったはずである。「戦後」後を強調する「九〇年代」の思想の一翼としての文化研究（カルチュラル・スタディーズ）と、戦後批判を主とする『「鳥島」は入っているか』Bとの落差が意識され、著作集Cでは「日本文化論」を省くことになったのではなかろうか。

こうして鹿野の「九〇年代」歴史学・思想の認識と、民衆史研究の〈いま〉とが、歴史構成主義や国民国家論といった「九〇年代」歴史学の状況認識と営為とに、絡まりあい捻じれあっている。

まずは歴史学を批判的に検討することの意図と意味に、両者の差異が見られる。民衆史研究も、歴史構成主義・国民国家論もともに、「人びとの生」を抑圧するものとして歴史学を見てとり、そのゆえに歴史学批判を展開するが「抑圧」の内容や、その主体と原因、処方に至るまでことごとに差異を有している。

そもそも「九〇年代」歴史学の営為は、人びとへの批判ではなく歴史学批判であるが、その入口からして民衆史研究の状況認識とはすれ違っている。「九〇年代」歴史学が意図しているのは、「人びとの生」を表象の対象とすることへの緊張感であり、人びとの生と生の記録を切り刻んでいるものへの憤りである。

私自身は、歴史を生きることの普遍性と、歴史を書き留めることの特殊性・特権性という観点から、当事者の手記を考察することを行ってきた[18]。そのことは、当事者の主意をたどることとは位相を異にし、民衆史研究の作法とはずれが生ずることとなった。当事者の内的過程をたどることが、そのまま主体性の尊重ではなく、またその主体性にしてすでに両義的な意味を有しているのである。

いまひとつは、民衆史研究の歴史学界における位置である。いまや歴史学のなかでは、世界的に「民衆」ぬきの歴史は意味をなさないという共通了解を得ている[19]。一九六〇年代における登場から、一九七〇年代におけるその活性化を経て、一九九〇年代における民衆史研究のスタンダード化が見て取れる。

とともに、このとき「民衆」の含意に対しても変化が生じている。おりしも自己責任論を標榜する新自由主義が台頭してきている時期である。「近代」批判の「民衆」という論点が後景に退き、「近代化」を支えた「民衆」、ナショナリズムの主体としての民衆(＝国民)という論点が、歴史修正主義のなかで唱えられてきている。

かかる事態に差しかかり、民衆史研究による批判的営みが「九〇年代」歴史学全般に向けられるのは、状況認識と学知の認識との双方に分節化がなされていないゆえであろう。民衆史研究を主語として言えば、民衆史研究は「近代」をめぐる問いを基調としており、鹿野は、それを手放した、とポストモダン(と認識した)歴史学への苛立ちを表明した。しかし、このことは逆に、初期の民衆史研究と、いまの民衆史研究の位相、批判対象、史学史上での意味の相違を示唆しているのではなかろうか。

戦後歴史学、そして民衆史研究は、戦後知のなかで重要な役割を果たし、多くの人びとの信頼を得てきた。「九〇年代」歴史学の論者のひとりである米山リサは、自らの仕事は「民衆の記憶の復権」を行い「無名の行為者を前景に描き、制度化された「歴史」がいかに彼らの体験を誤って伝えてきたかを暴きだす」営みであると言うが(『広島 記憶のポリティクス』岩波書店、二〇〇五年)、それは民衆史研究の営みと重なるところが大きい。

戦後歴史学の検証はさまざまに開始されているが[20]、民衆史研究の史学史的検討もなされる時期にきている。新自由主義への対抗として、民衆史研究の史学史的な検証は必至である。そしてこの営みは、民衆史研究の課題として追究してきたことが歴史学界での共通認識となったとき、その先をいかに構想するかということでもある。

(1)　『歴史学のスタイル』(二〇〇一年)、『歴史学のポジショナリティ』(二〇〇六年。ともに校倉書房)、「現代都市を生きる感性と歴史学」(『人民の歴史学』第一七六号、二〇〇八年)、

「「戦後歴史学」の自己点検としての史学史」(『歴史学研究』第八六二号、二〇一〇年)など。

(2) 二〇〇七年度の東京歴史科学研究会第四一回大会「「新自由主義」時代の歴史学」、二〇〇八年度歴史学研究会大会全体会での大門正克、小沢弘明の報告など。

(3) このほかに、(1)アウトプット(出版)の形態(論文と通史、学術書と非学術書)、(2)制度(歴史教育など)と研究資金(科学研究費補助金、学術振興会、国際交流基金など)、(3)「日本」外での歴史研究(アメリカにおける日本研究、フランスにおけるフランス研究と日本におけるフランス研究、東アジアでの共通教材の追究など)の課題もあろう。

(4) 民衆史研究に関しては、民衆思想史研究との関連などの論点があるが、ここでは触れないことにする。

(5) 以上の点は、拙著『歴史学のスタイル』を参照されたい。当事者からの言及として、本章で触れる鹿野の著作以外には、安丸良夫『〈方法〉としての思想史』(校倉書房、一九九六年)がある。

(6) 月報版は、「「鳥島」ははいっているか」という表記となっているが、以後は「「鳥島」は入っているか」とされる。本書では、後者の表記で統一した。

(7) 鹿野は、こののち『近代日本の民間学』(岩波書店、一九八三年)を著し、「官学」に対し「有形無形」の「異議申し立て」をする「知的山脈」を探る。月報版Aにおける問題意識を、歴史的に探り叙述した作品と言いうる。

(8) 『婦人・女性・おんな』(序「女性史とわたくし」、I「女たち・女性史の転機」、II「女性史を見なおす」、結「女性史にこだわりつつ女性史のかなたに」)は、「女性史という学問の領域に、いささかたずさわってきた人間の一人として、女性史のいまを確かめたいとの気持に促され」書いた、と鹿野は述べる。

(9) ちなみに単行本『「鳥島」は入っているか』所収のⅢ「人間論の現在」では、「空間」「人権」の主題化を追求した作品とともに、阿部謹也、網野善彦らの「社会史」が取り上げられる。また、Ⅳ「日本文化論の現在」では、梅原猛の著作などが検討される。

(10) 傍点が付されている点に、鹿野がアカデミズムの「研究」という態度に距離を置こうとする意識がうかがえる。

(11) ちなみに、一六頁にわたる、巻末の「掲載文献索引」は書名による索引となっているが、歴史学以外の文学研究や精神科学、社会学や政治学、教育学などの著作が多い。また、学術書にとどまらず、評論やノンフィクションなども数多く取り上げられており、田中正造研究や自由民権運動研究、大正デモクラシー研究などの歴史学の作品も、こうした視野のなかで論じられることとなる。節をあらためて検討しよう。

(12) その理由として、鹿野は「日本文化論の現在」が「戦中期以来の軌跡に紙幅を費やしていること」を挙げているが、それにとどまらぬ論点がここに見られる。この点については、後述する。

(13) 書かれたものの検討にのみ終始することは、それに先行する書く行為に内在する権力関係を見逃しがちである。戦後の歴史学は、かかる点を回避するが、この点を欠いては、(叙述における権力関係を知りつつ、それに知らぬ顔をして)「国民の物語」を言いつのる歴史修正主義と同じ地平に立ってしまう。

(14)『思想史論集』の収録作品が、もっぱら一九六〇年代末以降に執筆のものを基調とするのは、この点にかかわっていよう。また、すでに記したように単行本『「鳥島」は入っているか』(B)の冒頭でも、自らを「少なくともひろい意味では」戦後歴史学のなかにいるとしたうえで、戦後歴史学が「これでいいのか」という気持ちの芽生えは「明治百年祭」(一九六八年)と「学生反乱を軸とする文明への問いかけ」(一九六九年)によって促されたとする。

(15)とりあえずは、注(1)に掲げた拙著などを参照されたい。

(16)ここでは「九〇年代」の歴史学が、はたしてポストモダンであるかも含め、軽々に論じられない論点が、鹿野により提示されている。

(17)このほかにも、事例1では、アカデミズム批判を継続しているが、二〇世紀末のこの時点でアカデミズムがかつてのように機能していたかは疑問である。また、歴史学界で民衆史研究は、一九九〇年代末葉において、いまだ「周縁」に位置していたであろうか。事例2においては、「事実」の複雑な語りを単純化している感はいなめない。

(18)『〈歴史〉はいかに語られるか』(日本放送出版協会、二〇〇一年、増補版 筑摩書房、二〇一〇年)、『「戦争経験」の戦後史』(岩波書店、二〇一〇年、増補版 岩波現代文庫、二〇二〇年)など。

(19)テッサ・モーリス゠スズキ「グローバルな記憶・ナショナルな記述」(『思想』第八九〇号、一九九八年)。

(20)戦後の歴史学の内容は真摯に検討されてきたが、「制度としての歴史学」についても、あらためて問われている。

〔補註〕『メタヒストリー』は、二〇一七年に岩崎稔の監訳によって、作品社より翻訳刊行された。またこの刊行をきっかけにして『社会文学』第五一号(二〇二〇年三月)が「特集 歴史学と文学」を組むなど、歴史認識をめぐる議論もなされた。

III

歴史学の認識論的転回へ向かって

第10章　歴史意識の八〇年代と九〇年代

歴史学研究会が編集した二回の『現代歴史学の成果と課題』(四冊、一九七四―七五年。三冊、一九八二年。ともに青木書店)において、「歴史意識」にかかわる事項は、第一次では「歴史理論・科学運動」(第1巻)のなかで、「歴史教育・科学運動」として「歴史教育」「教科書裁判」「学術体制と国際交流」「六〇年代の権力のイデオロギー攻勢と国民の歴史意識」が扱われた。第二次では「歴史学と歴史意識」(第1巻)として、「第一章　科学的歴史学の再検討」(「一九七〇年代の歴史学」「世界史における民族と地域」「人民闘争史と民衆史・社会史の方法」)、「第二章　国民の歴史意識の変化と歴史教育」(「国民の歴史意識の変化」「保守イデオローグの歴史観とマス・メディア」「歴史教育の現状と教科書叙述」)、「第三章　歴史史料と歴史認識」「第四章　女性史研究の成果と課題」「第五章　歴史学の国際交流」「第六章　科学運動の現状と課題」がとりあげられる。

「戦後歴史学」が「国民」との関係によって自らの「成果と課題」の検証をおこなってきていることがうかがえるが、一九六〇年代(第一次)にはもっぱら「国民」へ向けて発信していた方向が、一九七〇年代(第二次)には「国民」の歴史意識を探ろうとする方向へと向かう。歴史教育に関しては教科書問題に比重が置かれ、家永三郎の提訴にかかわる教科書裁判にも積極的な支援をし、広義の「科学運動」の領域に歴史学自身の課題が明示されていた。

一九八〇年代から九〇年代にかけて、こうした「国民」の歴史意識と歴史学との関係はどのようになったであろうか。まずは一九九〇年代を入口として、四つの点を指摘したい。第一は、歴史意識が培われ、現象する場所が多様化していったことである。学校教育のほか、歴史意識には博物館や、テレビ・映画などのメディアが広義の歴史教育としてかかわっていることが意識される。大衆文化に焦点があわされ、小林よしのりがマンガという領域から歴史意識に挑戦してきたことも偶然ではない(たとえば、『戦争論』幻冬舎、一九九八年)。また、司馬遼太郎への関心が「司馬遼太郎現象」というほどまでに高まったことも、この流れのなかで考えなければならない。

第二は、「ジェンダー」や「エスニシティ」といった要因が歴史意識において、無視できなくなったことである。歴史がアイデンティティとして考えられ、「私」という要素が歴史意識の考察にとって不可欠となることと通底していよう。一九九七年度の歴史学研究会大会では、全体会で「近代日本におけるマイノリティ」を準備し、「沖縄」(鹿野政直)、「女性」(西川祐子)、「在日朝鮮人・韓国人」(徐京植)という主題が論じられた(『歴

史学研究』第七〇三号、一九九七年増刊号)。

だが、第三に、語りかける対象であり語りかけられる相手であった「国民」の自明性が問われることも同時に進行している。「国民」はあらかじめ存在するのではなく、つくり上げられた共同性としての「国民」という指摘が強調されるようになった。「日本」や「国民」の共同性それ自体の歴史性が問われ、通史として刊行されたシリーズ『日本の歴史』の初巻が『「日本」とは何か』(網野善彦、講談社、二〇〇〇年)とされたことは象徴的である。

そして第四には、歴史修正主義もこうした動きに対応して変化を見せていることで、冷戦体制の時期での革新/保守、進歩的/反動的という図式が通用せずに(冷戦下においても、通用していたかどうかは、ここでは措いておこう)、一九九〇年代にはあらたな形での修正主義が登場する。西尾幹二『国民の歴史』(扶桑社、一九九九年)をいかに位置づけるかをめぐっての差異が見られることは、そのひとつの現象である。(1)

これらは、一九九〇年代に歴史意識と歴史学が大きく転換していることを示すが、大門正克も一九九〇年代の「歴史研究と歴史意識に大きな変化があらわれてきた」ことに着目し、歴史意識と歴史学についての思索を公にしてきた(「〈歴史への問い/現在への問い〉」一―三、『評論』第一〇一―一〇三号、一九九七年。「〈歴史への問い/現在への問い〉、その後」『評論』第一一二号、一九九九年)。大門は、「様々な自分」という言い方で、「自分の中の多様な要素」と「人と人のつながり」を基底に置き歴史を捉えようと試みるが(のちには、「つながりの中の矛盾」と設定されなおされる)、ここには、「主体を引き受ける」という意識が強く波うっており、そこから一九九〇年代の歴史学の検証を試みている。[2]

かかる歴史意識の変化は、歴史学を問いかける存在から、問いかけられる対象としていったといってよいであろう。そしてその問いかけをする主体も、複数化し流動している。誰が、誰に向かって、どのような歴史像を語りかけるのか、という「語りの位置」が議論され、ナショナル・ヒストリーへの疑義が表明された(小森陽一・高橋哲哉編『ナショナル・ヒストリーを越えて』東京大学出版会、一九九八年)。一九九〇年代のいわゆる「新しい歴史学」は、「国民国家」「帝国」「戦争と戦争責任」などを焦点とし、分析のために「アイデンティティ」をはじめ「表象」「語り」「記憶」などがもち出されるが、言語論的転回を背景に、こうした従来とは異なった位相の歴史意識を表出しているように見える。

たとえば、「国民国家論」という観点からの批判理論について見れば、西川長夫の『国境の越え方』(筑摩書房、一九九二年)から、『地球時代の民族=文化理論』(新曜社、一九九五年)、『国民国家論の射程』(柏書房、一九九八年)とたてつづけに出された一連の作品が関心を集めた。「国民国家」の創出する「国民」的な規範・規律の拘束を強調し、「近代」の名のもとでの統合を批判する議論である。国民国家のもとで形成された「文化」

「文学」は「国民文化」「国文学」であることを論じ、近代的な時空間、統一言語などによって差別や排除がそれと意識されぬままに進行していくことを批判するのである。この議論からは、歴史学も「国民国家」を形成する装置となり、西川が「戦後歴史学」を批判するのも必然的なことであった(『戦争の世紀を越えて』平凡社、二〇〇二年)。加藤哲郎も『国民国家のエルゴロジー』(平凡社、一九九四年)などで国民国家を歴史化する作業をおこなったが、加藤の持論の特徴は社会主義の問題を射程に入れていることにあり、旧ソ連の史料も多く用い社会主義の時代の意味を再考察した。また、国民国家が「国民」として繰り上げた共同性にはらまれる重層性と多様性に着目して、杉原達『越境する民』(新幹社、一九九八年)は、内/外、日本/朝鮮という「境界」を形成している根拠を問いかけ、「国民」という共同性が決して均一なものではないことを大阪の在日朝鮮人の歴史―生活の場の経験を通じて実証してみせた。

『史学雑誌』の毎年の「回顧と展望」を見ていくとき、一九八〇年前後からこうした「新しい歴史学」の潮流と動向は無視しえなくなっている。「社会史」の台頭が書き留められ(たとえば、柴田三千雄「総説」『史学雑誌』第八六編第五号、一九七六年)、一九七九年に雑誌『思想』(第六六三号)が「社会史」の特集を組んだことがその一つの指標となるであろう。社会史に代表される「新しい歴史学」の台頭は、従来の歴史学を相対化し、歴史学の方法やそこでの歴史の概念をあらためて問うことを要求した。二宮宏之『全体を見る眼と歴史家たち』(木鐸社、一九八六年)や、福井憲彦『「新しい歴史学」とは何か』(日本エディタースクール出版部、一九八七年)などは主としてフランスの社会史に言及しつつ、「新しい歴史学」の論点を的確に指摘している。日本史の領域においては、『岩波講座日本通史 別巻一』(岩波書店、一九九五年)は、どの論文もみな網野善彦の『無縁・公界・楽』(平凡社、一九七八年)以来の社会史の作品についてふれ、網野の提起した「新しい歴史学」の与えた影響の大きさを指摘している。

従来の歴史学の内部に留め置けぬ、あらたな歴史学。それぞれの論者が、自らの位置を意識せざるをえない歴史学。この歴史学が、当初、「新しい歴史学」を名乗って出てきたことは、その意欲と勢いとを示している。これまで歴史学で定期的におこなわれてきた「成果と課題」といった研究整理が途切れ、「日本史研究入門」の類が刊行されなくなり、「学界の全体」を見渡すような刊行物やシリーズが一九九〇年代以降に出版されにくくなったことは、「新しい歴史学」の台頭と無縁ではない。それのみならず、この歴史学と従来の歴史学との関係を考察するために、「戦後歴史学」の「再考」や「検証」が盛んに唱えられるようになったことは周知のとおりである。歴史としての「戦後」が議論され、歴史学研究会、日本史研究会それぞれの大会で「戦後歴史学」が俎上に載せられた(石井寛治「戦後歴史学と世界史」、西川長夫「戦後歴史学と国民国家論」、二宮宏之「戦後歴史学と社会史」『歴史学研究』第七二九号、一九九九年増刊号。「全体会シンポジウム戦後歴史学の総括」『日本史研究』第四五一号、二〇〇〇年、など)。だが、社会の矛盾に向かう「主体」を検証し、その発展段階を跡づけようとする「大きな物語」(グランド・セオリー)としての従来の歴史学と、一九八〇年代に形を現してきた「新しい歴史学」との断層は、なかなかに埋められる気配は見えてこない。二〇〇〇年から刊行中の『展望日本歴史』シリーズ(東京堂出版、全二四巻予定)は、これまでの刊行巻を見る限り従来の歴史学のアンソロジーといった立場で編集されており、「新しい歴史学」の成果は切り捨てられている(「近代」に関して刊行され目を通しえたのは、『近代の経済構造』『明治憲法体制』『帝国主義と植民地』『民衆世界への問いかけ』『思想史の発達と方法』の五冊。このタイトルそのものが、従来の歴史学のスタイルを踏襲している)。

しかし、一九八〇年代のしばらくは、まだ従来の歴史学が主流をなしていた。近代日本の歴史像を手がかりに、そのことをやや現象的に記してみると、一九八〇年代の幕開けは、一九八一年一一月に横浜で「自由民権百年全国集会」が開かれ、つづけて八四年、八七年に東京、高知で開催されたことであった。「戦後歴史学」の中心的な対象であり核心をなす「自由民権運動」をめぐっての研究集会の開催は、戦後歴史学が一九八〇年代の初頭にまだ大きな地歩を占めていたことをうかがわせる。しかもこの研究集会は、「地域」の研究者を組織し、憲法や防衛問題、女性問題といった「現代」との関連を追求し、民衆史研究と接合するものでもあった。横浜でおこなわれた第一回の集会は、

「現代の自由民権研究」などの三つの分科会に分かれ、活発な議論が展開された。会報『自由民権』を発行し各地での集会を積み重ねての全国集会で、その参加者は三八〇〇人を数えている(以上、自由民権百年全国集会実行委員会編『自由民権百年の記録』三省堂、一九八二年。『自由民権』一九八一―八五年)。遠山茂樹は、(一九五〇年代後半から六〇年代初めをひとつの山とし)一九八〇年代初めのこの時期を自由民権研究の「第二の昂揚期」とした(「第二の昂揚期を迎える研究運動」『自由民権』第一号、一九八一年)。

あるいは、私自身も参加した例で言えば、『近代日本の統合と抵抗』(日本評論社、一九八二年)という四巻のシリーズの刊行をあげることもできる。それは近代日本を「統合と抵抗」という観点から見ようという関心のもとに国家/権力と民衆/運動を対峙し、「統合」と「抵抗」を対として設定して、一八六〇年から一九四五年までの近代の総体を対象とした共同研究であった。序論は、それぞれ「統治体制の形成と地域(一八六七―一八八四)」「統治機構の確立と「国民組織」化(一八八五―一九一一)」「民衆的諸運動と統合様式の修正(一九一二―一九三一)」「総動員体制の確立と崩壊(一九三一―一九四五)」と、「統治」「統合」の変化が「地域」「民衆」の運動との関連で考察されており、「戦後歴史学」の問題意識と成果を継承し、さらにそれを推し進めようとする意図があった。

日本近代史の領域において「新しい歴史学」は、一九八〇年代初頭にはまだ微風程度のものと思われ、そこに関心を示すものの、まだ歴史像には反映されていない。いや、従来の問題意識と叙述のスタイルとが圧倒的であり健在であった。しかし、いまやこうした光景は一変し、自由民権運動の研究はおろか、運動史への関心もが急速に衰えている。「統合」の力は、国家や警察そのものではなく、あらゆる関係のなかに入り込むという歴史意識と歴史像が提供されるようになり、「運動」が体制への対抗ではなく体制を補完してしまう側面が指摘されてきている。

こうした変化の要因には、直接的には一九八九年以降の冷戦体制の崩壊という出来事があげられようが、そのこととともに、言語論的転回、あるいは社会史をはじめとする「新しい歴史学」が突きつけていた「歴史」への問いが進行しており、その臨界点が超えられ、誰もがその問いかけに応答せざるをえなくなった状況があるのではなかろうか。

辞典を例に記してみると、『国史大辞典』(全一五巻一七冊、吉川弘文館、一九七九―一九七年)が刊行され始めたのは一九七九年であった。実証史学と戦後歴史学の成果にもとづいて刊行されたこの浩瀚な辞典は、「学問に裏づけられた正しい歴史知識」の提示を目的とし、「フィクションと史実との弁別、特殊と普遍との認識、史料の真偽の鑑別」をおこなうとしている(国史大辞典編集委員会代表として、坂本太郎が書いた文章。『国史大辞典』第一巻、吉川弘文館、一九七九年)。はじめの部分の近現代史の項目を拾ってみると、「愛育会」(執筆者は、一番ヶ瀬康子)、「ILO八七号条約問題」(塩田庄兵衛)、「相木鶴吉」(大原慧)、「愛郷塾」(松沢哲成)と項目も書き手も「国史」(＝歴史学)としてバランスがとれている。

これに対し、『日本史大事典』(全七巻、平凡社、一九九二―九四年)は、「愛」(執筆者は、佐竹昭広)という項目から始まり、「青」「赤」(ともに、黒田日出男)といった色彩の歴史学的な意味や、「挨拶」(福田アジオ)や、「アイスクリーム」(鈴木晋一)、「赤線・青線」(加太こうじ)、「赤新聞」(荒瀬豊)などの風俗、「阿賀野川有機水銀中毒事件」(坂東克彦)といった出来事にも目配りされている。また、「アイヌ」の項目は「歴史」(榎森進)、「文化」(宇田川洋)、「起源」(山口敏)と多くの頁が割かれ、さらに「アイヌ語」(藤島淳志)、「アイヌ同化政策」(菊池勇夫)、「アイヌ風俗図」(佐々木利和)、「アイヌ・モシリ」(榎森進)との関連項目もある。モノや概念に配慮し、社会史の観点を入れ、マイノリティとその文化に着目した辞典となっているといってよい。辞典においても、こうした歴史への関心の相違/移行が見られるのである。

あるいは中辞典では、初版が一九六六年に出た『角川日本史辞典』(角川書店)は、一九七四年に第二版が出されている。第二版では近代史研究における社会運動史の成果が多く盛り込まれているが、これを一九九六年に改定された第三版(表記は、「新版」となっている)との比較で見れば、たとえば第三版では、「松本治一郎」「幸徳秋水」「堺利彦」「大杉栄」などの行数(分量)が大きく減り、「白柳秀湖」「高畠素之」「日本共産党」などの項目は字数がほぼ半減した(もっとも、第二版ではなかった「宮下太吉」「奥宮健之」「日本共産青年同盟」などが立項されている面もある。全体に項目数が増えているためであろう)。また社会史的事項に関心が払われ、「コレラ」が立項されるなど、「社会史」の項目が目立つ。女性史や沖縄史の項目が豊かになり、「沖縄文学」「沖縄返還」の項があらたに立てられ、「沖縄戦」の記述も充実され、「奥むめお」「高群逸枝」の項目が加えられた。戦中と戦後の歴史も一挙に項目が増え、「極東国際軍事裁判」(第二版)も「東京裁判」として立項され記述が豊富になり、「東京オリンピック」「従軍慰安婦」「十五年戦争」などが新しく立項されている。第三版の「編集のことば」は、「一九七〇年代末以降、歴史学は大きく変化しようとしている」と述べており、このことが自覚されての編集であった。

だが、一九八〇年代以降の変化は、こうした「新しい歴史学」の台頭という方向からだけではない。いまひとつ、修正主義も変容を見せつつ、一九九〇年前後にあらたな動きを始める。修正主義はすでに、林房雄『大東亜戦争肯定論』(正続、番町書房、一九六四—六五年)などの刊行をはじめ、戦後歴史学と対抗して存在していた。しかし、九〇年代に入るとあらたな認識と傾向をもつ「新しい歴史修正主義」が、「戦後歴史学」のよって立つ基盤そのものを侵食するようにして台頭してくる。(3) なかでも「自由主義史観」を名乗る修正主義の登場は見逃せず、それと歩調をあわせた先の西尾『国民の歴史』の検討は欠かせない。『国民の歴史』批判には少なからぬ論稿があるが、戦後歴史学を標的としたこの挑戦は戦後歴史学の非嫡流の見解を(文脈を無視して)取り込むなど、決して単調ではないことは、おさえておく必要がある。「新しい歴史修正主義」は「日本」や「国民」の揺らぎに苛立ちを見せながら、しかし復古として旧来の「日本」や「国民」をもち出すのではなく、(1)近代化し国際化した「日本」や「国民」を基準とし、(2)しばしばその共同性の想像性を言いつつ、そこにひらきなおってみせる。さらに、(3)旧来のタイプの復古主義とも結合し、多様な論点と新しい意匠をたずさえて現れてきている(近年はその大同団結に亀裂が入っているようであるが)。こうした単純ではない様相をもつ「新しい歴史修正主義」については崎山直樹・高口康太「私たちの問題としての『新しい歴史教科書』」(菅原憲二・安田浩編『国境を貫く歴史認識』青木書店、二〇〇二年)が論点をよくおさえた分析をおこなっている。ここでは、やや異なった角度から検討しておこう。

雑誌『諸君』が、「識者一〇〇人アンケート」として「近・現代史を知る五〇〇の良書」をあげている(二〇〇一年七月号)。回答を寄せているのは、中西輝政、伊藤隆、坂本多加雄、川勝平太、秦郁彦、平川祐弘、山内昌之、水谷三公、御厨貴、竹内洋、谷沢永一、青木保、土居健郎、藤岡信勝、長谷川三千子、橋爪大三郎、中嶋嶺雄といった学者を中心に、上坂冬子、猪瀬直樹、佐野眞一、桶谷秀昭、保阪正康、草柳大蔵、福田和也といった評論家、中曽根康弘、平沢勝栄や俵孝太郎といった政治家や政治評論家、田原総一郎、櫻井よしこらジャーナリスト、宮崎勇ら経済人まで含め、おおむね『諸君』知識人たちである。それぞれが五冊ずつの「良書」をあげるが、その「良書」は当然ばらつきがあるものの、司馬遼太郎の小説とならび、シリーズ『日本の近代』(中央公論社、一九九八―二〇〇一年)がかなり多いことが目立っている。伊藤隆、芳賀徹、渡辺恒雄、竹内、戸部良一、御厨、中西寛、渡辺昭夫、森本敏、猪木武徳、神谷不二、桜田淳、長谷川慶太郎、櫻井と一四人の論者が、たいがいはシリーズ全体を推薦している。執筆者自身が推薦に加わっているが、このアンケートでは、他の回答者でも自分の著作をあげている人物が少なくなく、これはこのアンケートにおけるご愛嬌である。

シリーズ『日本の近代』には、「戦後の左翼偏向史観からの脱出の成果」(芳賀)、「近代国家としての幕開け時に、この国がどんな新しい萌芽を出し、どのようにそれが組織となり、国家を形成し、幕末明治の人々がどのように息づいていたかをさまざまな切り口で読ませてくれる」(櫻井)、「今後に日本の近・現代史を考える上での「標準」になるであろう」(桜田)などのコメントが寄せられている(このシリーズの特徴については本章と対をなす、「歴史叙述のなかの歴史意識」で考察した。歴史学研究会編『現代歴史学の成果と課題Ⅰ』青木書店、二〇〇二年、所収)。このように、一九九〇年代には社会史とならび、修正主義も活況を呈してきている。

そもそも、こうした良書の薦めということは啓蒙精神とあいまっており、もっぱら戦後歴史学の手法であった。それを『諸君』のような雑誌がおこなうところに、歴史意識と歴史学の地政学の変化がうかがわれるが、そのことを示すようにこのアンケートには、

「もう歴史は怖くない」というキャッチ・コピーがつけられている。これまで日本の近現代史研究は、批判的歴史学―マルクス主義歴史学の成果にもとづく作品が質・量ともに圧倒的であったが、状況が変わりいまやその勢力は恐れるに足らず、と言うのであろう。ちなみに、このアンケートにおいて、戦後歴史学の成果とおぼしき作品がみごとにあげられていないことは、言うまでもない。

こうして、一九八〇年代の歴史学と一九九〇年代の歴史学には大きな変化が見られ、あらたな対抗も形成された。しかも、一九八〇年代には移行の要因が入り込んでいる。精確に言いなおせば、七〇年代／九〇年代の歴史意識が、一九八〇年代の変化によって切断されているのである。

「新しい歴史学」と「新しい歴史修正主義」の台頭に象徴される七〇年代／九〇年代の歴史学の地政図の変化は、本章で対象としている近代日本研究の領域でもさまざまに反応が見られた。「新しい歴史学」の成果をいち早く取り込もうとし、「新しい歴史学」と格闘するひろたまさきは、その検討をおこない、近年の近代日本研究のなかから「民衆が消えてしまった(民衆を総体としてとらえられなくなった!)」と当惑を隠していない(『近代日本を語る』吉川弘文館、二〇〇一年)。「新しい歴史学」とそれがもたらした影響を論じて、鹿野政直は「化生する歴史学」と言い切った(『化生する歴史学』校倉書房、一九九八年)。一〇年前の一九八八年に出された鹿野の「歴史意識の現在と歴史学」(副題)を論ずる著作は『「鳥島」は入っているか』(岩波書店)と題され、歴史学の対象・範囲を考察し、歴史学を鍛えなおそうとしていた。このことを思えば、「自明性の解体」(『化生する歴史学』の副題の一部)はいかにも早かった。

このとき、ひろたや鹿野とともに民衆思想史研究を唱え、一九六〇年代からの近代日本研究を主導してきた安丸良夫はといえば、あらたな動向を民衆思想史研究の問題関心とすり合わせ、あらためて自らの方法と問題意識を再整理＝再提示する姿勢を見せた。安丸が『〈方法〉としての思想史』(校倉書房、一九九六年)の上梓にあたって付した長文の「はしがき」は、講座派マルクス主義や吉本隆明、あるいはアンリ・ルフェーブルやエリック・ホブズボーム、さらにはミシェル・フーコーなどの名をあげつつ、自らの歴史研究の方法的探究の過程を明らかにしているが、歴史学と他の学問領域との課題設定や方法における差異を明らかにしようとする。一九七〇年代に民衆思想史研究を提唱・実践していた論者は、こうして「新しい歴史学」に直面してそれぞれの対応を見せており、ここにも歴史意識の現在にいたる変化がうかがえよう。

一九八〇年代を通じて出来したのは、「学界」をまとめあげる共通の理解が希薄になってきたということであり、あらたな対抗の軸が登場してきたということである。「戦後歴史学」という従来の歴史学への二方向からの批判は、こうして歴史学の三派の鼎立状況を生むこととなった。これは単なる学派の対立・対抗ではなく、深部での大きな歴史意識の変化に起因し、それに規定されていることは疑いない。こうした事態は、歴史―歴史学と歴史記述そのものへの問いかけとなり、メタヒストリーへの関心を生むことと同じ心性にもとづいていよう。[4] (1)認識、意識、叙述の変化―私の言葉で言えば、「歴史学のスタイル」の変化が顕著となった。このことは、歴史学のあらたな光景をつくり出すこととなり、(2)領域の溶解―国境と学知(専門)という二つの境界が越えられようとしている。歴史学において、国境や専門を越えての対話があらためて試みられるようになってきたといえよう(前掲「歴史叙述のなかの歴史意識」)。

(1) 以上の動向を決定的にしたのは、一九九〇年前後の冷戦体制の崩壊であり、二〇〇一年九月一一日のいわゆる「同時多発テロ」であった。「9・11」の出来事は、これまであちこちで進行してきた動きを一挙に加速化し、不可逆なものとした。

(2) 大門の議論は、国民国家論が「民衆の国民化」を説く際に「民衆を客体としてしかあつかわないこと」への批判である。しかし、国民国家論は、(1)「民衆」が「国民」となる営為の意味を問い、あわせて(2)「民衆」を語る論者の位相を問題化しているのであり、大門の「違和感」は理解しにくい点がある。「つながりの中の矛盾」のもつ力の大きさへの評価の差が(国民国家論への)「違和感」をつくり出している、と考えた方がよいのではなかろうか。

(3) 現在とここにいたる世界的な修正主義の台頭については、修正主義の概念も含め、歴史学研究会編『歴史における「修正主義」』(青木書店、二〇〇〇年)に記されている。

（4）「戦後歴史学」を検討したキャロル・グラックの論考が、「戦後歴史学のメタ・ヒストリー」（『岩波講座　日本通史　別巻一』）と題されていること、そしてこの論考が好んで引用・参照されることは、こうした様相をよく示していよう。

第11章　「評伝」の世界と「自伝」の領分
——史学史のなかの個人史研究

はじめに

伝記、評伝、個人史とさまざまなヴァリエーションを持つ個人史研究だが、近年はエゴ・ヒストリーといわれ、あらたな展開をみせている。加えて、私的な史料としての書簡、日記、自伝、回想などもエゴ・ドキュメントとされ、個人史研究にかかわる「叙述」と「史料」が、あわせて議論の対象となっている。エゴ・ヒストリー、エゴ・ドキュメントという言い方は、議論の精緻さへの希求にとどまらず、個人にかかわる叙述と史料をともに考察の対象とし、個人史研究の概念と作法、史料をあらためて問題化する姿勢を示しており、ここに個人史研究をめぐる今日の状況がある。

こうした個人史研究の現状は、現代世界における個人の役割・位置の変容と密接に結びついている。個人史研究と不可分な自伝について、社会学者の上野俊哉『思想家の自伝を読む』(平凡社、二〇一〇年)は、興味深い論点を提供している。

すなわち、かつて「自分語り」は「老年、少なくとも中年以降のひとの特権」だったが、いまやネットやブログで「誰もが自分をさらし」、したがって「自伝という形式はもはや特に必要とされない」というのである。換言すれば、新しいテクノロジーによって、自伝というジャンルをことさら用いなくとも人は自己を語り、あらわにすることができる、と上野はいう。

同時に、個人の意識も急速に変わりつつある。これまで個人は近代と結びつけられ、語られてきた――公共圏と親密圏の分節がなされ、「自己」が誕生し、それが中心化されると、肯定的に論じられてきた。だが、その個人が自己を語る「告白のスタイル」は、自己がひとつの装置として編成される、という指摘がなされるようになっている。

個人を語ること、その語り方の作法の意味の変容が、個人史研究のいまを規定し、叙述と史料の双方の面にあらたな問題を投げかけている。人物論としての個人史研究の領域はいつの時代にも見られるが、あらためてエゴ・ヒストリーが提起されるなか、個人史研究――伝記・評伝・個人史の論点を探ってみよう。ここではそのために、軸を(A)叙述にかかわる領域と(B)史料にかかわる領域とに区別し、また、歴史学の動向の推移(a戦後歴史学―b民衆史研究―c社会史研究)をも、あわせて視野に入れることとしたい。主たる検討対象は、近現代日本の領域となろう。

1　民衆史研究のなかの個人史研究

個人史研究をめぐり、歴史科学協議会においても(数少ないながらも)検討の経緯はある。第一二回大会(一九七八年)は、「現代歴史科学とイデオロギー」というテーマで開かれ、シンポジウム「「人物論」とわれわれの歴史学――政治史研究をゆたかにするために」が持たれた。一九七七年の学習指導要領(小学校)で重視されることとなった人物論への対抗を図る一方、「人物研究の科学的発展が、従来の社会構成史研究政治史研究の一層の発達を促進する」との観点を「堅持したい」とするものであった(歴史科学協議会全国委員会による主旨文。『歴史評論』第三四〇号、一九七八年)。

このときには、深谷克己「歴史学と個人史の研究・序説」、山田晃弘「戦後人物研究・人物論著作の覚書」、門脇禎二「歴史学と人物論」の報告がなされた(『歴史評論』第三四四号、一九七八年)。深谷は、「歴史的人格」を明らかにすることを課題とし、方法として「階級的範疇」と「人格的範疇」の相対的区別を提起した。

その後、一九九五年一月に『歴史評論』第五三七号で「歴史学と個人史研究」の特集を組む。浜林正夫「個人史研究の意味」、今井修「現代歴史学のなかの個人史研究」とともに、服部之総(「生きている歴史の現実を「公式(法則)」において把握せよ」)、鈴木良一

(「生きた人間のたたかいの歴史」)の個人史研究が論じられ、「階級史観の堅持」をする北山茂夫、「下からの視点で歴史を再構成する」土井正興の営みが紹介された。

本章に直接かかわる今井の論稿は、いかにも今井らしく、多くの文献を渉猟したうえで、色川大吉、安丸良夫、鹿野政直――すなわち、民衆史研究者による個人史研究(民衆思想史研究における「「人間」把握のありよう」)を考察する。今井は個人史研究の「方法論の未確立、方法論議の不活発」をいうが、的確な指摘である。もっとも、今井の考察の力点は文献と議論の広がりの紹介にあり、自らの方法論の積極的な提起は見られない。あげられた書目も、穏当である。

さきの歴史科学協議会でのシンポジウムは、史学史的に見れば、(a)戦後歴史学のもとで人物論のありようを探り、今井の論稿は、(b)民衆史研究の手法で、民衆史研究の営みをたどる試みであったということになろう。歴史学の理論的な精緻化が進めば進むほど、「人間」がこぼれ落ちるという感覚がそれをあとざさえしている。

そもそも、民衆史研究には個人への志向が強く見られる。私なりに、民衆史研究と個人史研究――民衆史研究のなかの個人を論じてみると、(1)一九六〇年代に登場し、一九七〇年前後から近現代日本研究の領域で大きな潮流となった民衆史研究は、マルクス主義に基づく戦後歴史学への「違和」を問題意識としており、その点から個人―人間に大きな関心を寄せていた。(2)代表的な作品とされる、色川大吉『明治精神史』(黄河書房、一九六四年)は史料の発掘・探求に基づいた、個人史の集成として提供されている。人びとが残した私文書(現在いうところのエゴ・ドキュメント)による、精神の営みの追跡であったが、自らの関心の所在を、色川は、

歴史の中に生きる人間の運命、その限られた世界の中で傷つきながらも全力的に生きる人間の健気さ、そして、それら諸個人の関係の膨大な集積によって形成されている非情な歴史のドラマ――の叙述にあった。(「まえがき」)

と記す。(3)ここでの色川の関心は、歴史と個人の想いとのズレ――構造(歴史)と主体にあったということができよう。「内在的にも客観的にもかれらを駆りたてた(個人における―註)真の動機の研究、それこそが歴史家の仕事となる」とした。

できあがった精緻な思想大系ではなく、精神という初期のかたちにならないものへの関心が、「行動への内的契機」を探ることに求められ、色川はその手掛かりとして、その人物の断簡、書簡、日記、メモ、回想などの私文書の探求にむかった。

民衆史研究では、そうした「人間」――個人への関心が、まずは「個性」としてあつかわれており、そこから「自分史」として問題をあらたに展開したことが着目に値しよう。前者の点は、鹿野政直『歴史のなかの個性たち』(有斐閣、一九八九年)、および『鹿野政直思想史論集』第六巻(岩波書店、二〇〇八年)が「個性のふるまい」として論じている。鹿野は、思想史論集の巻末「問いつづけたいこと」で、以下のように述べる。

「人間不在」か「人情たっぷりか」という状態を、ここでも、〝折衷〟でなく〝止揚〟する途は何か。この問題の探求は、戦後歴史学の自己変革過程の焦点の一つをなしてきた。

こうした史学史的把握を前提として、(A)の叙述にかかわる領域を、評伝の叢書を手掛かりに概観してみると、(a)戦後歴史学のもとで刊行され、いまも継続しているのが「人物叢書」(吉川弘文館)である。事典の一項目を拡大したような、折り目正しい個人史が提供されるシリーズである。「ミネルヴァ 日本評伝選」(ミネルヴァ書房)、「日本史リブレット 人」(山川出版社)も、多様な作品があるものの、基本的には同様の傾向で、正統的な折り目正しい伝記の色彩を持つ。

これに対し、「朝日評伝選」(全二七冊、朝日新聞社、一九七五—八三年)は、人物を入り口として、時代状況や時代構造に接近しようとし、作品としては、(a)戦後歴史学と(b)民衆史研究とが混在しているといってよかろう。

四二冊で中絶した「シリーズ 民間日本学者」(リブロポート、一九八六—九五年)も同様である。鶴見俊輔、中山茂、松本健一が編集にあたり、「民間」「日本学」を掲げ、(b)民衆史研究との重なりを持つ。

他方、(B)の領域は、個人史の素材として、日記・自伝・書簡・手記、メモ、書き込み、断簡などがあげられる。近年、エゴ・ドキュメントと呼ばれるようになっている。

自伝に絞り込みながら論を続けてみると、自伝の叢書には、一九五六年から『日本経済新聞』に連載され、現在も継続中の「私の履歴書」も、その数は二〇一四年六月現在で、七七七人に及んでいる。また、単行本化もされている。

こうしたなか、自伝の集成として、『日本人の自伝』(二三巻+別巻二、平凡社、一九八〇―八二年)が刊行された。英文学者・佐伯彰一とともに、鹿野政直が編集にあたり、さらに鹿野は「別巻二」として、『日本人の自伝 三〇〇選』を編んでいる。

いますこし、(B)の領域のひとつである自伝について論じてみよう。

2　自伝をめぐって

(1)

自伝をめぐる議論は、主として文学研究の領域で活発であり、さきの佐伯彰一は、『近代日本の自伝』(一九八一年)、『自伝の世紀』(一九八五年。いずれも講談社)などを著す。佐伯は『近代日本の自伝』の冒頭で、「近代日本における自我問題、自我状況」に踏み込み、自伝を論ずるなか、自伝を「正統的な文学ジャンルとして認知させたい」とした。ここからどのような見解が出せるかが、いまエゴ・ドキュメントとして問題化されている。

歴史家による自伝論としては、保阪正康『自伝の書き方』(新潮社、一九八八年)がある。表題は「書き方」をいうが、近代日本のなかで書かれた政治家や軍人、教育者の自伝を手厳しく批判し、「書き方」を指南する体裁をとる。

一九八〇年代には、こうして、自伝をめぐる考察のステージが形成される。とはいえ、自伝については、やはり、フィリップ・ルジュンヌ『自伝契約』(花輪光監訳、水声社、一九九三年)を参観する必要があろう。ルジュンヌは、内容からではなく、形式から自伝を考察し、「自伝契約」という視点を提供し、さらなるステージへと議論を推移させた。

ルジュンヌは自伝を「実在の人物が、自分自身の存在について書く散文の回顧的物語で、自分の個人的生涯、特に自分の人格の歴史を強調する」ものとし、「言語形式」「主題」「作者」「語り手」のそれぞれに注釈を加えた。すなわち、形式上は「物語」をなしており、「作者」—「語り手」—「主人公」が同一人物であり、内容的には「個人的な生涯、人格の歴史」を主題とすることをいう。

自伝と小説の区別に、ルジュンヌの関心はあるが、歴史学の言語に翻訳しなおせば、「外部」に参照系を持ち、「私」の体験を描く叙述ということになる。

ここに至って、「自己を語ること」は、「自己の意味を構成すること」(桜井厚『ライフストーリー論』弘文堂、二〇一二年)とされ、語りの「内容」(何が語られたか)と、語りの

「過程」(どのように語られたか)が問題化されることになるのである。人びとが「内容」をくみ取る自伝から、歴史家たちはもっぱら「事実」にかかわる事項を読み取ろうとしてきたが、この推移に即応して、近年では「形式」に着目し、「形式」のなかに認識を探ろうともしている。

(2)

全般に、歴史家は自己への言及が多いが、自伝をより掘り下げるために、(1)歴史家の自伝、そして次に、(2)民衆史研究のひとつの方向として提起された「自分史」を探ってみよう。

歴史家の自伝には、それぞれの歴史学のスタイルがよく表されている。(a)戦後歴史学―(b)民衆史研究―(c)社会史研究の潮流をそれぞれ代表する歴史家の自伝として、(a)家永三郎『一歴史学者の歩み』(三省堂、一九六七年)、(b)色川大吉『ある昭和史』(中央公論社、一九七五年)、そして、(c)阿部謹也『自分のなかに歴史をよむ』(筑摩書房、一九八八年)を検討してみよう。

家永の『一歴史学者の歩み』は、生前に三回版を改め、現在は四回目の文庫版が刊行されている。改版のたびに、あらたに書き加えられ、字句が修正されているが、幼時の思い出から成長の過程を順序よくたどる自伝である。

現時の自己の意識を「大正デモクラシー期の教育と私」として関連させるのをはじめ、「学生運動消滅後の大学生生活」「「暗い谷間の時代」の中で始まった私の研究生活」「敗戦直後の心境」「逆コースの開始と私の社会的認識の成長」(いずれも、章のタイトル)のように、歴史の枠組みが提示され、そのなかで自己が把握される。また、「正しい」(あるいは、ありうべき)認識にむかって成長してきたさまとして、自己の歩みが綴られる。戦後歴史学の担い手として、戦後歴史学の問題意識と叙述の作法が自伝にも投影されている。

これに対し、色川『ある昭和史』は、「十五年戦争を生きる」として自らの営みを綴り、それを「庶民の典型」としての橋本義夫の生き方(「ある常民の足跡」)と昭和天皇の肖像(「昭和史の天皇像」)とに重ねあわせる。「十五年戦争を生きた一庶民=私の〝個人史〟」を「足場」とし、(色川流にいえば)「底辺」と「頂点」に目配りし「全体の状況」を浮かび上がらせようとする。歴史の大枠が、あらかじめ「庶民生活の五十年」として記され、そのうえで「わが個人史の試み」がなされるのである。

色川は、人が歴史をふり返るとは「その人にとってのもっとも劇的だった生を、全体史のなかに自覚すること」といい、「そこに自分の存在証明を見出し、自分をそのおおきなものの一要素として認識すること」とした。そのために、歴史家である自分も「一人の庶民として、自分の体験にたち帰り」「全体性との関連を認識する第一歩」からはじめるとして、『ある昭和史』を記した。

『ある昭和史』は「自分史の試み」という副題を持つが、色川は、後年になって、再度、自分史の実践をおこなう。『廃墟に立つ』(小学館、二〇〇五年)、『カチューシャの青春』(小学館、二〇〇五年)は、「昭和自分史」という副題を持ち、全部で一〇巻にはなろうと述べていた。続けて版元を替えて、『若者が主役だったころ』(岩波書店、二〇〇八年)、『昭和へのレクイエム』(岩波書店、二〇一〇年)と刊行する。もっとも、この連作のうち最初の二冊は、第三者の名前(谷一郎、三木順一)を用いている。一人称では、自らを庇いたくなったり、都合の悪いことを隠したくなるからという理由である。

他方、阿部謹也『自分のなかに歴史をよむ』は、社会史研究の要所を展開した著作で、叙述と構成の工夫がなされている。カトリックの修道院が設けていた施設で過ごした経験から「カトリック的世界」にふれ、外の生活との違いを「感覚の次元」で受け止めていたことを記すなど、自分の行動の軌跡と知的な認識の歩みを綴るが、そのことを社会史的なひろがりのなかで描く。

「ヨーロッパ」を理解しようとドイツ史研究に赴き、その課題を追求するなか、「死者との交流」や「集団としての人間関係のあり方」――「モノを媒介とする関係と、目に見えない絆で結ばれた関係」に行きあたったこと。あるいは、「現在を規定する」過去と未来――「人は過去に規定され、未来によって規定されながら現在を生きている」ことなど、阿部の社会史研究の課題と発見の具体相も、自らの経験に即しながら記される。ヨーロッパと日本との相違、そして時間による変化という、時間と空間の意識に基づいて記された自伝である。

叙述は、差別や、素材としての昔話、感性の次元での音楽(交響曲)にも及び、内容とともに形式においても、社会史研究を補助線とした自伝ということができる。体験が歴史化される営みが記され、社会史研究の課題と自らの社会史研究との出会いが融合的に語られる。「自分のなかを深く深くほってゆく作業」――「私を歴史的に掘り起こす試み」と、それを「《大いなる時間》のなかに位置づけていく」課題が綴られた。

そもそも、歴史家にとって「個人は多くの知識の流れや多くのアイデンティティの側面が交差する点である」という認識がある(テッサ・モーリス＝スズキ『日本を再発明する』以文社、二〇一四年)。歴史家の自伝は、歴史認識と歴史叙述のあわさるものであり、それぞれの歴史学の作法が如実に表出するものであった。ことは、人びとにおいても同様であり、そのことを「自分史」における議論に探ってみよう。

(3)

「自分史」は、先に記したように、色川大吉『ある昭和史』の提言にかかわる。色川には、『自分史』(講談社、一九九二年)、『〃元祖〃が語る自分史のすべて』(草の根出版会、二〇〇〇年)という著作もある。

前者では、まず『ある昭和史』の方法的反省から、議論をおこなっていく――「自分史」には、「追体験的な方法」と「省察的な方法」とがあるが、『ある昭和史』は、「理論的認識や方法」が足りぬまま「無手勝流に新しい実験に立向った」とした。そして、そのうえで「自分史の核心は歴史と切りむすぶその主体性にある」とし、「自分と歴史の接点」を描く「自分×史」であり、「一人々々の庶民の切実な自己認識の記録」とするのである。

後者の『〝元祖〟が語る自分史のすべて』では、「個人史」ではなく「自分史」といった理由として、「巨きな歴史のなかに埋没しかかっていた個としての自分をはっきり、歴史の前面に押しだし、自分をひとつの軸にすえて同時代の歴史をも書いてみたかったから」とした――「老人の回顧録」ではなく「二〇歳までの自分史」。

色川の議論は「自分史をどう書くか」にむかうが、社会学者・上野千鶴子を聴き手とする応答のなかで、色川は、日記や備忘録との相違を聞かれ、それらは「自分史」にとってみれば「ひとつの素材」とした。また、「自分史」という以上、歴史の表現です。文学とは違います」といい、さらに「自分史」は「たったひとつの真実」をめぐって生涯に一冊のみ描くものだという。

もっとも、色川は、経験的なことを根拠として議論しており、その主張はゆれている。

「手堅い論証」があり、「傍証で検証」し、「自分と歴史との深いかかわり」を表現したものといい、「自分史」への言及が、手法にとどまっている。そうしたなか、上野は「歴史というツールを使って自己認識をする」ものとして「自分史」を再定義してみせた。

色川は、「書く」ことを軸に自分史を議論するが、民衆史研究の視点としては「自伝を書かないこと」「自伝が書けないこと」との緊張関係で「自分史」の作品が刊行され、提供されていることが重要であろう。提供された「自分史」の作品はそうした葛藤を経てのものとなっている。しかし、この点は言及―考察されていない。

3 自伝と歴史叙述のあいだ

(A)と(B)との関連を、歴史叙述のなかで探ってみよう。相互の関連はあちこちの領域に及び、多様な論点が出されることとなるが、ここでは自伝を史料として綴られた歴史書である、西岡虎之助・鹿野政直『日本近代史』(筑摩書房、一九七一年。共著とされているが、鹿野が執筆)の検討をしてみよう。鹿野は、さきの「問いつづけたいこと」のなかで、

「衆」を対象とせざるをえない通史叙述と、「個」との一騎打ちじみた個人史的叙述

は、どのように叙述者のなかで、あるいは、叙述のスタイルとして、組み合せの改良を突き抜けた段階へと〝止揚〟される(べき)だろうか。

と述べた。その回答として、実践的に追求していた作品のひとつが、この『日本近代史』といえるであろう。鹿野・西岡『日本近代史』は、「黒船から敗戦まで」との副題を持ち、近代おおよそ一〇〇年の歴史を、「民衆の立場からの日本史の景観を提示」する営みとして提供されるが、史料としてかれらの手による文章——自伝を主体に、記録、回想録などを用いている。

力点は(西岡の構想に基づくものであるとされるが)「〝下からみたもの〟」とするという点にあり、「人名索引」には六八八名の名前が並ぶ。また、四二七点に及ぶ素材として(「書名索引」による)、日記や記録、回想録、文学作品や評伝が用いられ、多くの部分を自伝が占める。

『日本近代史』は、通史的な出来事を証言によって記し、現場性と証言性という叙述のスタイルを持つ。この手法は、かつて鶴見俊輔、今井清一、橋川文三、神島二郎、松本三之介による『日本の百年』(全一〇巻、筑摩書房、一九六一—六四年)が用いた方法でもあったが、鹿野・西岡『日本近代史』はより人びとの証言に即している。

しかし、『日本近代史』はその骨格が、政治経済史を軸として作り上げられてきた近現代日本史の正統的な研究に準拠しており、「領主支配からの解放」「疑似立憲制への妥協」「資本の支配下への吸収」「資本の支配へのきざしゆく疑念」「戦争のなかの彷徨と営為」という構成を持つ。

この枠組みのもとで、ある時点から遡及された出来事の記述としての自伝が用いられている点は留意する必要がある。『日本近代史』は、自伝から組み立てるのではなく、自伝を用いて叙述することとなった。このため、出来事の認識は自伝の執筆時であるにもかかわらず、出来事の生起した時点における記述とされてしまう。

鹿野は、この点には自覚的である。『日本人の自伝』別巻の解説「自伝のうちそとで、さきのルジュンヌの定義を紹介したのち、その意義を評価しつつ「自伝以前に人びとそれぞれの人生があったということ」を強調している——「人生が本であり、その人生の自己表現の一形式として、自伝は末として位置づけられる」。その「人生に根ざしそこから養分をえて呼吸している作品」を用いて『日本近代史』を描くことは、鹿野にとって両義性を持つであろう。「沈黙というかたちにおける自己表白」に目を向け、それを重視する鹿野であればこそ、そのことは重くのしかかる。

その闇にのみこまれている部分の広さと深さに想いをいたすことなしに、書かれた部分としての自伝を論じても、おそらくわたくしたちは精神史の表層を撫でるにすぎない。

とまで、鹿野は述べている。

しかし、自伝を歴史叙述に用いたときには、この問題系は見えにくくなる。別言すれば、『日本近代史』においては、自伝の解釈者としての叙述者(=歴史家)・鹿野が前面に出てきており、自伝執筆者の当事者性が後景に退くこととなる。

歴史叙述は、執筆者(=歴史家)の歴史認識が、対象者の生活感覚を含む歴史意識と対話することによってなされるが、自伝は(そもそも成りたちからして)執筆者の執筆時の認識によって再整理されており、内容とともに形式に注意を払いながら用いることが要請される。

このように考えてきたとき、歴史家が自伝を読む、という行為の持つ意味に行きあたらざるをえない。自伝に「事実」を読み込もうとし、「証言というモデル」において自伝を考えるとき、議論は込み入ってくる。エゴ・ヒストリー、そしてエゴ・ドキュメントといういい方は、こうしたあらたな事態に対応しての言ということとなる。歴史家が慣れ親しんできた「事実」を策定するという自伝の読み方もまた検討される。

ほんの一例だが、小説家・井上光晴の自伝は、虚構に満ちているとされ、自ら『岸壁派の青春』(筑摩書房、一九七三年)には、「虚構伝」とサブタイトルを付している。生地や生年にさえ、年譜的事実との齟齬が見られ、井上は意図的に、「虚構」を投げ込んでいるのである。この『岸壁派の青春』では「事実」ではなく、「虚構」を作り出す意識こそが読み取られることとなる。

こうした事態に対し、石川美子『自伝の時間』(中央公論社、一九九七年)は、「今こそ、自伝を「わたし」の呪縛から解き放つべきとき」といい、実際に「「わたし」探求」以外の動機によって書かれる自伝が多い、と指摘する。そして、「作者の生涯はたんなる素材にすぎない」とし、「事実と虚構の境界はあいまい」になるともいう。

石川は「わたし」と「時間」という「ふたつの問い」を抽出し、「「時間」の探求としての自伝」をいい、「喪のなかで書く」こと、すなわち「失われたとき」の探求として自伝を把握した。

重層的な時間――「自分が生きた過去の時間」「自伝のなかを流れる物語の時間」「執筆している自分の現在の時間」「多様な「わたし」すべてを内包するような統合的な「わたし」」が提出される。ここでは、自伝は出来事の物語ではなく、「いくえもの時間を内包した物語形式」であり、「わたし」の物語となる。

この観点からすれば、「わたし」が語るのか、「わたし」について語るのか、が問題となる――色川の「自分史」の議論は、この分裂に直面しているということになろう。

だが、歴史家として自伝に対応するとき、ことはいますこし入り組んでくる。グアテマラの先住民の運動を記録した、リゴベルタ・メンチュウの自伝をめぐる論争について、参観してみよう。(色川との対談のなかで)上野千鶴子がとりあげ、さらに、中井亜佐子『他者の自伝』(研究社、二〇〇七年)もとりあげている事例である。

ことは、メンチュウが実際には目撃していない処刑の場面を、自伝に目撃者のようにして詳細に記述したことにある。国際的に大きな議論となった出来事だが、上野は、(1)実証することにより「嘘」が証明できる、しかし、(2)そのことは自伝の価値を下げるのではなく、「嘘を作り出した人たちのリアリティをもっと強烈に証明することができる」とした。

他方、中井は、「証言テクストにおける「わたし」」は、メンチュウ個人というより、「集団的主体」を表し、そこでは「共同体の記憶の再現」が試みられている、という議論を紹介する――「たとえメンチュウ自身が経験していないできごとであっても、それが共同体内の誰かの経験であることは確かである」。そして中井は、この議論に共感を寄せながら、「可能な限り事実を忠実に記述すること」が「証言の倫理」として求められるという議論にも言及する。

論点となっているのは、「テクストの指示性」――すなわち、外部の「事実」という「自伝的事実」をめぐっての問題である。自伝から「事実」を抽出することができるのか。そのときには、どのような留保や手続きが必要であるのか、ということが、あらためて問題となってきている。

そもそも、中井『他者の自伝』は、「ポストコロニアル文学を読む」という副題を持ち、他者の自伝を読むという行為を、テクストに沿いながら実践する書であった。「作者の人生というテクストの外部を参照することなしには読解不可能とみなされることになったテクスト」としてポストコロニアル文学を把握し、書かれたことと、外部の出来事との関係を探っていく。そして、「一枚岩的なスローガンによって一括りにされた「わたしたち」の内部にあって、単数形の「わたし」を語ることと、「わたしたち」を語ることとの関係性を批評する作業」を実践してみせる著作となっている。

むすびにかえて

自伝をめぐっての議論は、個人史研究とその史料、エゴ・ヒストリーとエゴ・ドキュメントの関係をめぐっての議論も誘発する。いささか唐突な例だが、永山則夫についての考察をとりあげてみよう。

永山則夫は、四件の殺人事件を起こし、死刑に処せられた人物だが、逮捕されたあと、マルクスの著作をはじめとする獄中での猛烈な読書により、「無知」のままにしておいた貧困と社会に対する憎悪と批判をおこなった。社会学者により、高度経済成長期の犯罪者の典型とされ、見田宗介「まなざしの地獄」(初出は、一九七三年)は、永山についての議論を展開した。さらに、小倉孝誠『犯罪者の自伝を読む』(平凡社、二〇一〇年)でも言及されている。

永山については、主として、A裁判(＝公判記録)、B(永山による、自伝的)小説およびエッセーを素材として論じられてきた。評伝としては、佐木隆三『死刑囚 永山則夫』(講談社、一九九四年)がまとまったもので、A裁判(＝供述調書)をもとにした永山像を提供した。佐木は、「「連続ピストル射殺」の一〇八号事件」から書きおこし、永山の生い立ちから犯罪に至るまでを、主として公判記録を用い再構成したが、その際の資料として保護観察所の記録、事件送致書、検証調書、裁判の過程での尋問や証言、精神鑑定書、請願書や判決文などが用いられる。

佐木の著作の基本的な流れは、警察、裁判所の文書による「犯罪事実」の再構成であり、事件当事者としての永山像が記されることとなった。

永山の肉声も、佐木の著作では、裁判記録から記される――「大事なのは、俺の思想である。まだ幼稚だけども、底に流れるものは、プチブル精神ではわからない何かがある。それをあんたらに、わかってほしいんだ」。

こうして、佐木は、永山の内面に入り込むことを禁欲し、外側から永山像を描きだす。これは、ドキュメンタリーの手法を採用したとする、いっときの佐木の叙述法でもある。本章の文脈に沿いながらいえば、裁判にかかわって提出された資料をエゴ・ドキュメントとして用い、永山のエゴ・ヒストリーを記したということになる。

また、細見和之『永山則夫』(河出書房新社、二〇一〇年)は、永山が自ら書き記したB

(自伝的)小説『木橋』(立風書房、一九八四年)、『捨て子ごっこ』(河出書房新社、一九八七年)や遺稿となった『華』(同、一九九七年)、およびエッセー『無知の涙』(合同出版、一九七一年。河出書房新社、一九九〇年)などを用いた考察である。永山自身の記述に基づき、それをもとに永山像を提供しようとする。

細見は、永山が獄中におり、世情の推移から隔絶されていることによって、「一九七〇年代以降の時代そのもののネガの位置」にいることを明らかにしようとする。『無知の涙』も、最初の版(合同出版)は編集の手が加えられており、(河出書房新社による)「新しい版の印象はずいぶん異なる」ことを指摘する。河出書房新社版『無知の涙』を検討し、細見はあらためて、永山の獄中での表現は詩からはじまり、『無知の涙』は自らの考えを詩として綴ったものと論じた。

そうしたうえで、細見は、事件が「かなり偶発的なもの」であり「拍子抜けするほどにへなへなとしたものだったのではないか」とする——「おそらくはかなりの心身の衰耄状態のなかで、事件のただなかの記憶自体が永山のなかでかなり曖昧なものにとどまっていたように私には思われる」。

細見の営みは、永山の「犯罪動機」を外部から詮索することを批判し、外部からの視点によって、事件の一面が置き去りにされていくことを指摘するものとなっている。いや、永山自身によっても「事件の偶然性と必然性のうち、必然性の部分だけが過剰に主張され、偶然性の部分が置き去りにされていく」とした。

こうした状況のなかで提供された、堀川恵子『永山則夫』(岩波書店、二〇一三年)の描く永山則夫像は、これまでの永山像を大きく書き換えるものであった。堀川の著作は、医師・石川義博による精神鑑定書とそのもととなった録音テープCを用いて叙述されている(前著『死刑の基準』日本評論社、二〇〇九年、でも一部、使用していた。また、この著作は、永山の書簡をも使用している)。

Cの出現によって、これまでとはまったく異なった永山像が提出された。予兆は、堀川『死刑の基準』にあった。永山の書簡の内容、さらに裁判での永山の態度、「いや人生そのもの」が、獄中結婚をする女性の出現によって、「劇的に変化する」ことを記した著作である。堀川は、永山の書簡(＝エゴ・ドキュメント)をたんねんにたどり、永山の身辺に入り込むことにより、その内面の変化を描きだした。そこに、さらに医師による精神鑑定書、そのもととなった録音テープが加わる。

録音テープには、事件後に、永山の精神鑑定を依頼された医師が、永山の内面を探るべくおこなった、生い立ちを含めたあれこれのやり取りが記録されている。この録音テープを用いて、堀川は、母親から関心を寄せられず「虐待」をうけ、次兄からも殴られ続けた、永山の少年時代の「家族の秘密」を描きだす。また、母と医師との対話も録音テープには残されており、母に永山の幼少時の記憶がないこととあわせ、親から暴力をうけた彼女自身の壮絶な半生を浮上させた。

さらに、永山の面倒を見てくれた姉が、精神分裂症で、病院の入退院を繰り返したことも記される。永山にとっては、(唯一、自分を愛してくれた)姉との「生き別れ」に等しく、母にされたのと同様に「捨てられた」との意味を持った、という医師の指摘をあわせて書きとめる。永山の兄に対する葛藤や、ひとつの職場が長続きせず、職を転々とするなかでの永山の想いも、録音テープをもとに再構成し、「人間不信、そして不安」を抱え込むという、これまでとは異なる永山像を提供した。

精神鑑定書に対しては、永山自身による否認があり(医師・石川は、このことに衝撃をうける)、ことは単純ではない。しかし、素朴に、自伝を出来事と重ねあわせて論ずることは不可能となってきたということはいえるであろう。

注目すべきは、用いる資料により、永山像が異なっているということである。エゴ・ドキュメントの差異により、エゴ・ヒストリーは異なってくる。加えて、Aを用いたときには、永山の生涯のうちで事件を軸とし、裁判が重視され、Bのばあいは、自らが解釈した事件の要因としての原風景がたどりなおされる。そして、Cによって、(Bとは異なる)事件までのあらたな解釈に力点が置かれることとなった。

このように、エゴ・ドキュメントによって、エゴ・ヒストリーの内容も変わってくる。ことは、個人史研究の根拠が問われていることでもある。エゴ・ヒストリーとは、そう

した問題系を自覚し内包したいい方となっている。〔補註〕

〔補註〕 本章は、長谷川貴彦・桜井厚との座談会「個人史研究の現在、そしてエゴ・ドキュメントへ」(司会・平井雄一郎)とともに『歴史評論』七七七号(二〇一五年一月)に掲載された。

第12章　史学史のなかのピエール・ノラ『記憶の場』

1　「記憶の場」となった『記憶の場』

ピエール・ノラが主宰した『記憶の場』のプロジェクトが、歴史学の世界に与えた影響が多大なものであったことは、あらためていうまでもない。一九九〇年代には、歴史や社会を考察するときに「記憶」という概念がキーワードとなり、「記憶」はこれまでの通俗的な概念に代わり歴史分析の方法的概念のひとつとなったが、その最大の震源のひとつがノラのプロジェクトであった。周知のように、ノラのプロジェクトは、刊行された『記憶の場』に収録された論文だけでも、三巻七分冊、一三五編の論文で、一二〇名もの歴史家がかかわる大規模なものである。『記憶の場』は、一九八四年から九二年までにわたって刊行されるが、準備期間を入れれば一九八〇年代の全体を費やした歴史学における巨大な試みであり、すぐに見るように、この著作は、歴史学の対象／方法／認識にかかわる論点を実践的に提起する著作となっている。

しかも、刊行された『記憶の場』がすでに、ノラ自身の論文(「コメモラシオンの時代」一九九二年。「英語版序文「記憶の場」から「記憶の領域」へ」一九九六年)によって再解釈され歴史化され、それ自身が「記憶の場」となっている。このことは、(1)英語版や日本語版の翻訳によって(翻訳時の時間的文脈と、翻訳空間の文化的文脈によって)、組み換えの作業が行われていることを意味する。英語版(コロンビア大学出版会版、一九九六―九八年)では、三巻のタイトルが、それぞれ「葛藤と対立」「伝統」「シンボル」の構成とされ、日本語版(二〇〇二―〇三年)は「対立」「統合」「模索」とされている(このほかに、シカゴ大学出版会版もある)。一三五編の論文をどのように括り、まとめ上げ、意味づけるかという行為そのものが「記憶」にかかわる営みになっている。

同時に、(2)ドイツやイタリアでは、ノラの営みを受けて、自らのフィールドでの「記憶の場」のプロジェクトが立ち上げられた。ドイツやイタリアという、それぞれの国民国家にかかわる「記憶の場」が取り上げられ「記憶」が分析される。ドイツやイタリアでの「記憶の場」の考察の試みでは、(ノラ版では、言及されることが少なかった)二〇世紀の戦争にも論及している。こうした試みは、この後も続けられるであろう。

あらためて、ノラによる『記憶の場』がもった史学史的な意味を整理しなおしてみると、第一に、記憶の問題化の拠点と発信地を形作ったことが挙げられる。記憶にかかわる史料と対象の提示から始まり、記憶に関する認識と叙述に至るまで、全面的な展開を行った。『記憶の場』には、「三色旗」「ラ・マルセイエーズ」から「エッフェル塔」「街路の命名」や「ジャンヌ・ダルク」「兵士ショーバン」、さらには、「ツール・ド・フランス」「ガストロノミー(美食)」など、目くるめくような目次が掲げられる。これまでの歴史学の射程では扱いえなかった事象、事項、出来事が並べられている。

むろん、重点が置かれ中心をなすのは、フランス革命と第三共和政(一八七〇―一九四〇年)の「記憶」であり、このことは、『記憶の場』のプロジェクトが、フランス革命と第三共和制に依拠した共和国のナショナル・ヒストリーの脱構築を目指すことと通底していよう。

第二に、ノラの『記憶の場』は、歴史学のあらたな試みとなっている。『記憶の場』に集まった歴史家たちは、一九世紀以来の実証主義の歴史学を批判し、あわせて、二〇世紀のアナール派の歴史学をも批判する(谷川稔「日本語版序文にかえて「記憶の場」の彼方に」二〇〇二年)。しかも、それを歴史叙述の遂行によって、実践的に批判するという作業を行ってみせた。変化と断絶の位相のもとに「記憶」を置き、記憶にとっての〈いま〉と〈いま〉における記憶の位置を論ずるのである。この点は、第三に、史料のヒエラルヒーを解体する作業となった。これまでの歴史学では、一次史料と二次史料とが区別され、文献史料と聞き取り史料とが、質的な差異を有するものとして扱われてきた。だが、『記憶の場』では、「記憶」という観点から、それらの史料の区分を排し、分析対象として等価に置く。モノ／ヒト／コトに加えて、トキ／トチ、ココロ／カラダなどを「記憶の場」の対象として設定し（あるいは、史料として認知し）考察を行ってみせる。ノラ版『記憶の場』では、華やかな対象設定に目がいきがちであるが、対象を設定することに先行する「認識」と、対象を描き出す「叙述」にも工夫がなされ、これまでの歴史学への批判が実践されている。

このことは、『記憶の場』において、対象が実在／非在であること、あるいはモノ／コトであることによる区分をつけずに選定されていることでもある。換言すれば、歴史学が自明にしていた「事実」を参照系とせず、歴史学の説明論理としての原因―結果論を採用しない。「事実」と「原因」の解明を、必ずしも目的としないという歴史学のスタイルの試みであり、「近代」の歴史学への根底的な批判となっている。

『記憶の場』における、こうした対象の選定、認識のあり方、方法の採用と叙述の実践は、ノラ自ら「史学史的方法」の採用と述べている。〈いま〉の歴史学は、「史学史的段階」（＝認識論的段階）にあると言い、「歴史意識」とともに「歴史概念」そのもの、そしてそれを把握する「歴史学」の二者の変容を見る。歴史学自身を変化の相に置き、「歴史学という学問の不連続的性格」を言う。そして、歴史学がこれまで依拠していた「ネイション・モデルの変容」を指摘し、フランス歴史学にとどまらず、世界的な歴史学の同時的な変化を見据えようとしているのである。

こうしたノラのなかに脈打っているのは、ナショナル・ヒストリーへの批判である。ノラは、「英語版序文」で、ミシュレの「有機体」、ラヴィスの「実証」、ブローデルの「持続」を特徴とするナショナル・ヒストリーの三つのタイプを挙げたうえで、あらたなタイプの歴史学として「多声」の歴史学を提出する。

その歴史(学)は、原因より結果に多くの関心を寄せる。……この歴史学は、再生でもなければ復元でもなく、再建でもなければ表象ですらない。それは、言葉の能うかぎりの意味での「再記憶化」である。つまり、過去の想起としての記憶ではなく、現在のなかにある過去の総体的構造としての記憶に関心をよせる歴史学なのである。(「『記憶の場』から「記憶の領域」へ」一九九六年)

「多声」によって、均一的・均質的な時間と空間を描いてきたナショナル・ヒストリーを批判しようとするが、この試みは、同時に近代の歴史学総体の点検にほかならなかった。第三共和政の時代には、歴史学は実証史学であり、「国民の連続性」を前提としており、その歴史学では、史料のヒエラルヒーを作り、「事実」の復元が目指された。これに対し、『記憶の場』プロジェクトは、非在の出来事を扱い(「事実」を参照系にすることなく)、それ自身の「記憶」を叙述する。(実在―非在という)出来事の境界を壊し、(原因―結果という)因果関係の叙述ではないスタイルの歴史学の提起と実践であった。

2 「記憶の場」の構成

『記憶の場』の「序論」として書かれた「記憶と歴史のはざまに」(一九八四年)で、ノラは、「記憶の場を構成するのは、記憶と歴史の働きであり、この二つのファクターが重層決定にいたるほどまでに互いに作用しあっている」と述べている。「記憶」「歴史」と「記憶の場」の関連のもとに、『記憶の場』は構想されている。

ノラは、「記憶」を次のように定義する――「記憶」とは「過去との連続という感情」であるが、「生ける集団」によって担われ、「聖性」をもち、「多様で、強大で、集合的で、複数でありまた個別」であるがゆえに「絶対的」なものである。これに対し、「歴史(学)」は、「過去の再現」であり、「もはや存在しないものの再構成」で、聖性を剝奪され「俗化」し、「すべての者に属するがまた誰のものでもなく、それゆえに普遍的」であるものとした。この「記憶」と「歴史学」の認識から、「歴史(学)の真の使命は記憶を破壊し抑圧することにこそある」という、ノラの著名なテーゼが導き出されることとなる。

「記憶」と「歴史(学)」の変貌から、「記憶の場」が浮上する。「記憶の場とは、なによりもまず残余である」――自然な記憶は存在しないという認識は、記憶の側から言えば、「こんにち、記憶と呼ばれるものはすべて、記憶ではなく、すでに歴史(学)に属している」という自覚である。「真の記憶」に対し、「変容した記憶」(＝「記憶としての記憶」＝「歴史(学)を通過」した記憶)を指摘し、ノラは、そこに記憶の「制度化」と「物質化」を見出す。集団はアイデンティティの再定義、個人は自身についての歴史家たることが必然化される。記憶＝集団から個人＝記憶への推移であり、このなかで歴史家の役割も変化し、過去の語り部として、伝達媒体――「客観性に取りつかれた不在」から、「主題とのあいだに親密で個人的な関係」へと推移する。

こうして、「記憶の場とは、国民の歴史がわれわれの時代においてとる姿である」こととなり、ここでは、「いかなる歴史(学)の対象とも異なり、記憶の場は現実のなかには指示対象をもたない。むしろ、記憶の場は、それ自体が自身の指示対象であり、みずからを示すしるし、純粋状態でのしるしであるというべきであろう」と言う。ノラは、先の「英語版序文」では、「新たな歴史学」として論じていくこととなるが、「記憶」と「歴史(学)」、「記憶の場」をめぐって、まったくあらたな事態の出現が宣言されている。

このことは、(1)「記憶」のありよう、(2)記憶と歴史学との関係、(3)「歴史学」のありようの三段階にわたって考察されることとなる。すなわち、「記憶」のありようが変わるというノラの認識は、従来の記憶を担っていた集団(共同体)の解体と、記憶＝集団の結合という記憶の機能の変化という、双方からの変化を前提にしている。共同体や社会集団、あるいは家族による記憶が、歴史学に取って代わられることは、その人にとってのかけがえのない一回きりの経験が、歴史の年表のなかに組み込まれてしまうことである。彼の命がけの経験が、たとえば「関東大震災の体験」として、歴史学の知によって回収され位置づけられてしまう。

歴史学が「記憶」を担い、記憶の抹殺者として機能するということであり、ノラにとっては、歴史学の革新が求められることとして問題が提起されたのである。歴史の主体と歴史学の記述の関連という問題提起であり、(主としてアメリカを中心に考えられていた)近代歴史学の再検討を、メタヒストリーの次元から離陸させ、叙述の場で実践してみせたことでもあった。

『記憶の場』に寄せられた論文の多くがノラの意図をよく理解して、従来の歴史学からはいずれもはみ出すもの(正確に言えば、従来の歴史学を革新する認識＝叙述)となっていると言いうる。

『記憶の場』のプロジェクトを歴史学の立場から読むとき、歴史学そのものを変化の層に置き、実証主義に基づく歴史学への批判として展開されていることがわかる。『記憶の場』の問題提起は、一九三〇年代以来の実証主義歴史学批判の延長にあり、一九六八年以降の歴史批判と重ねられている。ノラの議論は、一方では国民の「記憶」の変化の意味を考察し、他方では記憶の抹殺者としての歴史学の「転換」を意図するが、これは、従来の歴史学が実践してきた営みに対しての総体的な歴史学の再検討であり、自己点検であった。近代歴史学が前提としていた認識、選び取った対象、そして叙述のスタイルのすべてが、批判的に再検討されるのである。

このノラの試みは、世界的な規模での動きと同調しており、一九三〇年代の歴史学の革新が、一九七〇年代以降、世界的に拡大し、各国の歴史学界でナショナル・ヒストリーの脱構築が目指されていることと相関する。アナール派の歴史学は、ノラ自身によってこの文脈で捉えられ、国民＝国家から社会＝国家へ、記憶の伝統から社会の自己認識へといったときの指標とされている。

いま少し、歴史学の革新に言及しておくと、歴史の叙述の次元は、まずは「第一の時間」(出来事の時間)が生起する。このことを書き留めるのが「第二の時間」(記述の時間)である。「第一の時間」と「第二の時間」のやりとり(対話と反復、齟齬)が歴史学による叙述となる。しかし、歴史学は〈いま〉との対話を言うことによって、実際に扱うのは「第一の時間」と「第三の時間」(〈いま〉)となり、「第二の時間」は(従来の歴史学の用語で言えば、研究史となる)軽視されるか無視されることになった。しかし、ノラのプロジェクトが重視したのは、この「第二の時間」であり、「第二の時間」の集積が「記憶」を形成し形作るということであった。

3　一九七〇年代と一九九〇年代の歴史学

ノラは、「コメモラシオンの時代」（一九九二年）で、次のように述べている。一九三〇年代の危機は、フランス的アイデンティティの伝統的なシステムに基づいて、左右の両極端が上昇するというかたちとなって現れた。七〇年代の危機は、それと反対のことを引き起こした。すなわち、深層へと潜り込み、自己を省み、身近な道標を立て直すという作業を。

また、『記憶の場』から「記憶の領域」（一九九六年）では、「「史学史的」断絶」の時代に、一九七〇年代半ばに「突入」した、と述べている。

ド・ゴールの死去にともなう政治的・国家的衝撃、革命思想の終焉による諸結果、経済的危機の後遺症といった現象の収斂である。だが、同時により根源的だというのは、これら三つの現象が、七〇年代半ばに収斂し、われわれの過去との関係およびフランス的国民感情の伝統的形態との関係を、根底的に変えてしまう新しい星座の位置取りを形成したことである。

このノラの「フランス的特殊性」の「終焉」や、フランスの「「史学史的」断絶」にかかわる指摘は、「日本」に該当する部分と時差をともなう部分があるように思われる。

ここには、一九三〇年代と七〇年代のあいだに惹起した戦争の経験と戦後の歴史学のありようの日本とフランスとの差異がある。

実証主義の歴史学が、〈いま〉どのような評価を与えられるかは、「戦後」の歴史学のありようが大きく関与する。ノラの『記憶の場』の議論は、第二次世界大戦の戦勝国としてのフランスの歴史学と関連しており、日本の〈いま〉を考察するときには、敗戦によって誕生した「戦後歴史学」を検討しておかなければならない。

世界的に歴史学は一九三〇年代に、新しい世代を台頭させながら大きな「転換期」を迎え、実証主義批判の歴史学があらわれる。アナール派の歴史学の旗揚げ(一九二九年)はそのひとつであり、マルクス主義歴史学が国際歴史学界に登場し認知されたのも、この時期であった。日本においても、マルクス主義の歴史学が登場し、それに対抗して国粋主義の歴史学があらわれる。実証主義／マルクス主義／国粋主義の三派鼎立である。歴史の本質主義／構成主義とともに、イデオロギーや分析手法、叙述の形式までをも対抗の要素とする、歴史学における複雑な対抗・癒着の関係を形作り、屈曲した推移も見られる。日本においては、一九三〇年頃の三派鼎立は「歴史」の争奪が焦点となるが、やがてマルクス主義が消去され、一九三七年頃には、実証主義／国粋主義の二派並立へと移行した(拙著『歴史学のスタイル』校倉書房、二〇〇一年)。

しかし、第二次世界大戦の戦後には、国粋主義が放逐され、マルクス主義が復活し、実証主義とマルクス主義の二派の並存という状況(新二派並立)が、敗戦国・日本の戦後の歴史学となる。実証主義とマルクス主義は、二派でありつつ競合を含む融合関係のなかで、「戦後歴史学」という歴史学の流派を生み出す。フランス歴史学との対比で言えば、「戦後歴史学」は歴史の本質主義の立場に立ち、アナール派の実証主義(＝本質主義)批判の歴史学とは異なる認識と作法を有していた。構成主義を主流とするフランス歴史学と、本質主義を奉じる日本の歴史学は、戦後において位相を異ならせた。このことは、歴史学の「革新」と言ったとき、どのような内容をもち、なにを変革するかが異なることとなる。

歴史家が批判的知識人として行動していた日本では、この「戦後歴史学」は、冷戦体制に批判的に対応する歴史学でもあった。新二派並立では、「真実」の争奪が言われたが、一九九〇年前後の冷戦体制の崩壊とともに、歴史学は(これまた世界的に)二派対抗の時代から、あらたな三派鼎立の時代へと移行する。「物語」の争奪を焦点とする、新三派鼎立への移行である。「戦後歴史学」に加えて、社会史研究と修正主義の歴史学が台頭するのである。むろん、それぞれ以前から存在してはいたが、これまでの「戦後歴史学」というパラダイムではなく、三派が再び鼎立する状況となった。日本の歴史学は、ごく大づかみに言えば、一九三〇年代の三派鼎立から、戦時・戦後の二派対抗の時代を経て、一九九〇年代以降には、あらたな新三派鼎立の時代となっている。

こうした見取り図のもとで、「日本」の歴史学において、「七〇年代半ばの収斂」はいかにあったかを問うとき、この時期は(日本史学史の言うところの)「民衆史研究」の高潮期であり、講座派マルクス主義との共存の時期となる。民衆史研究は、「戦後歴史学」の内在的、革新的な変数として考えられていたが、一九七〇年代半ば頃には、鹿野政直『大正デモクラシーの底流』(日本放送出版協会、一九七三年)、安丸良夫『日本の近代化と民衆思想』(青木書店、一九七四年)、ひろたまさき『福沢諭吉研究』(東京大学出版会、一九七六年)など、重要な成果を刊行している。一九七〇年代半ばは、歴史学研究が自信をもっていた時期で、「戦後歴史学」の集成としての『大系 日本国家史』(全五巻、東京大学出版会、一九七五—七六年)とともに、『日本民衆の歴史』(全一一巻、三省堂、一九七四—七六年)が刊行され、注目すべきことには、双方の執筆者が重なっていた。

民衆史研究は、論者によって温度差をともないつつも、おおむね「戦後歴史学」と相補的であり、両者は本質主義的な歴史観をもつ。民衆史研究は、「民衆」の実在を前提とし、実証主義と根本的な対立をはらんではいなかった。民衆史研究の論者たちの関心の主流は、「日本近代」のあり方の批判的検討で、「民衆的近代」の可能性を探る議論であったが、この関心は「戦後歴史学」の関心と重なった。民衆史研究の方法を述べる、色川大吉『歴史の方法』(大和書房、一九七七年)は、「歴史家の仕事」を「史実」に基づくものとし、「日本歴史において最も重要なその時点時点の矛盾を表現している史料」をあわせてみることをいう。色川にとっては、「歴史家は過去の真実の追求を最重要の仕事とする」ことにあった。

民衆史研究によって、歴史におけるさまざまな主体(被差別者、女性、地域住民、マイノリティなど)と固有の民衆的世界の解明がなされるが、「記憶」の文脈から見るとき、民衆史研究は、さまざまな主体を「民衆」として括りあげ、その民衆的記憶を書きとめようとした歴史学と言いうる。

このことは、「近代」を対象としながらも、近代がもつ歴史性(近代による解放と、近代ゆえの抑圧)には、おおむね関心が薄く、近代を評価軸としていることを意味する。ノラのように「われわれの過去との関係」「国民感情の伝統的形態との関係」を「根底的に変えてしまう」のではなく、逆にその解明を図ったといえよう。先の色川は、「底辺の立場に立って、その視角から民衆の歴史を、国民の歴史を描こうとする」と述べている(『歴史の方法』)。

加えて、「六八年世代」の国史(ナショナル・ヒストリー)の研究者は、数が多くない。ヨーロッパ史や文化人類学、表象論に「六八年世代」の関心はあり、歴史学の革新は未完成に終わっている。

『記憶の場』で展開されるような「史学史的段階」は、日本の歴史学においては、(一九七〇年代というよりも)一九九〇年代に顕現することとなる。「記憶」に関して続ければ、アジアにおける「記憶」――ということは、「日本」にとっての「他者」からの記憶ということになるが――によって、一九九〇年代に歴史学の革新の必要が促され、近代「日本」の経験――帝国の痕跡と植民地の記憶を探る試みがなされるようになる。一九七〇年前後からの「戦後歴史学」と「民衆史研究」の関係が、この時期に転換しようとし、民衆史研究派の歴史学者のあいだでの差異も、この時期にあらわれた。

「記憶の場」にかかわって、一九九〇年代の日本の歴史学の動向を記してみると、(1)「戦争の記憶」にかかわる問題系と、(2)「さまざまな日本」にかかわる問題系とを指摘することができる。「戦争の記憶」にかかわっては、「戦後歴史学」は、戦争体験を問題意識の根幹に置いていたが、あらためて冷戦後に第二次世界大戦を論ずるとき、どのような方法と認識が必要とされるかという問題系の開示がなされている。

冷戦体制後の状況を踏まえるならば、まずは(A)「日本」の範囲は超えざるをえない。東アジアの「記憶」と、そのことが国民国家の構成員としての「記憶」に分断されている(されてしまっていること)を問題化することが、「記憶」を扱う歴史学となろう。このことは、いまひとつの文脈を提示することができる。すなわち、(B)出来事の認識には、「体験」「証言」「記憶」という局面があるが、認識の次元で考察したとき、出来事の「体験」として現象してくることを書き留める歴史学がまずは登場する。体験を共有しているのであるために「体験」の差異が語られる。

だが、体験の共有者が減少するに従い、「証言」があらわれ、さらに「記憶」へと推移する。「記憶」の時代とは、出来事の体験的な共有を前提としえないときにたちあわれ、このことが、「戦争」をめぐっての議論と重なる。しかし、同時に、そこからは「記憶」の主体が問いかけられることとなる。「日本」を越境する「記憶」の歴史学がここに登場する。

第一次、第二次の世界大戦への言及が少ないことが、ノラ版の『記憶の場』の特徴のひとつであり、このことは、日本における「記憶」の問題が開示された『現代思想』(一九九五年一月)が特集「戦争の記憶」として「戦争」を対象とし、歴史修正主義批判や記憶のポリティックスを扱ったことと対照的である(なお、「日本」における記憶の議論の展開に関しては、岩崎稔「歴史学にとっての記憶と忘却の問題系」歴史学研究会編『現代歴史学の成果と課題I』青木書店、二〇〇二年、が的確な整理を行っている)。

他方、「いくつもの日本」にかかわっては、社会史研究への共感と言説分析を行う歴史学の批判的応答が見られる。『シリーズ いくつもの日本』(全七巻、岩波書店、二〇〇二—〇三年)は、そのひとつの例示となろうが、単一で均一的・均質的な日本像を、「日本」を問いなおす」総論のもと、「歴史」「モノ」「生業」などの考察によって多様な「日本」像へと転換する。排除や差別、性や宗教までを視野に入れ論じなおすが、試みられているのは、これまで無自覚に前提とされていた「ひとつの日本」に対し、「いくつもの日本」を対置することである。「日本」における多系の時間、多層の歴史、多様な地域の存在とその交流が指摘され、さまざまな角度から「いくつもの日本」が描かれる。農耕にとどまらない山の民、川の民や海の民など、生業の諸相が指摘され、複数の日本が抽出され、そこでの「記憶」が記される。

編集委員の一人である赤坂憲雄によれば、「いくつもの日本」を描く試みは「日本像の転換」であり、「方法としての「いくつもの日本」であるという。そのことを通じての「豊かな日本像の創出」である。こうした「いくつもの日本」の抽出の実践は、『記憶の場』の試みと通じ、(後述する)ノラの言う、「一つのフランスではなく、さまざまなフランスの歴史」論と接点を有している。

だが、「ひとつの日本」はたしかに虚構であり、人びとの価値観と歴史認識を呪縛するが、それにもかかわらず、ある種のリアリティを人びとに感じさせてもいた。この呪縛の構造は、ここでは扱われていない。また、シリーズが、「いくつも」の日本を指摘しつつ、その複数の日本を、再び「日本」と名指すのはどのような理由によっているのであろうか。なぜ、いくつもの「日本」であるかは、説明がなされていない。そして、このことは、ノラの「さまざまなフランス」論にもかかわる。

むすびにかえて

一九七〇年代から九〇年代にかけて発言する代表的な歴史家の多くは、一九三〇年代生まれの論者で、それぞれに華麗な文体をもつ。ピエール・ノラは、一九三一年生まれであった。日本の民衆史研究派も、色川大吉こそ一九二五年生まれであるが、鹿野政直は一九三一年、安丸良夫は一九三四年、ひろたまさきも一九三四年の生まれである。一九七〇年代半ばの状況に歴史家として向き合い、一九九〇年代の変化に円熟した歴史家として立ち会う。だが、「コメモラシオン」(一九九二年)を言い、「記憶の場」から「記憶の領域」(一九九六年)を言うように、一九九〇年代にはノラの論調に変化が見られる。

ノラが一九九〇年代になって言及するコメモラシオン現象は、反復される記念=顕彰行為であり、ノラは、その現象の分析を通じ「歴史的なものから想起的なものへ、さらに想起的なものから記念=顕彰的なものへという移行」を指摘する。ノラの『記憶の場』の総括論文であり、一九九〇年代初頭のノラの現状認識となる論考での変容である。

「国民史の体系を客観化し、国民史を解体してその諸要素を分析しよう」とし、ノラは「コメモラシオン」を対象とするが、(1)「国民型」コメモラシオンとともに、「文化遺産型」コメモラシオンがあり、(2)コメモラシオン自体も「変貌」の層に置かれ、(3)

「統一的な国民意識」に代わって、「各集団の文化遺産を守ろうとするタイプの自己意識」が支配的となる「大きな転換」が指摘される。人びとは、文化遺産のうちに「祖国が存在すること」を見出したとされ、「一つのフランスではなく、さまざまなフランスの歴史となる」ことが指摘される。

この論点は、かつては、「国民は、集中化された一つの象徴体系のうちに過去の存在を閉じ込めて、他には関心を払うことがなかった」が、「記憶に支えられた国民」は逆に、「空間のどこにでも自己のアイデンティティが潜在している」と、「さまざまなフランス史」を見出すことへと赴く。換言すれば、空間的に見出される多文化性による国民国家への批判が、ここで展開されている。ノラは、時間の空間的な読み替えによって、「さまざまなフランス史」を見出し、国民国家のナショナリズムを批判していた。だが、この論点は、グローバリゼーションのもとでの、共生による統合――多様性のもとでの「フランス化」をなぞっているのではなかろうか。ノラが批判しようとしたナショナル・ヒストリーが、断片を装ってこびりついていることを、ノラは見過ごしているように見える。

「記憶の場を明らかにすることに意味があるのは今だけなのだ」と、ノラは言う。異なる「共生の様式」が確立され、「もはやアイデンティティと呼ばれることすらなくなるであろうものの輪郭」が定まり終われば、「コメモラシオンの時代」――「記憶の専制」は終焉するとノラは述べるが、『記憶の場』の「序文」での厳しい歴史学批判は、こうして「さまざまなフランス史」に行き着いてしまうのであろうか。

歴史学の現在と、「記憶」の焦点化は、かかる文脈を有しつつ存在している。いくつもの問題系が交錯する「場所」として「記憶の場」を設定することができよう。あらたな歴史学の場所が、むしろ、ここから始まるように思われる。

第13章　現代歴史学の「総括」の作法
――民衆史研究・社会運動史・社会史研究を対象として

はじめに――『成果と課題』の成果と課題

〈いま〉が歴史学の転生期であり、「現代歴史学」へのパラダイムの移行期となっていることが意識されてから、かなりの時間がたつ。このことは、歴史学研究会がほぼ一〇年ごとに刊行する『現代歴史学の成果と課題』が、近年、間遠になってきていることとも相関している。前回は「一九八〇―二〇〇〇」と二〇年間を扱い、刊行は二〇〇二年であった。また、今回は二〇〇一年からの一五年間を扱うこととなっており、一九八〇年代以降、歴史学研究会にして、なかなか歴史学の全容が把握しきれない状況となっている。加えて、前回の『成果と課題』の拙稿(本書第10章「歴史意識の八〇年代と九〇年代」、および「歴史叙述のなかの歴史意識」。ともに歴史学研究会編『現代歴史学の成果と課題I』青木書店、二〇〇二年、所収)で指摘したことではあるが、二〇世紀末以降、歴史学の入門書や名著案内の類が、かつてのようにきめ細かく出されなくなっている。

歴史学の入口をつくり、その全容を提示することが難しい状況だが、かわって動きをみせているのは「史学史」である。史学史は、より大きな射程での「成果と課題」の検討であり、『成果と課題』の軸そのものの検討ともなる。『成果と課題』の評価基準そのものを俎上に載せ、その推移をたどることがあらたな動向と見受けられる。

さて、本章で扱う「民衆史研究」「社会史研究」の抽出は編集委員会によるが、歴史学の方向性を探る焦点のひとつが(一九六〇年頃に始まる)「民衆史研究」、(一九七〇年代後半に登場する)「社会史研究」の検討にあるという認識である。いや、正確に言いなおせば、それらの検討の検証がなされるべきだ、という認識である。それぞれの研究潮流は、それらが活況をみせた時期の『成果と課題』でふれられ論じられてきたが、本章で検討するのは、〈いま〉におけるそれらの総括の仕方の「総括」であり、「成果と課題」の方法的検討ということになる。

すなわち、二一世紀初めの〈いま〉、「戦後歴史学」のあとのパラダイムの模索のひとつは、「民衆史研究」「社会運動史」「社会史研究」の「総括」と重ねあわされるようにしてなされているという認識のもと、(1)「民衆史研究」「社会運動史」「社会史研究」の「回顧・総括の動向」を探り、そのことを手がかりに、(2)〈いま〉とこれからの歴史学との議論の様相を探ることにある。なお、本章では、もっぱら近現代日本史研究を中心にすることを了承いただきたい。これまでの歴史学を「戦後歴史学」としたとき、「現代歴史学」の方向性と可能性を「民衆史研究」や「社会史研究」に探る動きがあり、そのことの史学史的な意味を、近現代日本史の領域を中心に探る営みである。

いくつかのことをあらかじめ指摘しておこう。まずは、史学史のもつやっかいさである。史学史を議論するとき、概念や事項にはたえずズレと差異がつきまとう。ある論者は、(私の史学史をもちだしながら)「こうした史学史像が強固に共有されることは、そうした場を共有していない研究者からみれば、研究潮流相互の対話とすりあわせをむしろ困難にする結果をもたらす」(松沢裕作「歴史学のアクチュアリティに関する一つの暫定的立場」歴史学研究会編『歴史学のアクチュアリティ』東京大学出版会、二〇一三年)と述べる状況である。

もとより、この事態は史学史そのものに由来している。第一には、各人の歴史学研究が研究史のうえに位置づけられるなか、研究史の集合体—包括として史学史が考えられていることである。自らが理解する研究史のうえに、組みたてられる史学史であり、各人の歴史学研究がパラダイム・チェンジをともなわないかぎり、史学史はそれぞれのアイデンティティを強固に形成していることとなる。

いまひとつは、史学史を対象とした議論が、あらたな段階にあることである。これまでのような「領域としての史学史」に対し、「方法としての史学史」が台頭するなか、

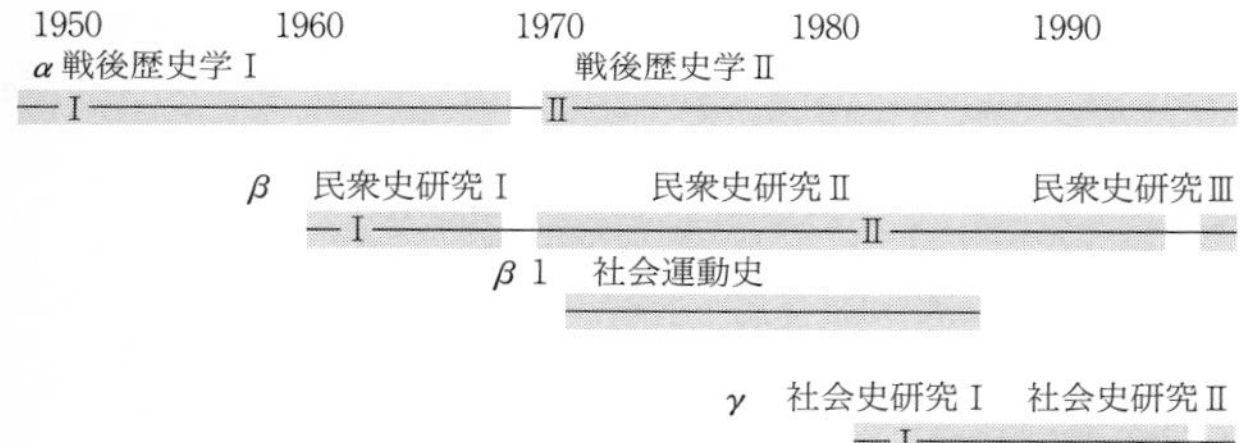

図 2　戦後の史学史像

史学史をめぐる対抗がはじまってきている。史学史の内容とともに、史学史の概念が違ってきており、実証主義的な史学史もうかがわれる状況である。先の論者の言など、そうしたなかで発せられていよう。そのため、私なりの史学史像を図示(図2)しておこう。

1 「総括」の現在とその作法

この一五年間の動きで目につくのは、「戦後歴史学」さらには「戦後歴史学」と距離を示しつつかかわった歴史家たちの著作集の刊行と(シンポジウムなどによる)検証である。二〇〇〇年代に入ってからの歴史家の著作集は、本章にかかわる主なものだけでも、『阿部謹也著作集』(全一〇巻、筑摩書房、一九九九―二〇〇〇年)、『鹿野政直思想史論集』(全七巻、岩波書店、二〇〇七―〇八年)、『安丸良夫集』(全六巻、岩波書店、二〇一三年)、『網野善彦著作集』(全一八巻＋別巻、岩波書店、二〇〇七―〇九年)、『二宮宏之著作集』(全五巻、岩波書店、二〇一一年)、『石井進著作集』(全一〇巻、岩波書店、二〇〇四―〇五年)、『石井進の世界』(全六巻、山川出版社、二〇〇五―〇六年)、『朝尾直弘著作集』(全八巻、岩波書店、二〇〇三―〇四年)、『河音能平著作集』(全五巻、文理閣、二〇一〇―一一年)、『永原慶二著作選集』(全一〇巻、吉川弘文館、二〇〇七―〇八年)、『深谷克己近世史論集』(全六巻、校倉書房、二〇〇九―一〇年)などと、枚挙にいとまがない。「戦後歴史学」「民衆史研究」そして「社会史研究」の研究者の著作集が折り重なるようにして刊行されていることが特徴としてみてとれる。

他方、「総括」の動きとしては、『史潮』第七三号(二〇一三年七月)が、特集「「戦後歴史学」とわれわれ」を組み、小谷汪之「「戦後歴史学」とその後」、須田努「イコンの崩壊から」、池田嘉郎「ロシア史研究の中の戦後歴史学」、コメントとして、奥村哲「戦後歴史学とわれわれ」が掲載された。

また、私も、『歴史学のスタイル』『歴史学のポジショナリティ』『歴史学のナラティヴ』(校倉書房、二〇〇一、〇六、一二年)で、史学史の観点から「民衆史研究」「社会史研究」を軸とする歴史学の総括を試みたが、とくに『歴史学のナラティヴ』では、副題を「民衆史研究とその周辺」とし、「民衆史・民衆思想史研究の史学史」を試みた。そして歴史学の「自己点検」と史学史を意味づけ、それぞれの位置取りを考察し現代歴史学の構成を探った。

他方、「社会運動史」グループの回顧(喜安朗・北原敦・岡本充弘・谷川稔編『歴史として、記憶として』御茶の水書房、二〇一三年)と、このメンバーによる論集(岡本充弘・鹿島徹・長谷川貴彦・渡辺賢一郎編『歴史を射つ』御茶の水書房、二〇一五年)が出され、さらにこの中心に位置した喜安朗による史学史的歴史論『転成する歴史家たちの軌跡』(せりか書房、二〇一四年)が刊行されたことも見逃せない。これまで論じられることが少なかった「社会運動史」グループが大きく浮上してきたことは、この間の特徴であろう。もっとも、このグループをどのように位置づけるかということは、まだ検討が始まったばかりである(池田嘉郎「「社会運動史」覚書き」『史苑』七四編一号、二〇一四年)。

「総括」の方法―作法をめぐる検討を行うとき、対象――α「戦後歴史学」、β「民衆史研究」・β1「社会運動史」グループ、γ「社会史研究」と、(α、β・β1、γといった潮流の)論者――A「当事者、あるいはそれと同世代」、B「当事者Aの教えを受けた世代――第二世代」、C「その下の第三世代」との組み合わせをもつ。史学史的総括は、どの潮流を対象として、誰がそれを行うかということにより、論点や評価が異なる。α、β・β1、γとABCとの組み合わせとなるが、β・β1、そしてγをめぐって、Aひろたまさき、喜安朗、安丸良夫、鹿野政直ら、B酒井直樹、大門正克、吉田裕ら(私もここに含まれる)、C長谷川貴彦、須田努らの考察を本章での対象としよう。

すなわち、本章で検討するのは、β・β1とγをめぐる総括となるが、そのときに参照軸となっているのはαである。現在の総括はすべて、(1)αを規定し、そこと自らの距離を測り、そのことによって(2)自らの歴史学を点検し、そのうえで(3)これからの歴史学を考察しようという意図がみられる。「民衆史研究」「社会運動史」「社会史研究」の総括／総括の作法の検討といったとき、それぞれの立場からα「戦後歴史学」を論ずるということでもある。

また、αから、β・β1、γへの言及もある。たとえば、「戦後派第一世代の歴史研究者は二一世紀に何をすべきか」(戦後派研究会)によるシリーズ『二一世紀歴史学の創造』(全七巻＋別巻二、有志舎、二〇一二―一三年)はその代表となろう。とくに本章にかかわっては、別巻I『われわれの歴史と歴史学』に「戦後五〇年の歴史学 文献と解説」が小谷汪之によって記されていることに着目しておきたい。

2 「民衆史研究」をめぐって

当事者たちAの総括

「民衆史研究」の当事者たちAの総括は少なからず証言的要素をもつが、自己の軌跡と重ねそこに力点をおくものと、それから距離をおこうとするものとがある。前者には、安丸良夫「回顧と自問」(安丸・磯前順一編『安丸思想史への対論』ぺりかん社、二〇一〇年)

があり、後者には、ひろたまさき「パンドラの箱」(酒井直樹編『歴史の描き方I ナショナル・ヒストリーを学び捨てる』東京大学出版会、二〇〇六年)がある。また、喜安朗『転成する歴史家たちの軌跡』で扱われるのは、網野善彦、安丸良夫、二宮宏之だが、喜安自身をも検証の素材としており、双方の型を組み合わせている。

他方、共同作業で「総括」を営むのが、「社会運動史」グループβ1の面々であり、AとともにBやCの世代を巻き込んでいる。

これら当事者たちAの「総括」では、戦後歴史学との距離を測るものと、社会史研究との距離を主張するものとがある。(『鹿野政直思想史論集』第7巻への自注として書かれた)鹿野「問いつづけたいこと」は痛烈な社会史研究への批判を展開している一方、安丸やひろたの論は「戦後歴史学」との位置の測定に比重がある。安丸・鹿野の議論に対しては、すでに言及したことがあるので(「三つの「鳥島」」『思想』一〇三六号、二〇一〇年八月。本書第9章。『安丸良夫集』への解説など)、ここではひろたの議論を主筋に民衆史研究の「総括」のようすを検証しよう。

「パンドラの箱」は、「民衆思想史研究」(ひろたの表現。ここでは、ひろく「民衆史研究」として扱いたい)を担ってきたひろたが、「「民衆」概念」を軸に、一九六〇年代以降の研究をたどりなおす営みである。ひろたは、「民衆」は「近代に発見された」といい、長い射程で史学史をたどりながら、きわめておおざっぱに言えば、近代日本の歴史学は、官学も民間学も、まさに民衆を発見したのであり、その民衆がいかに立派な国民に形成されてきたか、形成されるべきかという視点から、「国民の歴史」を語ろうとしたことにおいて共通している。（前掲「パンドラの箱」）

という。そして一九二〇年代に至り、これまで無視されていた「底辺民衆に歴史が与えられはじめる」とつづける。ひろたの議論は、(1)「民衆を発見した」歴史学の営みを指摘し、その歴史学の営みは、(2)「民衆」を「国民化」する流れのなかにあったとする。戦後のマルクス主義史学の「人民」把握にも目を配り、「民衆思想史研究」に至るまで、歴史学が「国民の歴史」を語ってきたことが強調される。ひろたは、同時に、「民衆思想史研究」をサバルタン・スタディーズやカルチュラル・スタディーズとならべ、「世界的に共通した問題の発見に参加していた」ことをあわせいう。ひろたが着目するのは一九七〇年代後半からの「ポスト・モダニズムと社会史の流行」である。「「近代」批判」という論点、「西洋文明の相対化の気運」を、この動向に読みとっていく。

色川、安丸、鹿野と自らの研究の軌跡をたどる営みで、ひろたが強調するのは「そして、「民衆」はいなくなった」という二〇〇〇年代初頭の状況である。すなわち、ひろたは、一九九〇年代以降の「第二世代」(B)の議論に「国民国家の形成による民衆の独自性の喪失、またはその異端化」の議論を見出し、国民国家論の影響をみてとる。そして、それを「民衆思想史研究の行き着いた果て」と慨嘆する。

それらの手法の輝かしい魅力は、民衆の独自な思想形成の輝きを犠牲にしたところで得られたものではなかったか。民衆思想史研究の初心に照らせば、それら〔の〕研究は民衆の独自性が失われていく過程を情熱的に論じることにはならなかったか。……民衆は国民となり、その独自の姿を消していくことになるのではないか。（同右、〔 〕は成田）

ひろたが「民衆思想史研究」といったとき想念するのは、図2の民衆史研究Ⅰ・Ⅱであり、Ⅲには言及していない。また、民衆史研究と社会史研究との差異を論点とせず、ひろたは、いまや「民衆の独自性発掘の視座」が「稀薄」になったことを批判する――「それは、帝国意識にからめとられた日本社会の多数派民衆に対する絶望をも表現するものだったのであろうか」。かくして、ひろたは「『民衆』は再生しうるか」と、あらためて問題を提起したのである。

このとき、焦点のひとつは、歴史学の「転回」をめぐってであろう。一九七〇年代後半以降、言語論的転回による問題提起を受けとめ、「民衆」や出来事が「実体」として存在するのではなく言語によって構成されたものとし、歴史は「語り」のなかで生み出され、物語性をもつことを強調する歴史学が登場する。この点からは、史料もまた「事実」に素朴に対応するのではない、ということになる。私は社会史研究とくに社会史研究Ⅱをそうした歴史学と把握したいが、それはこれまでの歴史学に対する挑戦であり、そこからの「転回」を自認する歴史学である。

しかし、ひろたは、こうした歴史認識における「転回」を認めない。民衆史研究と社会史研究との差異をいわず、民衆史研究以後が連続的に考察される。この点は民衆史研究者に共通している。鹿野が名前をあげ批判する西川長夫や野家啓一、上村忠男らは、いずれも「転回」を主導した論者であり、安丸もまた、以下のように歴史家を「職人仕事」とし「転回」に与しない。

私は結局、歴史家は自分たちにふさわしい職人仕事の領域を守り抜くべきだ、そうすることで隣接諸科学とも協力できるし、現代日本の問題状況に対してもそれなりの問題提起が可能となる……きわめて抽象度の高い哲学談義とも、即物的な史料中心主義とも区別して、史料に即した探求のなかで方法や理論についても考え続けていくというのが歴史研究者にふさわしい探求のスタイルであり、そうした意味での探求の職人であり続けたいというのが、私の念願である。（前掲、安丸「回顧と自問」）

安丸「回顧と自問」のよく知られた個所であるが、「転回」を認識しながら、自らの作法としては、それを峻拒する宣言となっている。これは、「私は戦後歴史学を母斑のように継承しているとはいえ、その内実においては戦後歴史学とは遠く離れた地点に立ってしまっていると実感する」(同右)というαとの関係でもある。鹿野もひろたも、戦後歴史学に比重をかけながら議論をしており、「転回」には無関心ともいえる姿勢を示している。

B「第二世代」からの応答

ひろた「パンドラの箱」と同じ巻に寄せられた、酒井直樹「小序」は、歴史学の現在に対するBの世代からの応答であるとともに「転回」(酒井の用語では「言説分析」)の立場を記している。酒井は、

言説分析の強みは、「多数派」においてどのように知識が生産され、知識の生産がどのように権力関係に加担し、さらにはどのように社会的集団を紡ぎ上げると同時に人々を個人化し主体化するか、を問うことにあったといってよいであろう。(酒井「小序」前掲『歴史の描き方I ナショナル・ヒストリーを学び捨てる』)

と解説する。「転回」以後の歴史学は、したがって「科学的に客観的な一般妥当性」をめざすのではなく、「科学的真理」がどのような権力関係と「共鳴」し「協働」するかを考察すると記す。戦後歴史学の問題設定を根底から変更し、現代歴史学は「即自的な過去」ではなく、「未来へのかかわりとしての過去の叙述」をなすと、酒井は説く。

こうした酒井は、ひろたに対し「民衆という観念と「内部」の間の軋轢を見事に摘

出」したといい、「「民衆」は、まずなによりも、問題として存在した」とその営みを位置づける。民衆史研究Ⅰ・Ⅱが想念されていようが、「周辺的存在」「支配階級に対決する者たち」、あるいは「通俗道徳」などによって語られた「「少数派」への関心」を「民衆史研究」に見出す。

そのうえで酒井は、「少数派」は、いまだに「「内部」の機制」に「呪縛」されたままであるのか、また民衆史研究は「少数派」の多様性をとらえる歴史的な語彙をもちえたかどうか、と批判的に問いかける。換言すれば、民衆史研究は「少数派の歴史の叙述が「少数者」の「多数者」への変身」を予定して書かれており、「異常」が「正常」へと治癒し、「野蛮」が「文明」へと救済されるという物語の形式を逸脱することができなかった、と批判するのである。ことは、民衆史研究の歴史家が「「国民」のなか」に安住する「共同性」にかかわっており、(民衆史研究は)[1]「「民衆」と「少数者」の違い」に目を向けることがないと批判した。

> 「少数者」は「民衆」と明らかに共鳴する。しかし、「民衆」を「少数者」に接合したとき明らかになるのは、その基本的な違いである。(同右)

酒井は、(1)歴史家―民衆史家たちに自覚を促すかたわら、(2)民衆史家たちの語りに着目する。すなわち、酒井は(ひろたがいう)「少数者」は「国民の形象の「内部」」にはおさまらず、「周辺的な存在」として「絶えず越境しつつ国民になり損なう者たち」であるとする。そして、この意味において「少数派」は「同一性」を有さず、「少数派の存在様式の基本」は「多様性」にあると続けた。

こうして酒井は、ひろたの提起する「民衆」の概念を(ひろたのように)社会空間における「少数派」と等値するのではなく、再定義しなおす。そして「「少数派」の間の連繫」は共通性をもつことがなく、「民衆」は「難民」として把握する必要があるというところまで、酒井は議論を引っ張っていく。ひろたらが提出した「民衆」への着目に共感しつつ「民衆の観念」を再定義し、「民衆」概念を変化させることが酒井による民衆史研究の総括となる。そして、ひろたが自認していた歴史家の位置を、さらに厳しく「国民史と国民史を逸脱するものの狭間におかれている」存在である、と再規定する。

3 「社会運動史」グループの「総括」

喜安朗は、東日本大震災後の「脱原発デモ」に言及しつつ、あらためて自らと「戦後歴史学」との距離を測る。喜安は、江口朴郎の議論を持ち出し、「戦後歴史学の底」を抜こうとして、著作『革命的サンディカリズム』に至り、「社会運動史—民衆運動史の領域」に入り込んだ、と自らの軌跡を語り総括をする(「ハンマーと抗うかなしさ」前掲『歴史として、記憶として』)。

喜安が活動したβ1「社会運動史」グループは、総括として『歴史として、記憶として』を編むが、このグループについてはいくらかの説明が必要であろう。

当事者Aから、こもごも総括的な説明がなされるが、それまで存在していた「幾つかの小さな研究グループが自然に合流」(北原敦「雑誌発刊のころ」同右所収)、雑誌『社会運動史』(一九七二―八五年に、第一〇号まで)を刊行したグループである。当事者たちは、当然にも規定されることへの拒絶を示すが、こもごも「六八年の情況」と切り離すことはできないという。歴史学にかかわっては戦後歴史学への批判をなすが、「戦後歴史学の延長上に内部批判として出てきたといえそうな民衆史観についても、自分自身を民衆の外部においた知識人による一種の同伴者史学でしかない、というような批判を、学生当時から議論していたように記憶している」(福井憲彦「記憶の断片で描く歴史の自画像」同右所収)と記す。

加えて、当事者Aといっても、社会運動史研究会は「四つの世代の波」に分かれているといい、「その後流行してきた「社会史」のある種の傾向には、なにか軽々しさを感じた」とも述べている(加藤晴康「長期の六〇年代」同右所収)。

谷川稔「全共闘運動の残像と歴史家たち」(同右所収)は、当事者の周囲にいた同世代人として外部の眼からこの様相を描き出す。谷川は「研究会の暗黙の結集基軸」として「パルタイ的・歴研的なるものとの距離感」をあげるとともに、「各世代が孕む戦後史学性の微妙なズレ」をいう。喜安の議論を「変革主体論」とし、「学知と実践の統一を旨とする戦後史学における変革主体論」と一面で「通底」し「継承者」とさえいえるというかたわら、社会史研究とのかかわりにも言及する。ここでも、αとγとの重なりが指摘された。

「社会運動史」グループに特徴的なことは、総括にあたりB、Cの世代を参加させていることである。小田中直樹「「社会運動史」のリハビリテーション」(同右所収)は、「戦後歴史学」から「社会史研究」(小田中は「社会史学」と表記)のあいだに位置するとして「社会運動史」に着目し、後者との関係に言及する。小田中は、「新マルクス主義の影響のもとに労働運動史のかきかえを意図したイギリス社会史学」「雑誌『アナール』に結集したフランス社会史学」「社会科学との接続を試みたドイツ社会史学」の三つをあげ、社会運動史グループの関心は、(1)「イギリス社会史学」、とくに、エドワード・トムスンの初期の研究に近かったが、その後、(2)「徐々に社会史学」に接近していくとした。そして(3)社会運動史は、戦後歴史学を「批判」して登場したが、社会史研究に「合流」したといい、「世代交代運動としては不十分」に終わったと手厳しく論じた。だが、小田中はあわせて、(4)「動態的なスタンス」と「日常生活への関心」という「結びつけがたい二者」を結びつけようとしたと社会運動史の意図を読み解き、その「継受」をいう。

小田中はBの世代でありつつ、「転回」には懐疑的である。小田中は「「ポスト言語論的転回」すなわち「ポスト・ポスト近代主義」の時代の歴史学を模索する今日にあっては、ふたたび「主体」のありかたに関心が集まっている」との認識を示す。他方、Cに位置する長谷川貴彦「「社会運動史」とニューレフト史学」(同右所収)は、社会運動史グループは、「戦後歴史学の主体性への強烈な関心を引き継ぎつつも、それとは異なるスタンスをとっている」とし、「のちの政治文化史や政治社会史とも言える研究の方向性への道筋を開いた」という。「「民衆」というカテゴリーを発見」し、「戦後歴史学からの離脱と超克」をしたと総括するのである。

4 「戦後歴史学」の姿勢

こうしたなか、足場を戦後歴史学におき、その拠点を「再検討」することにより「現代歴史学」への転換をはかる面々もいる。「戦後派研究会」を名乗り、シリーズ『二一世紀歴史学の創造』を刊行するグループである。

「戦後派第一世代の歴史研究者」として刊行したシリーズは、「国民国家」や「帝国」という語こそ用いるが、「市民社会」「天皇制」「土地」「帝国主義」「社会主義」などを主題とし、戦後歴史学の問題構成を踏襲している。「戦後派研究会」は、シリーズ『新しい世界史』(全一二巻、東京大学出版会、一九八六—八九年)の執筆者とほぼ重なり、先の社会運動史グループが多く参加するシリーズ『歴史のフロンティア』(既巻二〇巻、山川出版社、一九九三年—)と競い合うようにして活動をした歴史家たちである。

双方は「六八年」の状況を共有し、そこでの位置取りによる差異と〈いま〉に至るまでの相違—温度差がみられる。ともに江口朴郎の再評価に熱心であるが、「戦後派研究会」は「転回」には冷淡で、それ以上に社会史研究を「娯楽のための読み物としての社会史モノ」(宮地正人「近代主義と近代主義者」前掲シリーズ『二一世紀歴史学の創造』別巻I、二〇一二年)と言う挑発的な議論も含んでいる。

シリーズ『二一世紀歴史学の創造』では、歴史像の提示とともに歴史認識—対象—方法—叙述を対象とした議論を行う。かつて「歴史の方法」と呼んでいたものであり、論文と座談会の組み合わせによって、研究会内部での齟齬、ズレをも提出する。

こうした歴史学の自己点検において、先の社会運動史グループにも共通するが、「日本」を俎上に載せることは手薄である。そもそも両シリーズに日本史研究者の参加が極端に少ないのみならず、日本史研究者はあらたな動向への関心は薄く、ナショナル・ヒストリーを正面きって議論することはなかなか難しい。課題として「日本」——ナショナル・ヒストリーの点検、ナショナルなものの配置と構造の考察などが、あらためて問題にされる必要がある。

このとき、インド研究の小谷汪之は「日本的な型」について、戦後歴史学が「私的土地所有発展史観」を基軸とするのは敗戦後における農地改革の強烈な印象に影響され、「西欧近代歴史学の直輸入に始まった日本近代歴史学の負の遺産」が加わったとし、「根底的な再点検」の必要性をいう(「土地と自由」『二一世紀歴史学の創造』第3巻、二〇一二年)。「現代歴史学」を起動するために戦後歴史学の歴史性―認識を相対化する「総括」の提言だが、日本(史)研究の外部からの動きであることは否めない。

同様に、座談会「世界史の中の国民国家」(『二一世紀歴史学の創造』第2巻、二〇一二年)で、東ヨーロッパ研究の南塚新吾は、一九七〇年代の実証主義の方法にもとづく国民国家論、一九九〇年代以降のポストモダンの国民国家論(構築主義の議論)との二潮流を指摘し、論考「民族と国民」(『二一世紀歴史学の創造』別巻I、二〇一三年、所収)では、「国民a」―「国民e」までを摘出し、国家形成と国民形成のズレ、「国民」概念の複合性などを近代日本に即しながら論じた。

小谷、南塚らは、戦後歴史学のヴァージョンアップをはかり、そのためにポストモダンの歴史学をはじめ、ひろく歴史学の動向に目配りをしている。そもそも、近代日本研究における「国民国家」論が方法・認識の次元での問題提起であり、従来の明治国家論と臣民論――特殊日本、明治維新の不徹底性――、土地改革の不徹底という議論への批判であったことを考えると、こうした考察は日本研究者からこそ出されるべきものであったろう。

とともに、小谷は「戦後五〇年の歴史学　文献と解説」(『二一世紀歴史学の創造』別巻Ⅰ)として、戦後史学史を文献紹介のかたちで記す。戦後歴史学とともに民衆史研究Ⅰ・Ⅱの文献がきっちりと把握されているが、社会史研究に関しては、阿部謹也『ハーメルンの笛吹き男』(一九七四年)、喜安朗『パリの聖月曜日』(一九八二年)、二宮宏之『全体をみる眼と歴史家たち』(一九八六年)、そして西川長夫『国境の越え方』(一九九二年)など、社会史研究Ⅰの作品にとどまっている。安丸や鹿野らの著作を中心に、民衆史研究Ⅰ・Ⅱが丹念にあげられているのに比し、社会史研究Ⅱへの関心は薄い。なによりも、収録範囲が(「戦後派第一世代」の「戦後感覚」に準拠して)一九九五年までとされており、もっぱら「転回」以前の時期、および歴史学の作品に比重がおかれている。

5 「第二世代」「第三世代」による総括

この一五年間には、B「第二世代」のみならず、C「第三世代」も含めた新しい世代の登場と発言がみられるようになった。しかし、新しい世代といえども、史学史に対する向きあい方には温度差やズレがあり、当然のごとく単純にはいかない(1)。

「転回」と「日本」という課題が浮上したあとの『岩波講座　日本歴史』(全二二巻、岩波書店、二〇一三―一五年)を論ずることは、本章での守備範囲を超えるが、編集にかかわった一九六〇年代生まれB・C世代のはざまの桜井英治「中世史への招待」(第六巻)は、社会史研究から、政治史・国家史へという「大きな「逆流」」の現状をいい、あわせて「いずれにしても歴史学が知の世界への貢献を期待されなくなって久しいのではあるまいか」という。「外向き」の視線をもつがゆえに、歴史学の現況に悲観的であるが、大津透「古代史への招待」(第一巻)は、対照的に「古代史ではきちんと研究史を消化し、自説を築くための分析視角を定めることが重要である」といい、αの代表作・石母田正『日本の古代国家』(岩波書店、一九七一年)を最大級に評価する。

こうしたなかでは、一九五〇年代生まれのB世代はうろうろとしているが、その世代を中心に、戦後歴史学の成果を主軸にしたシリーズ『展望　日本歴史』(東京堂出版、二〇〇〇年―)が編まれる。戦後歴史学の論考を時代別・主題別に集成した「総括」である。同シリーズ各巻に共通の「刊行にあたって」は、編集委員会の名で、二一世紀の歴史研究・教育のために「戦後歴史学の膨大な研究成果を批判的にうけつぐこと」をいう。そして、「一九六〇年代から九〇年代の研究状況」を「あらためてとらえなおし」、編まれたアンソロジーだが、全二四巻の予定で構成され、現在までに二巻を残して刊行されている。

近現代史の領域が八巻で構成されるなか、第二一巻『民衆世界への問いかけ』(二〇〇〇年)が本章に関連する巻となっている。大門正克と小野沢あかねが編者となり、「民衆史・運動史・女性史の研究領域」を取り上げ、この三つのテーマに取り組むものが「民衆的世界」に「何を問い」、「どのように描いてきたのか」を論ずる。時期対象として、「民民衆史・運動史はもっぱら「第一次世界大戦前後から敗戦ごろまで」を扱い、女性史は近代全般を扱う。

「解説」(大門正克)は、時期ごとに論点を整理しており、本章のように流派・潮流をことさらに可視化しない。Ⅰ「一九六〇年代後半〜一九七〇年代」、Ⅱ「一九七〇年代〜一九八〇年代半ば」、Ⅲ「一九八〇年代半ば」と時期区分し、史学史の画期は私と見解をほぼ同じくしている(Ⅰ・Ⅱ・Ⅲは、便宜上、成田が仮に付した)。

大門は、Ⅰの時期に「「民衆史」という課題設定」がなされたといい、安丸良夫『日本の近代化と民衆思想』(青木書店、一九七四年)と中村政則『労働者と農民』(『日本の歴史29』小学館、一九七八年)を中心に整理を行う。後者について、大門は「歴史の発展法則を堅持しようとした戦後歴史学を継承させつつ、主体的契機の独自性を重視し、構造と主体の双方の契機のうちに歴史をとらえようとした」といい、「戦後歴史学の発展であるとともに、運動史研究の新しい到達点を示す」と、高く評価する。

同時に、安丸に関しては、「現在読み返してみると」「戦後歴史学との共通性と独自性の両方が印象に残る」とする。ここでも、大門が見出すのは「「構造と主体」論」であり、両者の関係を、安丸は「矛盾的認識」によって理解しようとするとした。また、「近代主義批判と「近代化論」批判の強い主調音」を指摘し、そこに安丸の「独自性」を見出す。さらに、鹿野政直の作品に「人びとの多様で複雑な経験を読み解こうとする視点」を指摘していく。

こうして、大門は、民衆史研究に(1)戦後歴史学との共通性を見すえつつ、しかし(2)一九七〇年代における「日本近代史研究の転機」を、(女性史・運動史とともに)担い、この時期を「象徴した分野」となったとする。そして(3)民衆史研究を通じて「「階級」や「人民」とは異なる人びとの存在規定への模索、国家とは異なる地域や社会、生活への関心の高まり、民衆の経験の多義性への着目」などがあらわれたと論じた。

加えて大門は、(4)一九八〇年代後半頃からの「日本近代史研究の方法と対象」における「変化」をいう。都市史研究が「先鞭」をつけたこと、そして「国民国家論」の台頭をあげるが、「その伏線」はすでに「一九七〇年代からの社会史研究」に含まれていたとする。社会史研究を補助線とし、「社会史研究から国民国家論へ」という「ライン」を引くとき、国民国家論が登場する軌跡がはっきりとみえてくるというのである――「発展段階論にもとづく戦後歴史学への批判と近代認識の転換(近代批判)という点で、はっきりとした継承関係を確認することができる」。

こうした「ライン」(=「総括」)に対し、私は、社会史研究と国民国家論は同時に存在しており、(「社会史研究」)「から」(国民国家論へ)ではなく、(双方が)「ともに」同じ時期に論じられたと把握している。大門は、(「社会史研究」として取り上げる)二宮宏之における「転回」を認めず、さらに国民国家論と切り離しており、こうした二宮理解もまた私とは異なる。この点もやはり「転回」認識にかかわっている。

この「総括」のなかで、大門は、歴史研究として、「歴史過程における矛盾や葛藤」「歴史過程を矛盾的認識によって把握する」ことを強調する。そして、「歴史認識の重要性」と、「歴史過程を描くにあたっての多元的な方法の必要性」をいう。そのとおりであろう。

しかし、ここで大門がみてとった「認識」、さらに「描く」営みは、「転回」以前のものであり、民衆史研究Ⅰ・Ⅱにおける議論であるだろう。

大門のいう「認識」とは、「人びとの存在規定」が「階級」から、「人民」「民衆」へと移ったこと、あるいは「その一構成員」からの「自立」(女性史研究)をはじめ、「階層」(運動史研究)、「国民」(国民国家論)への着目を内容としている。「多様なあり方を含む規定」への移行とともに、「それぞれの固有性」に「収斂」しようとすることを評価の規準とする。だが、「拠点と複数性」を見出し、その視点として「経験」を抽出し、「多元的な視点」をもって「矛盾的過程」を検討するという認識と叙述は、民衆史研究Ⅱの営みと方法であった。

すなわち大門の整理—総括は、二〇〇〇年代におけるB世代の整理—総括であるが、民衆史研究Ⅲには言及していない。安丸「監獄の誕生」(『朝日百科　日本の歴史』22、朝日新聞社、一九九五年)や鹿野「桃太郎さがし」(『朝日百科　日本の歴史』23、一九九五年)などには言及しないのみならず、巻末の「文献リスト」にもあげていない。加えて、大門の指摘の先を問題化したのが社会史研究であったのではなかろうか。「経験」を視点ではなく、方法化したうえで分析の対象に対する認識を社会史研究は提起している。そして、認識論と叙述論の意味そのものを問い、「転回」を自覚しその次元で問いを立て、実践を試みたのが社会史研究であったろう。B世代として大門は、民衆史研究のあらたな動向(Ⅲ)、そして社会史研究には全般的に距離をとっているようである。

このとき、同じ世代に属す、吉田裕「近現代史への招待」(前掲『岩波講座　日本歴史』第15巻)は、「歴史意識の今」を説き、近現代史研究のなかで「大きな争点」となった「問題」として「国民国家論」「総力戦体制論」「明治時代の評価」そして「歴史学における認識論の問題」を取り上げ、議論している。自身の立場は認識論—「転回」には与しないものの、「認識論」をふまえ、「転回」を論じた作品に踏み込んでいる。

第三世代Cの「総括」は、さらに多様である。長谷川貴彦『現代歴史学への展望』(岩波書店、二〇一六年)は「史学史的アプローチ」を自認したうえで、歴史学が直面していた問題を、内在的には、「社会史のアポリア、それに挑戦する言語論的転回」、外在的には、「グローバリゼーションと結びついた新自由主義の台頭」とする。「転回」が正面に据えられており、「総括」のあらたな規準の提示に自覚的である。そうであればこそ、長谷川の議論では「日本」(あるいはナショナリズム)についての言及が不可欠であろう。

日本研究に軸足をおくのは、須田努である。須田『イコンの崩壊まで』(青木書店、二〇〇八年)は、副題を「「戦後歴史学」と運動史研究」とし、戦後歴史学を、「その中核に屹立していた」運動史研究に絞り込み検討する。そのために須田の議論は戦後歴史学に接続し、「転回」以前の作品が取り上げられた。だが、須田は五年を経て、続編となる「イコンの崩壊から」(前掲『思潮』第七三号)を記す。副題に「「現代歴史学」のなかの民衆史研究」として、ここでは「転回」に踏み込んでいく。

「イコンの崩壊から」は一九九〇年代以降の動向を考察の対象とし、天安門事件、東欧革命、言語論的転回以降の歴史学の動向を「現代歴史学」とし、構造主義とポスト構造主義(と、須田は表記する)のなかでの歴史学—民衆史研究の動きを探る。須田は「グランド・セオリーの消滅とデシプリン崩壊」をいい、アルチュセールを特記し、デリダをはじめとする現代思想への関心を記す。「民衆という説明概念をどう使用していくか」との「模索」に須田の関心があり、「運動史」から「民衆の集合心性」の叙述への推移が語られるが、長谷川とともに、課題の提示に力点がおかれている。民衆史研究Ⅲ、あるいは、社会史研究Ⅰ・Ⅱの具体的な作品の考察があれば、より説得的な議論となったであろう。「日本」を対自化する営みもこれからのこととなっている。

こうしたなか、あらたな世代Cの「総括」は、実作のなかでなされる。史学史の体裁をとらず、モノグラフィの叙述のなかに(歴史叙述のなかに)「総括」を織り込んでいるのである。ふたつの例をあげてみよう。

先行研究は、反売買春運動が下層民をあるべき規範へと首尾良く回収したと論じた。否、そこが焦点ではないと本書は主張する。

松原宏之『虫喰う近代』(ナカニシヤ出版、二〇一三年)は、このように記す。「先行研究」として社会史研究が念頭におかれており、その地点を論理的・実証的に問題化し批判していくなかでの一文である。「ある社会の秩序がいったいどのように形成されるのか。行方を決めつけずに、その動態をいかに捉えるか。本書は、〈政治文化史〉の試みを鍛えながらこの問いに挑んでみたい」と松原は述べるが、本章でここまで論及してきた戦後歴史学さらには民衆史研究、社会史研究の「総括」をふまえた叙述がなされている。「転回」の論点が、叙述に組み込まれており、現代歴史学としてのあらたなステージをうかがわせる著作となっている。

だが、同じく都市の「秩序」に着目した、藤野裕子『都市と暴動の民衆史』(有志舎、二〇一五年)は、表題に「民衆史」を掲げることに示されるように、ここまでは踏み込まない。藤野の著作は、「民衆の暴力行使の基盤となった文化」に着目し、これまで「民衆」と呼ばれてきた対象を「男性」と把握し、「民衆史研究」を描きなおそうとする意欲的な営みである。このとき「民衆」について、藤野は、

本書はこれまで暴動に参加した人びとを「民衆」と呼んできた。しかしそれはどのような人びとなのだろうか。本節では、各暴動の検挙者・被告人の職業・性別・年齢・住所などから参加者の特徴を明らかにしたい。(同右)

といい、「民衆」を「実体」として把握しようとする。「転回」が関心の外にあるのだが、このことはルポルタージュに対し「実態そのものでないにせよ、下層民衆の日常的な諸実践(もう一つの表象世界)がテクストの中になにがしか映り込んでいる」というテクスト観と相応している。テクストに映り込むのは、観察者の立場性であり、引用する藤野の位置が問われるという論点を提供する社会史研究との差異が生じている。

藤野の議論は、(私も含め)これまでの都市民衆を対象とする議論におけるジェンダー欠落を厳しく指摘し、あらたな都市運動史を叙述した。このとき、藤野は民衆史研究Ⅱを念頭におき、自覚的に「転回」の方向には踏み込まず、その分だけ都市社会や都市雑業層の具体相を記すことに力を注ぐ。

そもそも近代日本の都市の考察は、民衆史研究の時期に、(1)戦後歴史学がもっぱら「農村」を対象とするのに対し「都市」を対置し、(2)「生産」に対し、「消費」に目を向けた。こうした民衆史研究として出発した都市史は、さらに都市空間論として社会史研

究の方向に踏み出した一方、(3)戦後歴史学も、おそまきながら都市史に関心を寄せてきたという経緯がある。このとき、藤野は、都市空間という論点を消去し、あらためてネオ民衆史研究として考察するという位置取りをする。ここでもまた、「総括」が実作のなかで展開され、藤野の語りの位置を提示していっているのである。

おわりに

雑誌『現代思想』は、「網野善彦」(二〇一四年二月)、「安丸良夫」(二〇一六年九月)の特集を組んだ。このことは、歴史学の「学知」がひろく人文学にも影響を及ぼしていることを示す。

このとき、「総括」とそのありようは大きな意味をもつ。「転回」をめぐる論点の提示はそのひとつで、言語論的転回、さらにつづくいくつもの「転回」を任ずるものとそれを忌避するものとは大きく隔たりを有している。肯定派(+)と否認派(-)との対抗は、構成主義にいかに向きあうか、ということにほかならないが、構成主義を回避し

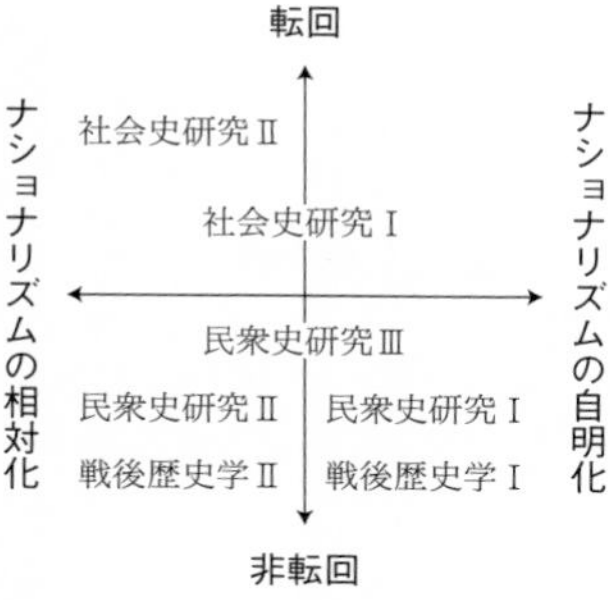

図3　戦後の歴史学における転回とナショナリズムへの姿勢

た実体主義がいまだみられることは歴史学の理論としては嘆かわしい。同時に、構成主義は後発の議論であるがゆえに、先行する議論の総体を相手とするなか、「転回」を一面的に強調したことも否めない。

いまは、「転回以後」であることは自明である。だが、「転回」を回避し「以後」をいうことはできず、「転回」もまた具体的に論ずる時期にあろう。

「総括」に際し、いまひとつ課題とされる論点は、「日本」をめぐってである。本章ではまったく議論することができなかったが、構成主義の立場に拠ったときの対象の領域の設定であるにとどまらず、評価の軸としてのナショナリズムに対し、どれだけ自覚的であるかという点にかかわってくる。これも、ナショナリズムを自明とする立場と、それを相対化し批判する立場とが生じてくる(以上の点は、とりあえず図3を参照されたい)。

民衆史研究、社会史研究をめぐって、かつては「民主主義論」(中村政則)として議論された段階から、いまや歴史家の「主体」の認識論へと至り、さらに文体論(岸本美緒)までも提起されている。歴史教育論と歴史学原論への議論も登場しはじめている。民衆史研究、社会史研究の経験を含みこむ「総括」――史学史のありようは、いまや大きな課題となっている。

(1) 当事者―第二世代―第三世代の合流がなされた地点もある。喜安・北原・岡本・谷川編

『歴史として、記憶として』と、安丸・磯前編『安丸思想史への対論』である。後者は、「民衆史研究」の総括として見逃せない一冊だが、本章で言及すれば(本章全体が)安丸良夫の歴史学に収斂しかねないため、あえて言及を避けた。また、安丸と幾人かの論者を招き合評会を行ったこと(二〇一〇年九月二五日)も、論及を避けたいまひとつのささいな理由としてあげておきたい。

初出一覧

＊本書への収録に当たり、全体にわたってわずかに字句の修正を施した。
＊タイトルを改めた章がある。その場合には、原題を【　】内に示した。
＊本文および註に記載した文献については、できるだけ最新の情報を加えるように心がけたが、各論稿の刊行後に新たに発表された研究文献については触れていない。
＊「歴史論集」へのあらたな註は、〔補註〕として追記した。

歴史論集1　まえがき　　新稿、二〇二一年

問題の入口　方法としての史学史

第1章　〈正典〉なき時代
石井進編『歴史家の読書案内』吉川弘文館、一九九八年四月(→成田龍一『歴史学のスタイル』校倉書房、二〇〇一年所収)

第2章　二〇世紀歴史学の「古典」【原題「歴史と歴史学」】
『世界』六七五号(別冊「この本を読もう！」)、岩波書店、二〇〇〇年五月(→『歴史学のスタイル』所収)

第3章　歴史の「語り方」がなぜ問題となるのか
『論座』三八号、朝日新聞社、一九九八年六月(→『歴史学のスタイル』所収)

I　「歴史学」という近代の装置

第4章　「歴史学」という言説
『歴史学のスタイル』――「歴史学という言説」(栗原彬・小森陽一・佐藤学・吉見俊哉編『越境する知3　言説：切り裂く』東京大学出版会、二〇〇〇年)および「明治維新像・一九三五年前後」(「江戸の思想」編集委員会『江戸の思想』8、ぺりかん社、一九九八年)にもとづく。
第5章　ナショナル・ヒストリーへの「欲望」
森明子編『歴史叙述の現在』人文書院、二〇〇二年一二月(→成田龍一『歴史学のポジショナリティ』校倉書房、二〇〇六年所収)
第6章　文学史の饗宴と史学史の孤独【原題「文学史の饗宴　歴史と文学のために1」「史学史の孤独　歴史と文学のために2」】
『図書』六六三・六六五号、岩波書店、二〇〇四年七・九月(→『歴史学のポジショナリティ』所収)

II　鏡あるいは座標軸としての「民衆史研究」

第7章　違和感をかざす歴史学
『思想』一〇四八号(特集　戦後日本の歴史学の流れ：史学史の語り直しのために)、岩波書店、二〇一一年八月(副題「史学史のなかの民衆思想史研究(前期および中期)」を省いた)(→成田龍一『歴史学のナラティヴ』校倉書房、二〇一二年所収』)

第8章　民衆史研究と社会史研究と文化史研究と――「近代」を対象とした【原題「民衆史と社会史と文化史と」】

『民衆史研究』八〇号(特集　民衆史・社会史・文化史を架橋する)、民衆史研究会、二〇一〇年一二月(→『歴史学のナラティヴ』所収』)

第9章　三つの「鳥島」【原題にあった副題「史学史のなかの「民衆史研究」」を省いた】

『思想』一〇三六号(特集　ヘイドン・ホワイト的問題と歴史学)、岩波書店、二〇一〇年八月(→『歴史学のナラティヴ』所収』)

III　歴史学の認識論的転回へ向かって

第10章　歴史意識の八〇年代と九〇年代

歴史学研究会編『(第3次)現代歴史学の成果と課題　一九八〇―二〇〇〇年　I　歴史学における方法的転回』青木書店、二〇〇二年一二月(→『歴史学のポジショナリティ』所収)

第11章　「評伝」の世界と「自伝」の領分――史学史のなかの個人史研究【原題の副題は「個人史研究をめぐる断片」】

『歴史評論』七七七号(特集　伝記・評伝・個人史の作法を再考する)、歴史科学協議会、二〇一五年一月

第12章　史学史のなかのピエール・ノラ『記憶の場』【原題「ノラ『記憶の場』をめぐって」】

『歴史学のナラティヴ』――ピエール・ノラを招いて開かれた、国際シンポジウム「〈記憶の場〉の問いから――想起すること／忘却すること／叙述すること」(二〇〇三年一一月二二日)における報告原稿。

第13章　現代歴史学の「総括」の作法――民衆史研究・社会運動史・社会史研究を対象として

【原題「民衆史研究・社会運動史・社会史研究と今日の歴史学」】

歴史学研究会編『(第4次)現代歴史学の成果と課題　二〇〇一―二〇一五年　2　世界史像の再構成』績文社、二〇一七年五月

解　説

戸邉秀明

1　シリーズ「歴史論集」の編集について

本書は成田龍一氏(以下、著者)が最近四半世紀の間に著した諸論考のうち、広く歴史学をめぐる状況を論じた歴史論を精選したシリーズ(全三冊)の一冊目にあたる。本シリーズ編集の経緯は著者による本書「まえがき」に詳しいが、当初は、著者が二〇〇一年から一二年までに校倉書房から刊行した「歴史批評」集の三部作に、いくつかの論考を増補して岩波現代文庫版とする企画であった。だが、既刊のままでは分量が超過してしまうこと、またその後も重要な関連論文を著者が続々と発表している点を考慮して、元版の単なる精選と増補ではなく、新たな編集で臨んだ。

校倉書房版の各冊は、折々のさまざまな主題に関する発言の盛り合わせで構成されているのに対して、このたびの三冊では、各巻のテーマを明確にして、そのもとに関連論考を集めなおした。さらに校倉書房版刊行後に発表された論考についても、著者の単著未収録の論考から、この方針にそうものだけを盛りこんだ。これにより、本歴史論集の三冊で、一九九〇年代から現在までの著者の思考の軌跡と広がりを、かなりの程度一望できるようになった。もちろん、その間の著者の論考は、単著未収録のものだけでも膨大である。たとえば著者は書評というジャンルの重要性を早くから自覚し、新聞から学術雑誌まで、長短さまざまな形式で論評を(ある場合には論争を)試みているが、今回は内容にかかわらず採用しなかった。それらについては別の機会があることを期待したい。

ではこの三冊に何を盛りこもうとしたか。冒頭の巻である本書の解説では、まずこの点について簡単に述べ、三冊を有機的に活用していただくための案内としたい。

著者はこの四半世紀余り、歴史学の内外に向かって、いわば困難な二正面作戦をあえて引き受けてきたように見える。すなわち、広汎な読者に向けては、歴史学という知のあり方について明解な見取図を提供し、歴史学の問題性とともに人々の歴史意識にも批判的な介入を続けてきた。他方、歴史学の内部にいる研究者たちに向けては、専門の如何を問わず歴史学が無自覚に抱える問題について、厳しい批判者であり続けてきた。

過去の歴史家たちと比べてみると、このような位置に立ち続ける難しさがわかる。たとえば戦後日本社会に批判的な立場から発言を続けた遠山茂樹や永原慶二の名前がすぐに思い浮かぶ。けれども彼らは戦後歴史学の擁護者であり、敵はまず巨大な国家にあったため、著者のような自己のうちに向けた根本的な問題提起の必要は、まだ切迫感をもって感じられてはいなかった。

こうした戦後歴史学の第一世代に教えを受けた第二世代にあたる著者にとり、高度経済成長で変貌する日本社会と直面し、「一九六八年」に代表される近代批判の思想潮流の洗礼を受けたことは、戦後歴史学への懐疑を増幅させ、民衆史研究へ、さらには社会史研究へと身を投じることにつながった。人文科学における言語論的転回を受け、都市社会運動史から文化と空間の読解に軸足を置く都市史研究へと、一九八〇年代に転換する著者の研究の軌跡が、その端的な表れと言える(参照、成田「近代日本都市史研究のセカンド・ステージ」『歴史評論』第五〇〇号、一九九一年、のち同『近代都市空間の文化経験』岩波書店、二〇〇三年所収)。

ただしここまでは研究レベルでの問題提起であった。ところが一九九〇年代、戦後歴史学以来の認識枠組みでは太刀打ちできない事態が、学問のなかでも、政治・経済の状況においても次々と起こり、日本の歴史研究は、〈いま〉を歴史の流れのなかで説得的に、かつ批判的に位置づけることが、決定的にできなくなった。「臨界点が超えられ、誰もがその問いかけに応答せざるをえなくなった」そのとき、日本近代史研究という専門を越えて、著者の発言は歴史理論・歴史叙述・歴史意識をめぐる批評行為へと踏み出していった。以来一連の歴史論を大きく括るとすれば、以下の三つに焦点を結ぶだろう。

第一に、歴史学という学知が、近現代の日本においていかに生まれ、展開してきたか、いわば歴史学の歴史化をすることで、他の学知や思想の動向と比較可能な形で、歴史学を議論する土俵を作った。この相対化の作業は、歴史研究が己の可能性を発揮するために必須の根本的な自己点検であり、自己解放を目指す企てだった。

第二に、同時代の想像力を尖鋭に表現する文学や思想の読解を通じて、それらと歴史学との(対抗や乖離を含めた)相関関係を見出し、両者を同時に作り出す言説空間の構造を明るみに出した。歴史学を、学問という専門知の閉域とは逆の方向に開いていく、歴史学の自己開放の試みと言えよう。

第三に、著者にとりこの時代は、従来の歴史学が疎かにしてきた課題を、次々と突きつけられる時代でもあった。そこで歴史学と社会との関係を、第一・第二の作業で得られた知見をもとに整理し、新たな切り結び方を提唱してきた。歴史学の他者に歴史学をさらすことで、歴史学を革新する方途を考察する道行きでもある。

この三つの焦点それぞれに一冊を充てたものが、岩波現代文庫版の歴史論集である。

2 本書の構成

なかでも本書は、右の第一の関心にそって、著者の「史学史」という企てがよくわかる論考を編んだ。次にその収録意図について、本書の構成にそって若干の解説を加えていきたい。

冒頭には、「問題の入口」と題して、比較的短い文章で、著者の問題関心の原型や発心がわかるものを収めた(「問題の入口」に与えた役割は、続く二冊でも同じ)。第Ⅰ部以降の分析を出来上がった結論とするのではなく、著者のその時々の格闘の跡として読みとるには、著者がなぜ史学史を提起するようになったのか、その道筋の把握が不可欠だ。

第1・2章には、一九七〇年代に研究を始めた著者が見ていた、いわば原風景が書き留められている。それまで正典や古典という確固たる地位を占めていた歴史研究の価値が大きく動揺する「正典なき時代」へ変貌するなか、著者は前田愛に傾倒した。ここに、著者が社会史研究で独自の地歩を築いた知的背景がうかがえる。そして著者が歴史をめぐる知的状況に介入する第一声を記録しているのが第3章である。著者と同世代の三名の研究者を設定して展開される架空討論からは、戦後歴史学/民衆史研究/社会史研究の三つの潮流の関係と差異がよくわかる仕掛けとなっている。

一九九〇年代半ば以降、歴史学をめぐる状況は、特にナショナリズムの問題をめぐって深刻の度を増した(その経緯については第10章に詳しい)。これに対して著者はまず、歴史学という学知が国民を創り出す装置として培われてきた歴史を解剖し、戦後歴史学も共有しているナショナリズムを可視化した。それが第Ⅰ部の諸論考である。

第4章の組み立てには、史学史に挑む著者の姿勢がすでに明瞭に表れている。前半では、歴史学の方法論争や史学史の描き方それ自体を取り上げて、複数の潮流が創り出す対抗と緊張の位置関係によって史学史を描く視角が示される。後半では、この視角をもとに一九三〇年代の日本近代史研究の三派鼎立状況と三派間の関係を解析していく。と同時に、歴史をめぐる対抗関係は、歴史学の内部にとどまらず、文学や民俗学など、歴史を語る他の表象行為との競合でもあったことが見通されている(この見通しで貫かれた著者の単著が、『〈歴史〉はいかに語られるか——一九三〇年代「国民の物語」批判』日本放送出版協会、二〇〇一年、増補版 ちくま学芸文庫、二〇一〇年、である)。

続篇とも言える第5章では、「国史」の形成期である一八九〇年前後と、第4章の対象時期に続く総力戦の時期について、「国史」の道具立てがいかに執拗に持続していくかを描いている。この二つの章により、大正デモクラシー期の「新しい歴史学」を除けば、近代日本の歴史学について大まかな見通しをつけることができる。

なお、第5章では近代日本の歴史研究の総体を、ナショナル・ヒストリーへの「欲望」と捉えている。しかしそれならば、第4章の三派もすべてその背後にナショナリズムを蔵しており、互いの区別がしにくくなる。平泉澄の歴史学は「ナショナリズム」ではなく、「ファシズム」と名指すべきだっただろう。ここには、史学史を見なおす視座自体、著者が実作を重ねていくなかで養われていったことの痕跡が読みとれる。

第6章は、文学史という枠組みそのものの問いなおしを始めた文学研究に比して、史学史がなお歴史学のアイデンティティを強化する語り方に拘束されている点を、「孤独」な姿と評している。永原慶二『二〇世紀日本の歴史学』(吉川弘文館、二〇〇三年)の批判的検討を通じて、史学史の原論とも言える著者の構想が語られており、第4・5章の史学史叙述の実作と対をなしている。

第Ⅱ部には、一九六〇年代半ば以降、日本近代史研究において重要な潮流となった民衆史研究に対する史学史的分析をまとめた。約二年の間に集中的に著された三本の論考には、著者が史学史に込めた企図がもっとも集約的に表現されている。

第7章は、戦後歴史学の知の修得から始めた少壮気鋭の歴史家たちが、いかなる違和感を胚胎させて民衆思想史研究へと出立したか、安丸良夫と鹿野政直の著作を主に取り上げて綿密にたどっている。そこに一九七〇年代の「転回」を見出し、同じ時期に勃興を見た社会史研究との並行性と距離を同時に見ている。

この「転回」後の「中期・民衆思想史研究」を軸にして、社会史研究、さらにはその展開としての文化史研究と、三者間の差異と距離を測ったのが第8章である(ただし「文化史研究」の概念はこの論考のみに見られ、第13章の用語法にしたがえば、社会史研究Ⅰに続く一九九〇年代以降の社会史研究Ⅱの展開となる)。日本近代史研究のなかで、社会史研究を代補する役割に位置した民衆思想史研究は、一九八〇年代までは、ほぼ同世代の西洋史家たちによる社会史研究と親和性を保っていた。だが、一九九〇年代以降の文化史研究に対しては、新たな違和感をかざすようになる。

第9章は、民衆思想史研究の側のこの変化を、一九七〇年代―二〇〇〇年代までの鹿野政直の発言と作品から浮き彫りにする。近年の鹿野による厳しい歴史学批判がなぜ生まれたのかを詳しく分析することで、「後期・民衆思想史研究」の研究者間での分岐とともに、この間の歴史意識の錯綜する変化をも見渡している。本章での鹿野に対する著者の反駁は、歴史構成主義、国民国家論や文化研究から学び、一九九〇年代以降の社会史研究の新たな展開を身をもって体現してきた著者による、方法的自己告白でもある。

なお、第Ⅱ部は総じて鹿野政直の作品を主な対象とし、ひろた・まさきの発言を副とするが、安丸良夫については、著者自身が編集にかかわった『安丸良夫集』第二巻・第五巻(岩波書店、二〇一三年)の「解説」や安丸良夫『戦後歴史学という経験』(岩波書店、二〇一六年)の「解題」、そして成田「認識論の歴史学へ――安丸良夫の歴史学」(『歴史学研究』第九五四号、二〇一七年)で跡づけている。

第Ⅲ部には、一九九〇年代以降の歴史意識の変化や、それを受けて歴史研究が取り組み始めた新たな主題に関する論考を収めた。このうち第10章は、日本近現代史を事例として、一九八〇年代と九〇年代の間にどのような変化が起こったのか、歴史研究の側から社会の歴史意識を遠望している。続く第11・12章は、まさにこの時期以降に歴史研究の焦点となった「主体」(ないしは個)や「記憶」という問題系を、史学史的な視圏に置いて位置づけた論考である。それぞれがヨーロッパのエゴ・ヒストリー研究やフランスの「記憶の場」プロジェクトに触発されたものだけに、海外の歴史学と日本のそれとの比較へと展開していることが興味深い。最後に第13章として、「史学史の時代」のなかで戦後歴史学以来の歴史学の諸潮流がいかなる「総括」を試みて自前の史学史を語り出したかを検討し、それを通じて歴史学の〈いま〉を展望する最近の論考を置いた。

これらは「問題の入口」が一九九〇年代後半、第Ⅰ部が二〇〇〇年代前半、第Ⅱ部が二〇一〇年前後、第Ⅲ部がほぼ二〇一〇年代の発表となり、著者の史学史的関心と方法の推移も自ずからうかがえるようになっている。

3　挑発する史学史

著者の問題提起もあり、史学史は今日、歴史研究のなかでも独立した研究領域となりつつある(その動向については、拙稿「史学史と歴史叙述——日本近現代史学史を窓として」歴史学研究会編『第四次 現代歴史学の成果と課題3 歴史実践の現在』績文堂出版、二〇一七年、で概観している)。だが、史学史が他の学問史と同様に実証的かつ精緻に描き出されるようになったことは、著者が期待する史学史の役割が普及した状態を意味するだろうか。実際は、研究の「領域としての史学史」が自立を遂げる一方、「方法としての史学史」

の側面は、必ずしも浸透していないように思われる。そこで文字通り屋上屋を架すが、著者の意図をあらためてまとめてみよう。

第一に、著者にとって史学史とは、その形式を用いてメタヒストリー的な方法意識を普及するための戦略的拠点として設定されている。ここでメタヒストリーとは、あまりにも「自然なもの」と見なされて、日常では自覚されない歴史(学)のさまざまな約束事(作法)それ自体を俎上に載せ、それらがいかに創られ、維持されている(=再生産されている)のかを問いなおすための方法と言える。そうした企図を託すため、著者は通有の「史学史」の形式を借りているが、本書で実現しているのは、史学史の脱構築、平たく言えば換骨奪胎による機能転換である。

著者はそのために、歴史家の作品や論争中の発言を、いったんその約束事の次元で分節化して比較考量していく。それにより、たとえば思想やイデオロギーの水準では反発を見せる二つの潮流が、無自覚に共有している前提が炙り出される。分節化された諸要素(第9章冒頭の一覧が参考になる)は、歴史学の枠組みを越えて、他の学問や文芸の諸ジャンルと比較可能となり、それらとの境界設定によって自らを創り出してきた、歴史学の学知としての形態が露わとなる。分節化は、歴史家の個性を記述する伝記の集合体とは別の方向に史学史を引き寄せ、検討の焦点を、書く者ではなく、書かれたもの(言説)と書かせた環境との相関によって生まれる「出来事」に定めるよう促す。

このような構想を抱く著者にとり、史学史を語り出す具体的な対象として何を取り上げるかは要と言える。そこで第二に、著者の史学史は、ある言説空間における複数の研究潮流や学問間の対立・緊張をはらんだ相関関係と、それが創り出すダイナミズムに関心を注ぐ。学統とも呼ばれる学説の継受や、中心的な学説との親疎で歴史家の間の距離を測るのではない。本書で何度か出てくる「三派鼎立」という括り方も、併存する学派の整理術ではなく、互いの自立を言挙げするために他を必要とする一種の共犯関係と、それが生み出すイデオロギー的な作用をこそ対象としたいためだ。

こうした焦点の設定の仕方は、史学史が、歴史学の、あるいは史学史を書く歴史家自身のアイデンティティ証明のための、自己防衛的な語りに陥りやすい問題を自覚しているからでもある。歴史学は「史学史の孤独」から自らを解き放ち、厳しくとも可能性に富んだ「饗宴」に身を投じられるか。著者の「挑発」がそこにある。

以上のような企図は、歴史学の〈いま〉に対する著者の強い危機感に発している。したがって第三に、著者にとり史学史とは、何よりも〈いま〉を歴史化することで自己の立ち位置を測り、〈いま〉とは異なるものになるための呼びかけである。史学史の語り方は、直面した課題に応じて選びとられるべきなのだ。こうした構えは、第Ⅱ部の三つの民衆史論、とりわけ第9章に明らかだ。戦後日本の歴史学を捉える際、なぜいま民衆史研究を参照軸とするのか。なぜ、あえて異論を対置して挑むのか。戦後歴史学全盛の時代から一変して、いまや「民衆史研究の課題として追究してきたことが歴史学界での共通認識となった」。だが同時に、「民衆」や「草の根」が、民衆史研究が思いもしなかった主体から発せられ、マイノリティを追いつめている。この状況に巻き込まれている歴史学という営みもまた、変化を被っていないはずがない。では「その先をいかに構想するか」が、「新自由主義への対抗」のために必須と認識されている。鹿野政直の史学史認識への異論は、だからこそゆるがせにできないものだった。

では「その先」に向けて、史学史では何が課題となるだろうか。ここでは試みに、二つの点をあげておきたい。

ひとつは、著者も指摘する「制度としての歴史学」を考察するための焦点である。制度とは組織の沿革や法制にとどまらない。それらが大学の研究室や研究機関、共同研究の場、あるいはテレビの歴史ドラマの制作現場等において運用されることで生まれる、日々の判断やふるまいの積み重ねが、本来の意味での生きた制度なのだ(近年、科学社会学や人類学で盛んなラボラトリ研究をイメージすると良いかもしれない)。そこに働く権力関係や結束/排除のあり方などの分析なくして、歴史学の約束事がどのように人々を拘束するのかはわからない。もっとも、過去に向かって参与観察はできない。何を史料とし、そこから何を読み解くか。史学史のための新たな史料論が不可欠となろう。

もうひとつ、歴史叙述をめぐる分析をどの方向で深化させるかという課題がある。たとえば歴史叙述を読むとはいかなる行為であり、読者にどのような効果（納得・感動・違和感等々）を与えるのか。この点の検討は、歴史叙述をめぐる「厚い記述」には大事なはずだが、（大学・大学院を含めた）歴史教育の現場から汲み上げる取り組みなどは聴いたことがない。だが読書行為のなかにこそ、叙述＝「語り」の具体的な働きは見えてくる。

もちろん、著者が投げかけた主題はもっと多様であり、注の指摘ひとつとっても、じっくり取り組んでみたい課題に満ちている。そうした論点を史学史という叙述に昇華させるには、本書を含めた史学史の優れた実作に多くふれることが大切だ。幸いにも、著者の問題提起と共鳴するように、近年、東アジア古代史では李成市『闘争の場としての古代史――東アジア史のゆくえ』（岩波書店、二〇一八年）、日本近世史では若尾政希『百姓一揆』（岩波新書、二〇一八年）といった、史学史の再構築を不可欠の作業として組み込んだ歴史叙述が増えている。

4　対話を通じた「総括」に向けて

著者の論考が歴史学の内外を問わず、多くの読者に迎えられている理由は、その幅広い目配りやラディカルな問題提起とともに、代表的な研究潮流を明確な指標で分節化し、見取図として可視化した点にあるだろう。これにより、個々の研究者の業績単位の学説史とは異なる議論の土台が措定され、自分がどこに位置していようと(あるいは無関係であっても）、日本における歴史学の「戦後」をかなり包括的に見渡せるようになった。第13章の二つの概念図が、その最たるものだろう。そこに凝縮された史学史認識を叩き台として、それぞれの立場から異論や修正・改善の提案を闘わせる、そのような対話が生まれることを期待して、本章を最後に置いた。

こう書いた以上、ではお前はどう応答するのだ、との声がすぐさま飛んでくるだろう。一読、三つのことが思い浮かんだ。

まず民衆史研究Ⅱと戦後歴史学Ⅱの関係が気になった。民衆思想史研究の提唱に影響を受けて民衆史研究が普及する過程は、戦後歴史学Ⅱを担う研究者のなかで起こったのではないか。戦後歴史学Ⅱと民衆史研究Ⅱ、そして社会史研究Ⅰの間には、一九八〇年代以降、ある程度の収斂が見られたのではないか（参照、拙稿「マルクス主義と戦後日本史学」『岩波講座　日本歴史22』岩波書店、二〇一六年）。すると民衆思想史研究と民衆史研究の関係も、詰めた議論が必要になる。対照的に、戦後歴史学の側に引き寄せた民衆史や社会史の収斂が進むと、民衆思想史研究者や社会史研究者は、戦後歴史学との差異を自覚し、いっそうラディカルな転形を見せるように思われる。著者の概念図は、ある時期に盛んになった研究手法の潮流を指すのか、もっと具体的な研究者の集団性を表すのか。その両者は不可分であるとはいえ、この図を用いる側の読みとり方も試されるだろう。

なお、この点について議論を深めるには、社会史研究や言語論的転回と並行する時期の戦後歴史学の動向に、著者がより詳しくふれた以下の論考が有益である。紙幅の都合から本書に収録できなかったが、ぜひ参照されたい。成田「現代都市を生きる感性と歴史学――「戦後歴史学」と都市史研究」(『人民の歴史学』第一七六号、東京歴史科学研究会、二〇〇八年六月、のち同『歴史学のナラティヴ』校倉書房、二〇一二年所収)、特に前半部。同「「戦後歴史学」の自己点検としての史学史」(『歴史学研究』第八六二号、二〇一〇年一月、のち前掲『歴史学のナラティヴ』所収)。同「日本史研究の「失われた八〇年代」」(喜安朗他編『歴史として、記憶として――「社会運動史」一九七〇〜一九八五』御茶の水書房、二〇一三年)。同「「戦後歴史学」の戦後史」(福永文夫・河野康子編『戦後とは何か――政治学と歴史学の対話』上巻、丸善出版、二〇一四年)。

第二に、社会史研究ⅠとⅡの関係をどう見るか。この二つはゆるやかにつながっている、と著者は説く。それは著者自身の研究の軌跡が証明しており、ⅠからⅡへと「転回」を受けとめて発展したがゆえに、著者が今日の評価を得ていることは言うまでもない。また何よりも、二宮宏之の研究の航跡が、それを証立ててもいる(成田「認識の歴史学へ――二宮宏之の「作法」」『Quadrante』第一五号、東京外国語大学海外事情研究所、二〇一三年)。だが、個々の歴史家より、もっと大きな潮流として捉えたとき、またその潮流を生み出した歴史意識の変貌の総体に目を凝らしたとき、連続性よりもある種の飛躍(ないしは断絶)がここにあったと見るべきではないか。研究を始める時点で、社会史研究Ⅱが一種の運動となって躍り出る場面に際会した当時の私の実感は、むしろこちらに近い。

立場や世代によって見えてくる時代の風景が異なるのは当然だが、この点は、第13章の後半で言及された一九七〇年代生まれの歴史家たちの、「転回」をめぐる著者との〝視差〟にもかかわっている。この世代の鋭敏な歴史家たちは、さまざまな認識論的「転回」を前提として研究を始めた。そのため、自身が概念図の系譜のどこに属するかを問題とせず、潮流のそれぞれが有する可能性を、歴史を物語る場面で試すことで、現代社会の歴史意識にこたえようとしていると見える。「総括」の不毛な応酬を繰り返さないために、ここでも史学史認識と状況認識の双方について、認識主体に即した関係の理路に注意しながら、対話を通じた中間総括を積み上げていく必要があるだろう。

そして最後に、この概念図の外側に広がる史学史の空間との関係をどのように捉えるかという課題がある。史学史を、日本の外に開く作業である。対話は、空間的にも越境しなければならない。今日では海外の日本研究者によって、日本のアカデミズムにおける歴史学の形成が、近代的な歴史学の「挫折」としてではなく、同時期の欧米各国のナショナル・ヒストリーの形成とむしろ相似的な道筋を歩んだことが実証的に論じられている(マーガレット・メール/千葉功・松沢裕作他訳『歴史と国家――19世紀日本のナショナル・アイデンティティと学問』東京大学出版会、二〇一七年、など)。今後、「戦後歴史学」など戦後日本の歴史学の諸潮流も本格的に比較の対象となるだろう（すでに始まっている試みについては、本書「まえがき」を参照されたい）。

その際、本書における著者のさまざまな「仮説」が、貴重な試金石となる。著者も第12章で、日仏の歴史学における共通性とともに、転換期のズレや両国の置かれた位置の違いをふまえて、興味深い比較を展開している。元来、こうした比較は、「その輸入理論に匹敵するものが、すでに日本で独自に提唱されている」などと、反発を受けがちだった。だが、互いに連絡もなくそれぞれの場で始まった自己革新の試みを、世界的な同時性として視野に収められれば、方法や理論について、より自由に議論の交換ができるだろう。もちろんそこでは、著者の四半世紀余にわたる史学史の企図もまた、検討の俎上に載せられるはずだ。その意味でも、本書所収の論考は必読の位置にある。

（とべひであき・沖縄／日本近現代史・東京経済大学）

本書は岩波現代文庫オリジナル編集版である。

収録論文の来歴については「歴史論集1 まえがき」および「初出一覧」を参照されたい。

方法としての史学史——歴史論集 1

2021 年 3 月 12 日　第 1 刷発行

著　者　成田龍一（なりた りゅういち）

発行者　岡本　厚

発行所　株式会社 岩波書店
〒101-8002 東京都千代田区一ツ橋 2-5-5
案内 03-5210-4000　営業部 03-5210-4111
https://www.iwanami.co.jp/

印刷・精興社　製本・中永製本

ISBN 978-4-00-600432-3　　Printed in Japan

岩波現代文庫創刊二〇年に際して

二一世紀が始まってからすでに二〇年が経とうとしています。この間のグローバル化の急激な進行は世界のあり方を大きく変えました。世界規模で経済や情報の結びつきが強まるとともに、国境を越えた人の移動は日常の光景となり、今やどこに住んでいても、私たちの暮らしは世界中の様々な出来事と無関係ではいられません。しかし、グローバル化の中で否応なくもたらされる「他者」との出会いや交流は、新たな文化や価値観だけではなく、摩擦や衝突、そしてしばしば憎悪までをも生み出しています。グローバル化にともなう副作用は、その恩恵を遥かにこえていると言わざるを得ません。

今私たちに求められているのは、国内、国外にかかわらず、異なる歴史や経験、文化を持つ「他者」と向き合い、よりよい関係を結び直してゆくための想像力、構想力ではないでしょうか。

新世紀の到来を目前にした二〇〇〇年一月に創刊された岩波現代文庫は、この二〇年を通して、哲学や歴史、経済、自然科学から、小説やエッセイ、ルポルタージュにいたるまで幅広いジャンルの書目を刊行してきました。一〇〇〇点を超える書目には、人類が直面してきた様々な課題と、試行錯誤の営みが刻まれています。読書を通した過去の「他者」との出会いから得られる知識や経験は、私たちがよりよい社会を作り上げてゆくために大きな示唆を与えてくれるはずです。

一冊の本が世界を変える大きな力を持つことを信じ、岩波現代文庫はこれからもさらなるラインナップの充実をめざしてゆきます。

（二〇二〇年一月）

G425
岡本太郎の見た日本
赤坂憲雄

東北、沖縄、そして韓国へ。旅する太郎が見出した日本とは。その道行きを鮮やかに読み解き、思想家としての本質に迫る。

G426
政治と複数性
―民主的な公共性にむけて―
齋藤純一

「余計者」を見棄てようとする脱‐実在化の暴力に抗し、一人ひとりの現われを保障する。開かれた社会統合の可能性を探究する書。

G427
増補 エル・チチョンの怒り
―メキシコ近代とインディオの村―
清水透

メキシコ南端のインディオの村に生きる人びとにとって、国家とは、近代とは何だったのか。近現代メキシコの激動をマヤの末裔たちの視点に寄り添いながら描き出す。

G428
哲おじさんと学くん
―世の中では隠されているいちばん大切なことについて―
永井均

自分は今、なぜこの世に存在しているのか？友だちや先生にわかってもらえない学くんの疑問に哲おじさんが答え、哲学的議論へと発展していく、対話形式の哲学入門。

G429
マインド・タイム
―脳と意識の時間―
ベンジャミン・リベット
下條信輔
安納令奈 訳

実験に裏づけられた驚愕の発見を提示し、脳と心や意識をめぐる深い洞察を展開する。脳神経科学の歴史に残る研究をまとめた一冊。〈解説〉下條信輔

2021. 3

岩波現代文庫［学術］

G430
被差別部落認識の歴史
―異化と同化の間―

黒川みどり

差別する側、差別を受ける側の双方は部落差別をどのように認識してきたのか――明治から現代に至る軌跡をたどった初めての通史。

G431
文化としての科学／技術

村上陽一郎

近現代に大きく変貌した科学／技術。その質的な変遷を科学史の泰斗がわかりやすく解説、望ましい科学研究や教育のあり方を提言する。

G432
方法としての史学史
―歴史論集1―

成田龍一

歴史学は「なにを」「いかに」論じてきたのか。史学史的な視点から、歴史学のアイデンティティを確認し、可能性を問い直す。
〈解説〉戸邉秀明

2021. 3